08/02/06

LA PART DU MORT

YASMINA KHADRA

LA PART DU MORT

roman

Julliard
24, avenue Marceau
75008 Paris

© Éditions Julliard, Paris, 2004
ISBN : 2-260-01644-8

I

Onzième commandement :
*Si les Dix Commandements n'ont pas
réussi à sauver ton âme, si tu persistes à
n'avoir d'égards pour rien, dis-toi que tu ne
vaux pas grand-chose.*

1.

À croire que la terre s'est arrêtée de tourner.

J'ai le sentiment de me décomposer au fil des minutes, que chaque instant qui s'en va emporte avec lui un pan de mon être.

Un calme désespérant pèse sur la ville. Tout baigne. Les gens vaquent à leurs occupations, les mémés sont peinardes et aucun drame ne court les rues.

Pour un flic dynamique, c'est la cale sèche.

Depuis la neutralisation du Dab*, Alger respire. On se couche tard, on se lève rarement. L'État-providence se délecte du farniente avec le même détachement que ses décideurs. Du matin au soir, le petit peuple remue paresseusement çà et là, un doigt dans le nez et l'œil dans le vague. On voit bien que quelque chose de terrible est en train de sourdre, mais on s'en fout. Nous autres, Algériens, nous ne réagissons qu'en fonction de ce qui nous arrive, jamais en prévision de ce qui risquerait de nous arriver.

En attendant le déluge, on fait du chichi. Nos saints patrons veillent au grain, nos poubelles débordent de

---

* Dingue au bistouri (Flammarion).

victuailles, et la crise économique, qui menace la planète, fait figure de comète, *chez nous*.

Bref, c'est la vie de château.

Hier, il a plu toute la nuit. Le vent a vidé son sac jusqu'au matin. Puis, dès l'aube, le ciel s'est dégagé et un soleil rembranesque s'est foutu à poil par-dessus les immeubles de la ville. L'hiver n'a pas fini de remballer ses grisailles que l'été est là, supplantant le printemps et le reste. Dans les rues décrottées, les filles traversent les esprits telles des étoiles filantes, le minois épanoui et la croupe frémissante. Un vrai régal. Si j'avais vingt ans de moins, je les épouserais toutes.

J'essaie de déceler une anomalie sur le mur pour méditer dessus. Ça fait des mois que je me tourne les pouces. Pas un cambriolage, pas le moindre rapt de chiot. À croire qu'Alger refuse de coopérer.

J'ai léché le fond de ma tasse de café, déchiffré, une à une, les innombrables arabesques que je griffonne distraitement sur mon buvard ; pas moyen de secouer les aiguilles de l'horloge murale. Il est 15 h 15, et je commence à trouver le temps long.

L'œil du Raïs, grave dans son cadre doré en face de moi, me nargue. Mille fois je me suis levé pour le décrocher, et mille fois j'ai craint de déclencher la foudre du ciel. Assagi, je prends mon mal en patience en attendant qu'une révolution prochaine nous impose un dieu éolien moins déshydratant.

Et, soudain, voilà Lino qui se rue dans mon réduit sans même se donner la peine de s'annoncer :

— Hé, commy, qu'est-ce t'en dis ? glapit-il en se présentant recto verso, emballé par son look.

Il est sapé comme un prince monégasque, le lieutenant.

Radieux, il arrête de me donner le tournis, se campe au beau milieu de la pièce et, d'une main désinvolte, il ôte ses lunettes impérialistes.

— Aujourd'hui, déclare-t-il, j'ai la pêche.
— Pour une poire, c'est une sacrée performance.
Ça le plie en deux.
Il sourcille, me dévisage :
— Je te plais pas ?
Je lui montre mon alliance.
Il ricane, s'adresse à la porte-fenêtre et se contemple dedans. Satisfait, il remet ses lunettes, passe un doigt délicat sur sa tignasse gominée, fendue au milieu par une raie austère, puis, pour m'en mettre plein la vue, il me montre la doublure de sa veste et récite :
— Pierre Cardin : 8 500 balles. Sans remise de peine. Froc Lacoste : 4 500 balles. Chemise Kenzo, pure soie : 2 245 balles. Chaussures Dodoni, croco véritable, *kho* : 9 990 balles.
— Je comprends finalement pourquoi certaines rébellions abdiquent faute de munitions. Loto ou chantage ?
— Fiche de paie et tirelire cadenassées. L'argent *harem,* c'est pas mon hobby, *kho...* Tu me trouves ?
— Bizarre.
— C'que tu peux être rabat-joie, chef. Au fait, devine où je dîne ce soir ?
— Aucune idée.
— Au Sultanat bleu, le plus sélect resto de la baie. La bouffe y est si bien soignée que le transit n'a même pas besoin d'être recyclé pour figurer au menu des fast-foods.
— Sûr que tu as gagné au Loto.
— Faux. C'est vrai, j'ai tiré le bon numéro, mais il s'agit de compagnie galante. J'ai rancard avec elle dans trente minutes.
— Je ne vois pas ton fusil.
Lino *voit* où je veux en venir. Il retrousse le nez, déporte les lèvres sur le côté et grogne :
— J'en ai pas besoin, commy. S'agit pas d'un lapin. Cette fois, c'est du solide.

— Dans ce cas, ça doit être un travelo.

Je l'ai blessé.

Sa bonne humeur s'estompe d'un coup, et son teint, un moment flamboyant, s'assombrit. Il glisse l'index sous le col de sa chemise, tire dessus ensuite, écœuré par mon rictus, fait demi-tour et s'en va.

Il n'a pas emporté son ombre avec lui, Lino. Subitement, l'éclaircie, qui berçait mon bureau, se voile.

15 h 19, rabâche l'horloge délétère.

Je prends le téléphone et appelle le patron, au troisième étage.

C'est l'inspecteur Bliss qui décroche, relançant ma crise hémorroïdaire :

— Ouais ?

— Commissaire Llob à l'appareil.

Il soupire, le fumier.

Pour ceux qui ne connaissent pas encore Bliss, autant les avertir tout de suite : authentique fripouille, ce type chiperait un doigt à qui lui prêterait main-forte.

— Qu'est-ce que tu veux ? maugrée-t-il.

— Qu'est-ce que tu fous, *toi*, dans le bureau du boss ?

— Je bosse.

— Débite pas de conneries et passe-moi le dirlo.

— Tu l'as appelé comment, *monsieur le directeur* ?

J'ai envie de plonger le bras dans le combiné pour lui arracher la peau du cou.

— Écoute, Llob, j'ai du pain sur la planche. *Monsieur le directeur* est en inspection pour deux jours. Si tu as un message, aboule.

— J'ignorais que tu exerçais aussi la fonction de répondeur.

Il me raccroche au nez, malgré mon âge et mes galons. Je mitonne deux secondes puis, faisant contre mauvaise fortune bon cœur, je me ressaisis. Mais, pas question de poireauter une minute de plus au bureau. Surtout lorsque c'est une OGM* qui assure l'intérim.

Le patron étant absent, et en bon Algérien qui se respecte, je ramasse mon veston, redresse l'échine et prends la clef des champs.

Au gré de mes errements, je débouche sur la librairie de Mohand. J'en déduis que le hasard a une petite idée derrière la tête et décide de me prêter à son jeu. Monique est en train de ranger une pile de bouquins sur les étagères. Elle chavire au haut d'un escabeau, la jupe indiscrète. De prime abord, je constate qu'elle n'est pas près de changer d'un iota ses habitudes : elle porte obstinément des caleçons pour hommes. Je toussote dans mon poing pour calmer les esprits. Monique manque de me tomber dans les bras tant ma visite l'enthousiasme. Tout de suite, elle revient sur terre, me saute au cou et me plaque une bise à remuer un pédoncule.

— Ça fait un bail, dis donc ! Qu'est-ce qui t'amène ?

— Le flair. Une librairie a toujours abrité des conciliabules subversifs. Comme je chôme ces derniers temps, je suis venu fouiner derrière les tentures.

— Et tu as un mandat de perquisition ?

— Pourquoi me pose-t-on toujours des questions que je ne comprends pas ?

Bien qu'elle soit jalousement alsacienne, Monique tient aussi, côté germain, des armoires normandes. De deux têtes qu'elle me domine. Raison pour laquelle j'évite au maximum de poser à côté d'elle.

Elle me suspend au bout de ses bras pour me contempler comme si j'étais une culotte de boxeur, penche la

* Ordure génétiquement modifiée.

tête à droite et à gauche, l'œil plissé, puis, satisfaite, elle
me félicite :

— Tu as l'air en forme.

— C'est parce que je manque de fond.

— Ne la ramène pas, s'il te plaît. Pour une fois que tu
affiches une mine moins barbante, laisse-nous nous en
réjouir.

Je me résous à ne pas gâcher son bonheur et lui
improvise un bout de sourire.

Elle me tance :

— Tu t'es trompé de chemin ?

— Mes lecteurs trouvent qu'il n'y a pas assez de
femmes dans mes textes.

Ses mains me froissent les épaules – ce qui devrait me
réconforter, je suppose.

— Tu me fais marcher, là, Brahim.

— J'ai laissé ma trique au bureau.

Elle s'esclaffe, Monique, et c'est toute une étable qui
chante à l'heure où le soir se couche sur les verts pâturages.

— Vrai de vrai : tu vas parler de moi dans ton prochain bouquin ?

— J'en toucherai deux mots à mon nègre, promis.

— Tu aurais pu me prévenir. Je me serais donné un
coup de peigne.

J'ai connu Monique en 1959, à Ighider, où elle ensei-
gnait l'histoire-géo. Son père était instituteur aussi. Après
la guerre et les effroyables vagues de représailles qui s'en
étaient suivies, sa famille s'est exilée en France. Monique
est restée. Elle a épousé Mohand, un *d'arguez* des hautes
montagnes qui aimait les livres. Paraît que la nuit de leurs
noces, tandis que les copains guettaient le jupon de vérité
dans le patio, les deux tourtereaux avaient traduit des
poèmes kabyles jusqu'au matin. Ensuite, le douar ne
suffisant plus pour contenir leur passion, ils ont acheté

une petite librairie en souffrance, à Bab El Oued, et depuis ils passent plus de temps à lire qu'à merdouiller.

— Viens voir qui est là, Mohand, lance Monique en direction de l'arrière-boutique.

— Il n'y a qu'un seul type qui schlingue de cette façon, riposte une voix off nasillarde.

Je me penche sur Monique et lui murmure :

— Il devrait désinfecter sa moustache.

Elle repart de son clairon ancestral.

Il n'y a pas mieux que le rire d'une femme pour vous remettre d'aplomb. Une tenture s'écarte, et Mohand émerge de son trou à rat. C'est un petit bonhomme de cinquante kilos TTC, le nez arrogant et les lunettes cerclées. Si la nature ne l'avait pas encombré d'une calvitie aussi alarmante, on serait presque tenté de l'adopter.

— Brahim Llob, en chair et en os, dit-il en me balayant de bas et en haut. Alors, comme ça, on oublie ses petits copains.

— J'ai la grosse tête.

— Il va me citer dans sa prochaine œuvre, lui signale Monique, trémoussante de ravissement.

— Ça va nous faire une belle jambe.

Mohand joue au renfrogné. Je sais qu'il m'aime bien et prend très mal le fait que je le néglige. Érudit bilingue, il constitue, à lui seul, une formidable encyclopédie. Aucun auteur ne l'indiffère, aucune nouveauté ne lui échappe. Il connaît par cœur El Mounfalouti, Confucius, les rêveries de Rousseau et les vaticinations controversées de Nostradamus. Avant, je passais régulièrement dans sa boutique ; il mettait à ma disposition son trésor livresque. Je lui dois l'ensemble de mes lectures, et une bonne partie de mes performances littéraires. C'est d'ailleurs grâce à lui si j'aime de chaque culture un folklore et de chaque mythologie une divinité.

— Tu viens renouveler ton abonnement ?

— C'est ça. Je manque d'inspiration, ces derniers temps, et je me suis dit qu'en farfouillant dans tes vieux bouquins je pourrais y dénicher quelque chose à plagier.

Il me boude deux secondes, ensuite il m'invite à le suivre dans l'arrière-boutique. À l'intérieur, il y a des ouvrages de quoi entretenir le bivouac d'une armée de vandales pendant un hiver. On est obligés de marcher l'un derrière l'autre pour ne pas déclencher l'avalanche. Mohand pousse un minuscule escabeau vers une rangée de grimoires aux couvertures moisissantes, remue une toile d'araignée, cherche, cherche, redescend, un doigt contre la tempe :

— J'avais un Akkad quelque part.

— Vas-y mollo. J'suis pas trapéziste, je lui rappelle.

— Et alors ?

— Faut pas placer la barre trop haut.

Il retrousse le sourcil et se dirige sur un stock de romans empaqueté dans un coin.

— C'était destiné au pilon, raconte-t-il, indigné. Le frère de Monique l'a récupéré pour moi. Tu te rends compte ? On bousille des milliers d'œuvres faute d'acheteurs, alors qu'il suffit de les offrir à une bibliothèque du *Sud* pour rendre une nation heureuse.

— Ils t'envoient assez de sacs de riz comme ça.

— Y a pas que le ventre, dans la vie... Tiens, voilà un truc intéressant, ajoute-t-il en me proposant un pavé. Ce Rachid Ouladj, il n'est pas très connu chez nous, mais, dans pas longtemps, il va faire parler de lui.

— C'est pas le gars qui médit du FLN ?

— Disons qu'il n'est pas tendre avec le système.

Je repousse le bouquin d'une main répugnée :

— Tu peux te le garder. Les petits réactionnaires sur commande, qui se découvrent subitement du talent à partir de l'île Saint-Louis, j'en connais un bout, et c'est pas bandant, je t'assure...

— Qu'est-ce que tu racontes ? Tu l'as même pas feuilleté.

— C'est pas nécessaire. Je connais le moule dans lequel il a été conçu.

Mohand est outré par ma muflerie.

Je ne cède pas. En vérité, je ne fais là que me conformer aux usages qui caractérisent tout écrivain du bled devant la réussite éditoriale d'un congénère, particulièrement s'il casse la baraque en France. Si un jour, moi, Brahim Llob, fonctionnaire incorruptible et génie aseptisé, je brillais parmi les étoiles du firmament, sûr qu'on me ferait passer pour un scribouillard à la solde du régime – simplement parce que je suis flic – ou pour un bougnoule de service si les médias d'outre-mer m'encensaient. En Algérie, ça se passe comme ça, et pas autrement. Il y a, en nous, une sorte de malin plaisir à ne point dissocier le succès des autres de l'hérésie ou de la félonie. Ce préjugé exerce sur nous une démangeaison douloureuse et savoureuse à la fois ; nous nous gratterions au sang que nous ne voudrions pas y renoncer. Que voulez-vous ? Il est des gens ainsi conçus : retors parce que incapables de tenir droit, mauvais parce qu'ils ont perdu la foi, malheureux parce que, foncièrement, ils adorent ça. De mémoire d'Algérien, jamais nous n'avons réellement envisagé de nous réconcilier avec notre vérité. Et quel salut peut-on prescrire à une nation lorsque la crème de ses fils, celle censée éveiller les consciences, commence d'abord par travestir la sienne ?

Mais bon...

Au bout d'un remue-ménage, j'opte pour un Driss Chraïbi et me dépêche d'évacuer les lieux, leur remugle commençant sérieusement à endommager mon principal outil de travail.

Mina s'est mis du rouge sur les lèvres et un soupçon de khôl sur les yeux. C'est sa façon à elle de se racheter. Ça ne s'est pas bien passé entre nous, hier. À propos de broutilles. J'étais de mauvaise humeur, et je m'étais laissé un peu aller.

Elle me gratifie de son sourire de madone et se dépêche de me débarrasser de mon veston. De mon côté, je fais le mal léché. J'ai conscience de mon indélicatesse, mais c'est plus fort que moi. Quand j'étais môme, j'admirais beaucoup mon père. Je ne me souviens pas de l'avoir vu sourire. C'était un vrai *d'arguez*, sévère et sempiternellement constipé. Pour un rien, il renversait son souper sur le giron de la vieille avant de s'emparer de son gourdin. Et ma mère, qui le craignait à pâlir rien qu'en reconnaissant ses pas dans la rue, n'en avait pour lui que plus de vénération. Aussi lorsque, rarement, il lui disait merci, c'était comme si elle entendait pépier un ange des paradis.

Je crois que mon machisme vient de là.

Mes deux grands rejetons sont dans le salon. Mourad s'est assoupi, terrassé par le programme de la télé nationale. La bouche grande ouverte, la nuque déformée par l'accoudoir du fauteuil, il ronfle. À côté de lui, son aîné Mohamed est allongé sur le banc matelassé, les mains derrière la tête, les yeux au plafond. À sa mine, je comprends qu'il est à deux doigts d'imploser. Si ça ne tenait qu'à lui, il prendrait volontiers ses cliques et ses claques et hisserait les voiles vers un improbable pays de cocagne.

— Tu as vu le chef d'entreprise ? je lui demande.

— Ouais, répond-il, dégoûté de devoir remettre ses aigreurs sur le tapis.

— Il t'a mal reçu ?

— Il a été courtois, seulement il n'avait pas grand-chose à me proposer.

— Par exemple ?

— Sous-fifre.

— Tu aurais dû accepter, le temps de trouver mieux.

Il tire sur le bout de son nez pour n'avoir pas à affronter mon regard.

— Je n'ai pas cravaché quatre années à l'université pour des prunes, papa. Je suis diplômé de Benaknoun, major de ma promotion, tout de même.

Je m'assois en face de lui de façon à saisir le fond de ses pensées.

— Tu trouves que je ne fournis pas assez d'efforts pour te caser, fiston ?

— J'ai pas dit ça.

— Mais tu le penses.

— Je sais que ce n'est pas ta faute, papa, grogne-t-il, excédé. C'est le pays qui me rend malade.

— Tu n'en as pas d'autre.

Il se donne un coup de reins pour se mettre sur son séant, contemple le creux de ses mains. Après un soupir, il me plante là et regagne sa chambre en grommelant :

— Tu ne peux pas comprendre, papa.

Et Mina :

— Qu'est-ce qu'il ne peut pas comprendre, ton père ? Je t'interdis de lui parler sur ce ton, tu entends ?

Je vois l'ombre de mon fils esquisser un geste las, dans le couloir, avant de disparaître.

Salim, le benjamin, s'encadre dans l'embrasure de la porte, un cahier contre la poitrine.

— Ah ! t'es rentré, vieux. Ça fait des heures que je t'attends, ajoute-t-il en me claquant le cahier sur les genoux. Cette fois, l'instituteur exagère. Figure-toi qu'il nous a demandé de décrire une oasis. J'ai jamais mis les pieds dans le Sahara, moi. (S'assurant que sa mère ne risquerait pas de l'entendre, il me chuchote) : On fait un marché, tu veux bien ? Tu me files un coup de pouce et moi, je lave ta voiture le week-end ?

— Pas question. C'est ton sujet, à toi de te débrouiller.

— Dans ce cas, emmène-moi sur-le-champ dans le désert. Les compositions, c'est pour demain.

— Retourne dans ta chambre finir tes devoirs, et cesse d'ennuyer ton père, intervient de nouveau Mina, vachement protectrice.

Salim ne se le fait pas répéter deux fois. Il ramasse son cahier et bat en retraite, maudissant le ciel de le flanquer de parents aussi égoïstes qu'inattentifs à sa détresse.

À mon tour, je me lève et vais taquiner Nadia dans les cuisines. Nadia, c'est ma fille à moi tout seul. À dix-neuf ans, elle fait tourner la tête à l'ensemble des jeunes loups du quartier. C'est vrai que ses chaussures sont constamment en retard d'une mode, qu'elle s'approvisionne chez le marchand de friperies du coin, pourtant, il lui suffit de rabattre le moindre poil de ses cils pour supplanter Cendrillon un soir de féerie.

Elle s'essuie les mains sur son tablier pour m'enlacer.

— Tu nous mijotes quoi pour le dîner ?

— Des haricots.

— Et ma soupe aux oignons ?

Elle m'indique ma popote personnelle en train de tintinnabuler sur le feu.

— Tu sais ce qui me ferait plaisir ? je lui susurre.

— Non.

— Un petit voyage du côté de Taghit ou bien dans le Hoggar, rien que toi et moi.

— Et maman ?

— Maman restera à la maison. Faut bien que quelqu'un reçoive nos cartes postales.

Nadia éclate de rire.

Lorsque ma fille s'esclaffe, j'ai envie de tout pardonner. Mais sa gaieté est si brève que je n'ai même pas le temps de m'en inspirer.

2.

— Bonjour, monsieur le commissaire.

Je sursaute.

Normal, j'étais en train de sommeiller, comme à chaque fois que la ville ignore qu'elle dispose de commissariats et que ce n'est pas en se tournant les pouces qu'un flic a des chances de se faire la main. Mais j'ai beau essayer d'attirer l'attention du dirlo sur la nécessité d'improviser des suspects et d'échafauder des affaires bidons pour stimuler notre vigilance, pas moyen de le sensibiliser.

L'inspecteur Serdj attend dans l'embrasure que je l'invite à entrer.

— J'ai fini le rapport, bredouille-t-il pour s'excuser de profaner, sans préavis aucun, mon ascèse.

D'une main condescendante, je lui indique une chaise.

Il dépose une chemise cartonnée sur mon bureau et repose son postérieur osseux sur le siège.

Il se tue à la tâche, Serdj. Ses joues sont sur le point de déboucher sur ses arrière-pensées. Les cheveux blancs, la moustache pleureuse, il n'est plus qu'une loque enfouie dans un costume à attendrir un SDF.

Je lui dis, compatissant :

— Tu n'étais pas obligé d'y passer la nuit.

— J'ai pensé que ça urgeait.

— Y a pas le feu.

Il ploie la nuque.

Je m'affaisse dans mon fauteuil, tire vers moi la chemise, feuillette le rapport.

Serdj épie mes grimaces.

— Un problème, commissaire ?

— Hum...

— Si vous voulez, je peux l'étoffer davantage.

— Tes rapports ont toujours été corrects. L'ennui est ailleurs.

— C'est-à-dire ?

Je le fixe dans les prunelles.

— Qui c'est, le destinataire ?

— M. le directeur du SIA...

— Et c'est qui ?

— Ben, un supérieur.

Je lui fais non de la tête, à la façon d'un instituteur décontenancé par les trous de mémoire de ses cancres.

— Tu vois ? Tu ne retiens jamais la leçon. « Supérieur », c'est pour les nonnes. Dans *notre* hiérarchie, à chaque marche, on a un petit dieu en bonne et due forme. C'est des types hypersusceptibles, jalousement à cheval sur le protocole. Ils sont tellement friands de petits cadeaux qu'ils considèrent comme tels tout ce qui atterrit sur leur bureau. Et un rapport, pour que ça fasse *offrande*, doit être parfumé, bien enveloppé et enrubanné. Et qu'est-ce que tu fais, Serdj ? Tu tapes ton charabia sur du papier pelure, désagréable au toucher, qui laisse des pellicules sur le bout des doigts. Ce n'est pas raisonnable. M. le directeur du SIA va interpréter ça comme un manquement à son respect. Tu aimerais être taxé de réactionnaire ?

— Non, commissaire.

— Alors reprends ton brouillon et tâche de le retaper sur du papier approprié.

— Bien, commissaire.

Il ramasse sa paperasse et se lève, stoïque.

Au moment où il atteint la porte, je lui lance :

— Trouve-toi du papier *extra strong* de première qualité, parfaitement blanc et tranchant comme des lames de rasoir... au cas où le manitou s'aviserait de s'en torcher le cul.

Il acquiesce et s'éclipse, aussi furtif qu'une ombre.

Dans le box d'à côté, ma secrétaire, Baya, ronronne à la manière d'une chatte assise sur une anguille. Je l'imagine en train de se tortiller comme un asticot, le téléphone coincé entre l'épaule et le menton. Le type, au bout du fil, a l'air de connaître la chanson.

Vierge à trente-cinq ans, Baya désespère des prétendants et semble se rabattre, de plus en plus, sur le téléphone rose. Bien sûr, pour sauver la face, elle laisse entendre que c'est elle qui ne veut pas se mettre la corde au cou. D'abord parce qu'elle tient absolument à son indépendance, ensuite, et surtout, elle trouve humiliant pour une femme de se faire passer toutes les nuits pour une chaussette afin que monsieur daigne y prendre son pied. Pourtant, dès qu'il retentit, le téléphone, Baya retouche à son brin de toilette avant de décrocher. Si c'est encore l'obsédé qui est au bout du fil, les gémissements se remettent à fusionner avec les crissements de la chaise et le friselis soyeux du jupon.

L'entretien dure une éternité. En attendant que l'obsédé débande, Baya oublie de m'apporter le courrier à signer.

À bout de patience, je la sonne.

Baya prend son temps puis, la nuque droite et le nez haut, elle s'amène avec son calepin, le pas mesuré au millimètre près, rappelant une hôtesse de l'air défilant

pour un spot publicitaire vantant le sérieux de sa
compagnie.

— Vous m'avez appelée, commissaire ?

— Et comment !

Elle sourit.

— Je vous écoute, commissaire.

Elle a mis trop de carmin sur les lèvres, ce qui inflige
à sa bouche une configuration obscène ; et ses cheveux,
la veille noir corbeau, sont teints en blond platine.

— Quel look incendiaire ! je m'exclame.

— Ne vous fichez pas de moi, commissaire, glousse-
t-elle en remuant des hanches. (Puis, me regardant droit
dans les yeux :) Vous trouvez ?

— À cette allure, tu ne vas pas tarder à mettre le feu
aux poudres, au Central.

Elle doit serrer les cuisses pour se retenir.

Avant, Baya était jolie. Elle s'habillait simple et se
voulait discrète. À l'époque, les *hommes* avaient un
faible pour les femmes discrètes. Ça faisait fille de
bonne famille, donc prédisposée au statut de bête de
somme, ce qui constituait, dans une société traditionnellement esclavagiste, un investissement probant. Puis, les
mentalités ont changé de cap. Aujourd'hui, on préfère
les filles émancipées, sachant rire aux éclats et se déhan-
cher de façon à bousculer et les tabous et les envieux. À
Alger, plus personne ne tient à vivre pour soi-même. Ça
rappelle trop l'indigénat. La mode est à l'ostentation.
Ne valant désormais que par ce qu'il suscite chez les
autres, chacun s'évertue à ne point passer inaperçu,
quitte à se foutre à poil au cœur d'une mosquée. Baya se
prête volontiers au jeu. Maintenant qu'elle est pratiquement sûre de finir célibataire, elle essaie de sauver la
face en changeant de tête selon l'ordre du jour.

— C'est quoi le programme, aujourd'hui ?

Elle reprend son sérieux et rabat le bas de sa jupe sur

son genou. Mais l'échancrure est si importante que même une taupe décèlerait les motifs de son slip.

— Sy Abbas s'est décommandé, monsieur le commissaire. Il vous prie de l'excuser et vous promet de relancer les débats dès que possible, lit-elle doctement dans son agenda... L'inspecteur Redouane est arrivé à destination sans encombre. Il rentrera à la fin de la semaine... Madame votre épouse vous demande de ne pas oublier de passer la prendre à 18 heures... Et enfin, je vous rappelle que vous avez rendez-vous, à 11 heures, avec le professeur Allouche.

Je consulte ma montre :

— Quelle heure est-il ?

— 9 h 20, monsieur le commissaire.

— C'est ce qu'affiche ma tocante. Lino croit peut-être qu'aujourd'hui est chômé et payé.

Baya se frappe le front avec le plat de la main :

— C'est ma faute. J'ai oublié de vous signaler que le lieutenant a téléphoné, ce matin. Il dit qu'il est souffrant. Une grippe carabinée.

Je crispe les mâchoires :

— S'il rappelle, dites-lui de me présenter un certificat médical à son retour. Il commence à me les gonfler, avec ses fébrilités répétitives. J'espère qu'il n'a pas gardé la bagnole.

Baya baisse la tête, confuse.

— Le fumier ! Avec quoi je vais me déplacer ? Ma Zastava est chez le mécanicien depuis trois jours.

— Prenez la voiture de l'inspecteur Serdj, me propose-t-elle.

Baya a toujours nourri un soupçon de béguin pour Lino. Une sorte d'affection tantôt amicale, tantôt audacieuse lorsque j'ai le dos tourné. Je lui pardonne parce qu'elle renforce un peu l'esprit d'équipe. Mais si cette solidarité doit se muer, parfois, en complicité au point de s'élaborer au détriment de mon autorité, là, je ne suis plus preneur. C'est pourquoi je fais remarquer à la secrétaire qu'un bouton manque à l'échancrure de sa robe pour lui montrer combien elle ferait mieux de s'occuper de son potager secret au lieu de conter fleurette à un vieux jardinier aigri.

Le professeur Allouche est un éminent psychanalyste. Il a été ami avec Frantz Fanon.

Mais que peut faire un érudit dans un pays révolutionnaire où le charisme s'applique à être l'ennemi juré du talent, où le génie est traité en hors-la-loi ?

Auteur d'un tas de bouquins, tous édités en France faute de preneurs au bled (à l'époque – comme aujourd'hui d'ailleurs et demain sans aucun doute – l'« élite » du sérail veillait scrupuleusement à maintenir le QI des Algériens à hauteur de celui de leurs responsables, c'est-à-dire aux alentours des braguettes), il a connu pas mal de tracasseries avec les autorités qui voyaient, en ses travaux scientifiques, des manœuvres subversives. C'est vrai qu'il est difficile d'expliquer à un montreur d'âne qu'un livre n'est pas forcément un instrument antirévolutionnaire, cependant, dans l'Algérie des maquignons, l'excès de zèle se voulait l'expression majeure de la vigilance, et l'injure l'octave haute du serment ; c'était toujours ragaillardissant d'entendre le bruit des bottes retentir à travers les geôles souterraines de villas louches. À l'instar des gens de bonne volonté soumis aux bons soins d'une bande de voyous messianiques, le professeur Allouche fit l'objet de plusieurs enlèvements, de séquestrations, de brimades, de simulacres d'exécution et fut même forcé à l'exil. Son séjour en Europe, bien qu'il l'élevât au rang des références mondiales et lui valût d'innombrables distinctions, ne lui monta pas à la tête. Si nul n'est prophète dans son pays, personne n'est

maître chez les autres, non plus. Très vite, notre éminent savant s'aperçut que les égards de ses confrères
occidentaux n'étaient que des pièges succulents, que
les prix qu'on lui décernait avaient un arrière-goût d'à-
valoir, et que ses travaux d'érudit se découvraient des
accents politiques puisqu'il passait plus de temps à hanter les salles de rédaction et les salons des ONG que les
ateliers universitaires. On ne l'applaudissait plus pour
ses recherches ; on saluait ses prises de position contre la
dictature qui sévissait au bled. Les gens qui venaient
l'écouter présentaient des faciès de brutes et laissaient
traîner dans leur sillage des documents ornés de cachets
officiels. Bref, on le manipulait comme une vulgaire
marionnette. Cela l'avait beaucoup affecté. Entre la probité intellectuelle et les gesticulations politiciennes, la
patrie flouée et le porte-monnaie renfloué, le débat
devait être tranché de façon nette et précise. Pas question de se maintenir le cul entre deux chaises, surtout
lorsqu'on a passé l'essentiel de sa vie à se faire baiser
sec. Le professeur n'y alla pas de main morte. Il rendit à
Clovis ce qui appartenait à la Gaule et, pareil au sau-
mon que l'ivresse océane ne troublera jamais, il revint
communier avec sa rivière natale où les galets n'ont pas
la magnificence des coraux, mais où les roseaux savent
suggérer leur noblesse malgré la trivialité tentaculaire
des lauriers-roses. Il enseigna à l'université jusqu'au jour
où le savoir tomba au rebut. Les modules se mirent à se
négocier sur des bases strictement pornographiques et
les diplômes à transiter par les hôtels de passe. Horrifié,
le professeur Allouche tenta de sauver quelques
meubles, ce qui déplut énormément à ses collègues qui
refusaient de sauter leurs étudiantes à même le sol... En
résumé, l'ère de la gangrène prenait le pas sur celle du
computer. Quelque part, en haut lieu, on mettait déjà en
place les premiers jalons de la *dérive* que le professeur

Allouche dénonça dans un journal hexagonal. Résultat : six mois de prison pour intelligence avec l'ancien occupant.

Au sortir du cachot, le professeur ne disposait plus de l'ensemble de ses facultés. On l'*évacua* sur l'asile et on l'y oublia.

Maintenant, le professeur Allouche ne sait pas vraiment s'il est encore en observation ou bien en consultation. Il a un bureau à l'extrémité d'un pavillon insalubre, une chambre à l'étage au-dessus, et il se consacre en entier à ses patients, toute autre initiative étant, sinon aléatoire, bougrement suicidaire.

Je le trouve en train de m'attendre dans le parking du centre psychiatrique, les mains derrière le dos et la tête dans les soucis. Son tablier blanc ajoute à sa silhouette dégingandée une touche spectrale. Il est tellement haut perché sur ses pattes d'échassier que son échine commence à décrire une inclinaison de plus en plus préoccupante. Sa longue chevelure chenue voltige autour de sa tronche telle une auréole de fumée. On dirait un fantôme émergeant de sa brume. Pourtant, il a beau garder ses peines pour lui, sa détresse est si criarde que sa pudeur en devient ridicule.

— Une minute de plus et j'allais choper une insolation, dit-il.

— 'fectivement embêtant, pour une tête brûlée.

Avec le doigt, il recueille la sueur sur son front et s'en débarrasse d'une chiquenaude, ensuite il lève le pouce vers le soleil en train de saigner à blanc le ciel :

— On se croirait en juillet.

— Le 5 ou le 14 ?

— Je parle de la saison.

— Ah...

Il fronce un sourcil et me dévisage de guingois :

— Tu n'es pas d'humeur, dis donc.

— C'est dans ma nature.

— Dois-je comprendre que tu n'es pas ravi de me revoir ?

— Au contraire. C'est à l'asile que je me sens le moins dépaysé.

— Dans ce cas, je suis prêt à t'héberger.

J'écarte ma veste sur la bretelle de mon porte-revolver :

— J'ai déjà une camisole.

Il sourit enfin et me tend une main si propre que j'hésite à la saisir.

Il me prie de le suivre. Ayant appris à ne jamais offrir le dos à l'ennemi, et bien que le professeur ne figure pas sur ma liste noire, je le laisse passer devant. Il hausse les épaules et me précède, la nuque cramoisie et le pas terrassé par la canicule.

L'asile s'étend sur une aire plus vaste qu'un terrain vague. Un coin idéal pour péter les plombs. Hormis un vieillard en train de se curer le nez à l'ombre d'un arbre, c'est la déréliction tous azimuts. Des pavillons sordides tentent de se mettre en évidence au milieu d'une végétation sauvage, lugubres comme des tombeaux. Leurs portes cadenassées choquent ; les barreaux de leurs fenêtres consternent. Malgré la nature tapageuse de leurs locataires, on les dirait inhabités. Ici, des êtres reniés par la société se terrent en attendant d'être enterrés. Je les devine, derrière le baraquement, les yeux ailleurs et les mains agrippées à la pénombre, en train de guetter, entre deux sédatifs surdosés, ce fossoyeur qui répugne à leur creuser un trou.

J'ai toujours été mal à l'aise dans un cimetière, mais un asile d'aliénés exerce sur moi plus de chagrin qu'un charnier.

Il n'est pire enfer qu'un mouroir hanté de vivants.

— Ils sont imprévisibles, pas félons, dit le professeur

comme s'il lisait dans mes pensées. Certains d'entre eux
furent des cadres de valeur.

— La folie est, quelquefois, un excès de transcen-
dance.

— Tu te rappelles Chérif Wadah ?

— Le Che Guevara africain ?

— Eh ben, il est ici, lui aussi.

— C'est pas vrai !

— Je t'assure que si. Il a eu des démêlées avec la
Famille révolutionnaire. Pour des questions de principes. On l'a mis en quarantaine, puis on a commencé à
persécuter sa famille. Un matin, il sort de chez lui et ne
sait plus comment rentrer. On l'a retrouvé du côté de
Staoueli, vêtu de hardes, gourdin au poing, insultant les
dieux et les hommes à gorge déployée. Il ne se souvient
de personne. Ses gosses et sa femme viennent le voir. Il
refuse de les rencontrer. Des fois, il reste des jours et des
jours sans articuler une syllabe. Des fois, il se lance dans
des diatribes inintelligibles jusqu'à tomber dans les
pommes.

— Si c'est pas malheureux.

— Tu te rends compte : un monument comme lui.

— Alger ne croit pas aux héros, professeur. Elle leur
préfère les martyrs.

Il s'arrête pour m'approuver de l'index.

— J'espère que tu ne m'as pas appelé pour me bousiller le moral, ajouté-je. J'ai des gamins ; ça m'ennuierait de ne plus me souvenir d'eux.

Il acquiesce de la tête.

Nous débouchons sur une courette recouverte de
cailloutis, en face d'un bâtiment angoissant. Un bonhomme est assis sur le seuil du portail, les jambes
croisées, un chapeau en papier tel un accent circonflexe
par-dessus le crâne. À notre vue, il redresse l'échine,

joint les mains sous le menton et nous salue à la manière d'un moine bouddhiste.

Le bureau du professeur tiendrait dans un mouchoir. À peine plus large qu'un débarras, il me rappelle ces pièces obscures, au sous-sol des commissariats, où l'on cuisine les durs à cuire. Une table en Formica, un fauteuil éventré, une chaise métallique et, sur le mur, un dessin d'enfant représentant un chien à deux têtes. Derrière, sur une étagère, un vieux magnétophone de fabrication russe, grotesque avec ses énormes bobines et son couvercle en carton.

La fenêtre, sans rideaux, donne sur un bassin d'irrigation sinistré. Plus loin, sur un muret en ruine, un attardé se prend pour un jet d'eau. Le pantalon sur les chevilles, il urine en tournant sur lui-même.

— Il s'est autoproclamé roi des fauves, m'explique le professeur. Tous les jours, à 11 h 30 précises, il vient délimiter son territoire.

— Il a raison.

— Un café ?

— Non, merci.

— Un thé, alors ?

— Je suis ici à titre amical ou bien dans un cadre professionnel ?

— Les deux.

— Dans ce cas, un verre d'eau suffira.

Le professeur prend la commande, mais ne sonne personne. Je comprends que son budget est limité et que toutes ces délicatesses relèvent d'un usage purement symbolique. D'ailleurs, je ne vois ni tasse ni broc aux alentours, pas même un cendrier. Hormis quelques feuillets froissés, une ordonnance et un bon de sortie vierge, l'endroit passerait pour une vespasienne que personne n'y trouverait à redire.

— Voilà, dit-il en étalant devant moi un dossier d'où

il extrait la photographie d'un jeune homme plutôt
B.C.B.G.

Tout de suite, il se case dans son fauteuil et croise les
bras sur sa poitrine comme quelqu'un qui a terminé son
exposé.

Je commence d'abord par tripoter la photo. Au verso,
un stylo baveux a mentionné une date, un numéro de
série et des annotations. Je pêche quelques feuillets dans
le dossier. Ce sont des rapports de consultation, des
recommandations à l'adresse d'un directeur de prison,
une fiche signalétique, bref, une lecture inconciliable avec
la chaleur en train d'assécher mon crâne.

— Je suppose que je dois me démerder pour deviner
de quoi il retourne.

— Pas obligatoirement.

Dehors, le patient a fini d'uriner. Maintenant, il fait
face à la fenêtre et exhibe son sexe comme l'autre son
cimeterre.

Le professeur revient à de meilleurs sentiments,
repose les coudes sur la table et consent à m'éclairer :

— Nul ne sait d'où il vient. Un jour, il s'est réveillé
dans un chou. Ce qu'il a fait entre téter son pouce et
tirer son coup, c'est le black-out. Pas de nom, pas de
filiation, pas d'adresse. On a pensé à une amnésie ; le
bonhomme dispose d'une mémoire d'éléphant. On a
pensé à la folie ; le patient s'avère plus futé qu'un sorcier. Alors, de quoi s'agit-il ? Personne n'est foutu
d'avancer une hypothèse. Notre bonhomme a décidé, un
soir, de se présenter aux flics. À l'époque, c'est-à-dire il
y a plus d'une décennie, il avait une gueule plutôt sym-
pathique, un peu plus de vingt ans et un regard profond.
Dès qu'on me l'a amené, j'ai dit ce type est de bonne
famille. Très classe, très calme. Un peu trop. Mais
convaincant. Universitaire ? On a cherché et on n'a pas
trouvé. Jeune cadre d'entreprise ? On a cherché et on

n'a pas trouvé. Sur le procès-verbal, on a noté : refuse de décliner son identité. Plus tard, on a marqué SNP*. Il n'a pas protesté. Qu'est-ce qu'il veut ? Qu'on l'enferme dans une forteresse pour qu'il ne commette plus d'atrocités. Il déclare avoir tué un tas de gens, mais ne se rappelle pas où il a enterré ou abandonné les corps. Ses premières victimes sont deux vieilles personnes qu'il ne connaissait ni d'Ève ni d'Adam. Il était tombé en panne, à l'entrée d'un hameau. Il faisait nuit. Il a frappé à une porte pour demander de l'aide. On l'a hébergé pour la nuit. Au matin, il est parti très tôt en abandonnant sa voiture. Une voiture volée. Deux jours après, un voisin est alerté par des odeurs de décomposition. Les gendarmes découvrent le vieux couple dans les latrines. C'était en 1970... Deux mois après, il est pris en stop sur un chemin perdu. Un garde forestier trouve la camionnette dissimulée sous un arbre, dans les bois. À l'intérieur, le cadavre d'un marchand de bétail. Puis, un soir, il va trouver le poste de police le plus proche pour se constituer prisonnier. Il avouera sept meurtres. Puis dix ensuite, une vingtaine. À part pour le vieux couple et le marchand de bétail, aucune indication sur les autres victimes.

Brusquement, le bonhomme sur la photo paraît ricaner. Je me dépêche de le recouvrir avec une fiche cartonnée.

— Si tu m'as fait venir ici, persuadé que tu allais m'en mettre plein la vue, c'est raté, l'avertis-je. J'ai, au fond de mes tiroirs, des dossiers beaucoup plus terrifiants. Des tueurs en série, on n'en parle pas pour ne pas indisposer nos *zaïm*, mais les tabous ne freinent ni leur proli-

---

* Sans nom patronymique (initiales par lesquelles on désignait les orphelins de la guerre d'indépendance dans les années 1960).

fération ni leur capacité de nuisance. J'en ai vu un tas défiler dans mes locaux. Les uns plus disjonctés que les autres. J'ai même tenu la conversation à certains d'entre eux ; résultat, je cauchemarde ferme une nuit sur deux.

— Celui-là est différent !

Il a crié, le professeur. Son poing a cogné sur la table. Ce que je lis dans son regard m'amène à calmer le jeu. Je l'invite à argumenter :

— C'est quoi exactement, cette histoire ?

Il récupère son poing, le glisse sous la table et le masse discrètement. Longtemps après, il avoue d'une voix esquintée :

— Le choc de ma vie professionnelle.

— Je suppose que ça doit me terrifier, moi aussi.

— Tout à fait.

— C'est l'histoire qui est bizarre ou bien c'est toi qui fais dans ton froc ?

— Les deux.

— Et notre bonhomme ?

— Il m'empêche de fermer l'œil.

— Tu penses qu'il s'amuse ?

— En tous les cas, il le cache bien.

Je scrute mes ongles pour faire celui qui réfléchit sérieusement à la question et relance le débat :

— Il est où, maintenant ?

— En prison.

— Et moi, dans le remue-ménage ?

Le professeur entremêle ses doigts pour illustrer son embarras.

Il se lève et actionne le magnétophone.

— Écoute-moi ça, Brahim.

Les bobines crissent. Tout de suite, une voix caverneuse se répand dans la pièce :

« La boucle est bouclée. Me revoici à la case départ.

J'aurais dû m'en douter. Il n'y avait rien à voir, il me fallait circuler. Depuis le début, ça sautait aux yeux. Le fellaga qui avait charcuté les membres de ma famille voulait certainement me prouver quelque chose. Quoi au juste ? Il l'ignorait. Il n'avait aucune explication à me fournir. Avoir une raison particulière de tuer n'est pas obligatoirement suffisant pour légitimer le meurtre. J'aurais dû prêter attention à mon hébétude d'enfant : si je ne saisissais pas la portée de l'horreur qui s'abattait sur moi, c'est peut-être parce qu'il n'y avait rien à expliquer. Trop facile. Il me fallait absolument comprendre. Pour avoir la conscience tranquille, pour reprendre une vie normale ? Peut-on reprendre goût à la vie après avoir assisté au massacre des siens ? C'est possible. Ça ne l'a pas été pour moi. Quelque chose clochait. Alors j'ai décidé d'y voir clair. Je voulais comprendre. Maintenant, c'est fait. Ç'a été long, infernal, mais j'y suis arrivé : j'ai *compris* ! »

Le professeur : « Et qu'as-tu compris ? »

La voix caverneuse : « Qu'il n'y avait rien à comprendre. Rien... Toutes ces tueries n'auront servi qu'à tourner autour du pot. Je me suis fait avoir. Je m'escrimais à trouver une réponse à une question qui n'avait même pas besoin d'être posée. Pourquoi tue-t-on ? Quand on tue, on ne se pose pas de questions ; on agit. Le geste devient l'expression unique. La mise à mort commence là où l'on n'attend plus d'explication. Autrement, on s'en serait abstenu. N'est-ce pas ? On tue pour ne pas chercher à comprendre. C'est l'aboutissement d'un échec, l'émargement d'un désaveu. Le meurtre est l'inaptitude de l'assassin au raisonnement, l'instant où l'homme recouvre ses réflexes de bête fauve, où il cesse d'être une entité pensante. Le loup tue par instinct. L'homme tue par vocation. Il se donnerait toutes les motivations possibles qu'il ne justifierait pas son geste. La vie n'étant pas de son ressort, comment ose-t-il en disposer comme bon lui semble ? Sa décision ne s'appuie sur aucun argument recevable ; elle naît de son insignifiance. Qui ne respecte pas la vie des autres n'a rien compris à la sienne. Rien. Du néant au néant, de l'opacité aux ténèbres, il se cherche et ne se rattrape pas. Ne dit-on pas : « Silence ! On tue » ? Pourquoi demander silence au moment où l'univers s'apprête à vibrer de cris insoutenables ? Souvent j'ai cru détenir la force des dieux au point que j'étais persuadé d'être maître du destin de mes victimes. Résultat : la victime expire, et tout m'échappe. Je me retrouvais aussi seul au monde que le Ciel au lendemain de l'apocalypse... Cela m'a avancé à quoi, finalement ? Admettons que j'aie compris, où en suis-je ? Exactement là où tout a commencé. Tant de gâchis pour un fiasco. J'incarne ma propre faillite. Je ne vaux pas plus que les cadavres qui ont pavé mon chemin. Une parfaite nullité, un assassin qui aura perdu son âme après avoir perdu ses repères, voilà où j'en suis. J'ai du mépris pour moi maintenant que plus rien ne m'interpelle. Je n'existe plus. Je suis un rat crevé, une ordure en train de se décomposer. Je suis l'abîme qui m'aspire et me désintègre en même temps. »

Le professeur stoppe le magnétophone et revient s'asseoir.

Sa main se referme autour de son menton.

— Il a dit ça après un premier séjour dans le trou. La direction de la prison me l'a soumis pour voir s'il avait recouvré la mémoire et s'il s'était assagi. Il paraît qu'il avait subitement cessé de faire du grabuge.

— Ce n'était pas ton avis ?

— Non.

— Il délirait ?

— Dans un sens.

— Tu l'as renvoyé au trou ?

— Pas question. Il m'intéressait. Il est resté sept ans dans mon asile. À chaque fois que je me croyais à deux doigts de percer sa personnalité, il s'arrangeait pour se retrancher derrière une autre, plus complexe, plus terrifiante... Écoute-moi ça aussi. Ce sont ses propos, trois années après ce que tu viens d'entendre.

De nouveau, les bobines repartent et la voix, cette fois limpide, nous rattrape :

« Sais-tu pourquoi Dieu ne permet pas aux anges et aux démons de s'entre-tuer ? Parce que s'ils venaient à se déclarer la guerre, Il ne saurait ni les départager ni les distinguer les uns des autres. Lorsque la haine s'installe quelque part, tout est diabolisé, et les justes et les ignobles. La guerre n'est pas une partie d'échecs. C'est un échec total. Un moment que les gens en phase de paix ne parviendront jamais à cerner. C'est bien beau de condamner la violence derrière un verre de Martini ou bien du fond d'un salon douillet. Mais qu'en sait-on au juste ? Rien. On s'en indigne, on proteste, on se prend la tête à deux mains, *tozz* ! La violence a sa propre logique. Elle est aussi raisonnable que la défection. Elle a ses valeurs et sa morale aussi ; des valeurs qui n'ont rien à voir avec les valeurs conventionnelles et une morale qui ne se conforme aucunement à la Morale, mais qui sont tout aussi valables et loyales. À l'instant même où la volonté de tuer s'impose comme unique voie de salut, les bêtes les plus fauves battent en retraite devant la férocité des hommes. Car, de toutes les hydres, les hommes sont les seuls à *savoir* comment outrepasser les frontières de l'animalité en restant lucides. Il n'est pire monstruosité que la colère humaine. Elle a parfaitement conscience de son ignominie, ce qui la rend plus atroce que la souffrance qu'elle inflige. Cela s'appelle la barbarie, c'est-à-dire ce que ni les hyènes ni les ogres ne sont en mesure de concevoir, encore moins d'exercer. Et

tu me demandes à moi pourquoi la bouche, qui embras-
sait, se met soudain à mordre ; et la main, qui caressait,
à dévaster ? C'est justement parce que je n'ai pas la
réponse que je tue. Je tue pour comprendre. Et je conti-
nuerai de tuer tant que je n'aurai pas compris ce qui
pousse un être humain à exceller dans l'art de prodiguer à
son prochain les pires sévices. Je voudrais *savoir*, savoir
ce qui empêche un homme de résister à l'appel de sa
folie, comment il parvient admirablement à l'incarner. »

Le professeur éteint le magnétophone pour me regarder dans les yeux. Il voit très vite que je ne le suis pas,
crispe les lèvres et se laisse tomber sur sa chaise.

— Après ça, j'ai craint de le garder. Mes patients
n'étaient plus en sécurité et mes gardiens n'étaient pas
en mesure de le surveiller. Je l'ai remis à la direction
pénitentiaire... En prison, il s'isole. Totalement. Pas un
mot durant des mois. Puis, un matin, on me le reconfie.
Là, je découvre un inconnu. Un saint tout en piété fer-
vente, les mains jointes sous le menton, à genoux face à
la lucarne en train de prier jusqu'à épuisement. Frantz
Fanon en personne aurait rendu le tablier.

— Il avait sombré dans l'islamisme ?

— Il ignore ce que c'est.

— Quelqu'un l'aurait endoctriné ?

— Je te dis que ça n'a rien à voir avec la mouvance
islamique. Son cas est exceptionnel.

— Tu as une idée ?

— J'en ai eu plusieurs. Maintenant, je suis bredouille.
SNP se joue de mes pièges comme d'un nœud coulant.

— Et après ?

— Retour en prison. Cinq ans de piété. Docile. Mais
taciturne. Propre. Tout le temps en train de faire ses
ablutions... Il m'a complètement chamboulé, je te dis.
Dès qu'il se tient devant moi, j'ai le ventre qui se liqué-
fie... Cet homme-là, ajoute-t-il en balayant la fiche car-

tonnée, est convaincu d'être venu au monde uniquement pour faire souffrir son prochain.

— Je ne vois toujours pas ce que tu attends de moi.

— Je te propose de consommer deux litres de café par jour. Car tu n'as pas intérêt à fermer l'œil désormais. Notre bonhomme est touché par la grâce présidentielle. Il sera libre le 1ᵉʳ novembre prochain... Quand j'ai appris la nouvelle, j'ai tout de suite contacté le directeur de prison. Ce dernier dit que la liste a été établie par une commission d'experts qui a déclaré le sujet libérable. J'ai écrit à ladite commission. Elle n'a pas daigné me répondre. J'ai saisi le ministère de la Justice. La commission est souveraine, m'a-t-on rétorqué. J'ai alerté le ministère de l'Intérieur. Rien. J'ai même informé la presse. Une journaliste est venue me voir. Aucune suite. Le temps passe, SNP est déjà en train de songer à ses prochaines victimes. Raison pour laquelle j'ai fait appel à toi, Brahim.

— Si je comprends bien, je dois aller trouver le Raïs pour lui demander de surseoir à son décret ?

— C'est très sérieux, Brahim.

— Qu'est-ce que je peux faire, moi, un flic de bas étage lorsqu'un décret présidentiel est signé, professeur ; lorsque les ministères concernés ne bougent pas le petit doigt ; lorsque le monde entier s'en fiche ? Que je l'intercepte au sortir de prison pour lui coller une contravention et le foutre de nouveau en taule ? Je ne vois pas comment je dois barrer la route à quelqu'un que la justice réhabilite.

— Surveille-le.

— Avec quoi ? Pendant combien de temps ? Au nom de quoi ? Sincèrement, professeur, tu crois que c'est jouable ?

— Puisque je te dis qu'il va remettre ça.

— Tu as une preuve ?...

— Je suis psychiatre, bon sang. Cet individu est mon patient. Il est extrêmement dangereux.

— Il a fait des siennes en taule ?

— Qu'est-ce qu'un rapace en cage, sinon un gros moineau perclus ? SNP est rusé. Il attend tranquillement *sa* curée, à lui. Une fois à l'air libre, il se régalera. C'est un prédateur. Son plaisir, c'est planer tel un mauvais présage par-dessus le troupeau, sélectionner sa proie, de préférence sur la base d'aucun critère, et piquer dessus. Il faut l'entendre raconter comment il décidait, d'un coup, comme ça, que le bonhomme sur sa route, le gamin ou la vieille paysanne rencontrée par hasard au détour d'un sentier, *devait* disparaître. Non pas à cause d'une quelconque attitude répréhensible, mais seulement parce qu'il a décidé qu'il en était ainsi. Son bonheur, tout son bonheur est de prendre son monde au dépourvu, sans le moindre mobile, simplement pour avoir conscience de sa *liberté* absolue, celle-là qui le met hors de portée des hésitations les plus élémentaires. C'est un cas unique, le plus grave et le plus préoccupant qu'il m'ait été donné d'examiner, Brahim.

3.

C'est donc avec un tas d'épines dans le dos que j'ai quitté le professeur Allouche. Malgré la chaleur, j'ai froid et je me sens m'engourdir de la tête aux pieds. J'ai roulé jusqu'à Ben Aknoun en troisième, la pédale de l'accélérateur à ras le plancher. À aucun moment je n'ai perçu le râlement affolé des soupapes. Je n'ai pas de raison particulière pour me mettre dans cet état ; pourtant, quelque chose fermente au creux de mon ventre, répandant un arrière-goût à travers mon gosier. Le problème est qu'à chaque fois qu'un pressentiment de cette nature me gagne, je peux être sûr qu'un malheur va frapper.

Arrivé au Central, je tombe sur l'inspecteur Bliss. Sa vue me file la chair de poule. Lorsque Bliss vous accueille sous le parvis du paradis, comprenez que l'enfer a déménagé.

— Lino a téléphoné, m'annonce-t-il. Il demande trois jours de congé.

— *Niet !*

— Il dit qu'il a un problème.

— Je croyais qu'il était souffrant.

— Il a peut-être un problème de santé.

— M'en contrefiche. Je veux le voir demain, dans mon bureau.

Bliss retrousse son museau et me confie :

— Je ne pense pas qu'il sera là, demain. Lino a demandé l'autorisation de s'absenter par pur réflexe professionnel. Depuis quelque temps, il n'en fait qu'à sa tête, si toutefois il lui en reste encore un bout.

Il porte un doigt désinvolte à sa tempe, dévale le perron et se dirige vers sa voiture.

— Où tu vas, toi ?

— Le patron m'a chargé d'une petite affaire délicate, dit-il, histoire de m'envoyer chier (puis, écartant les bras :) C'est la vie. Y a ceux qui cravachent ferme pour joindre les deux bouts, au risque de se faire électrocuter. Et y a ceux qui traient la vache avec un gant.

— Attention, le gnome, y a des vaches qui ne disposent que d'un seul téton.

— Je tâte toujours le terrain avant de m'y engager. (Il claque soudain des doigts :) Au fait, j'allais oublier. Dorénavant, si tu as besoin de moi, demande d'abord au patron. Il y tient.

Et il s'éloigne, pareil à un génie maléfique sous les incantations.

Le lendemain, à la première heure, je trouve Lino dans son bureau, pompeusement penché sur des feuilles de papier, en train de rédiger quelque chose. Il cherche à me faire rentrer dans ma tête de Kabyle déluré qu'il travaille d'arrache-pied, mais un simple coup d'œil, sur son bordel, suffit pour que je comprenne qu'il s'applique à recopier, mot à mot, un vieux rapport classé irrecevable. Bien sûr, Lino persévère dans sa comédie de nigaud : il tire la langue pour hisser ses majuscules, s'arc-boute contre sa virgule, se gratte derrière l'oreille pour débusquer le vocable approprié, tellement absorbé qu'il saute au plafond en me *découvrant* devant lui.

— Il est déjà huit heures ? s'exclame-t-il, papelard.

— Dois-je en déduire que tu as passé la nuit sur ton brouillon ?

— Tu sais qu'en matière de boulot, je ne laisse rien au hasard, commy.

Je le toise :

— Paraît que tu avais un pépin.

— Oui, un gros. J'ai demandé un congé. Baya m'a dit que tu me l'as refusé. Ben, j'ai rejoint mon poste. J'suis pas un mutin.

— Comme c'est touchant.

Son regard se dérobe.

— Range-moi ta paperasse de tire-au-flanc et suis-moi. Nous avons du boulot.

Lino a un haut-le-corps :

— Ce sera long ?

— Ça dépend. Pourquoi ?

— Ben, commy, j'ai une urgence, cet après-midi.

— M'en fous.

À contrecœur, il enfile sa veste et se dépêche de me rattraper dans le couloir. Une fois dans la bagnole, je lui demande :

— Tu me refiles la recette de ton élixir ?

— Quel élixir ?

— Celui qui a soigné ta grippe carabinée plus vite qu'une séance d'hypnose.

Il sourit. Lino sourit toujours lorsque je lui dame le pion. C'est nerveux. Je le braque avec mon doigt. Il lève les mains en signe de capitulation, enclenche la première et démarre sur les chapeaux de roues.

La prison de Serkadji me rappelle une époque sur laquelle je n'aime pas trop m'attarder. Aussi, je vous épargne les détails. Un pénitencier horrible, point à la ligne. Le geôlier – qui semble conçu par le Seigneur uniquement pour servir de support à un inextricable trous-

seau de clefs – rabat plusieurs loquets avant d'écarter la
grille et de nous promener à travers une enfilade de corridors exécrables qui rappelle les méandres d'une mise
en abyme. Il est gros comme un péché, haut comme
trois cerceaux juxtaposés – sa trogne, sa bedaine et son
postérieur –, ce qui donne à sa démarche trois raisons
d'être nulle. De temps à autre, il se retourne pour voir si
nous le suivons et se renfrogne à chaque fois qu'il
constate que nous n'avons pas rebroussé chemin.

Il s'arrête enfin devant une porte massive, cogne dessus et se déporte sur le côté pour éviter d'être catapulté
par une voix à hérisser le duvet d'une momie :

— Ouuuais !

Le geôlier nous annonce. La voix s'apaise, et c'est un
mammifère barricadé derrière une moustache anticons-
titutionnelle qui nous reçoit.

Il existe des hommes qui sont convaincus que la viri-
lité du mâle dépend de la force de sa poignée de main.
Notre hôte en fait partie. Son étreinte se veut gaillarde ;
la mienne plutôt susceptible.

— Alors ? lance-t-il, expéditif.

Je remarque que, hormis son trône en cuir capitonné,
il n'y aucun autre siège dans la pièce. J'en déduis que le
bonhomme n'a pas plus d'égards pour les visiteurs que
pour la chiourme que, de toute évidence, il fait baver
avec une insatiable délectation.

— On ne peut pas se mettre à l'aise et bavarder un
brin ? lui dis-je.

— Ici, c'est un centre carcéral, pas un salon de thé,
commissaire.

— Ah.

Abasourdi par l'accueil, Lino ballotte son regard à
droite et à gauche en ruminant son indignation.

Le directeur porte ses poignes à ses hanches d'un
geste ennuyé.

— Vous voulez m'entretenir à propos de quoi ?

— Si vous êtes débordé, nous reviendrons plus tard.

— Je suis tout le temps débordé. Autant en finir tout de suite.

— D'accord, Kong, d'accord, maugrée-je, à deux impulsions de lui rentrer dedans.

— Mon nom est M. Boualem.

— Bien, monsieur Boualem. J'ai entendu dire que certains de vos pensionnaires sont relaxables à partir du 1er novembre.

— Vous êtes contre les décisions du Raïs ?

Là, il cherche à me faire dire ce que je n'ai pas dit. Pour me désarçonner. Je respire un bon coup, m'inspire des déflagrations qui se répercutent dans mes tempes, plisse les yeux afin de catalyser mon ras-le-bol et lui confie :

— Tout à fait entre nous, monsieur Boualem, j'emmerde le Raïs, ses eunuques et tous ceux qui pensent qu'un flic n'a pas le droit de boxer les petites canailles qui se font passer pour les gardiens du Temple. (Cette fois, il recule, ce qui me permet de gagner du terrain.) C'est vrai, vous êtes maître à bord, sur cette arche foraine, mais je suis une bête à part, et je déteste les apprentis dompteurs. Donc, vos manières zélées, vous les gardez pour votre ménagerie, O.K. ? Je suis ici pour raison professionnelle.

Le recul du gorille n'était, en fait, qu'un repli tactique, car il le transforme en élan et revient me charger :

— *Tozz !...*

À côté de moi, Lino est déboussolé. Non pas par l'agressivité du gorille, plutôt par les réticences de ma riposte – d'habitude, lorsque mes braillements ne sont pas persuasifs, je les fais escorter par des coups. Mais Lino n'est pas le gars à solliciter ses neurones. Il lui faut toujours un schéma. S'il avait jeté un coup d'œil sur son fichier au lieu de plagier dans de vieux rapports pour me taper dans l'œil, il aurait su que M. Boualem est le beau-frère d'un nabab vénéneux et que, s'il est directeur de prison, c'est juste pour se conformer à la vocation de la famille qui consiste à mater les récalcitrants pour, ensuite, disposer à sa guise des nuques basses.

Je dis, avec un sang-froid que je ne me connaissais pas :

— Il s'agit de SNP...

— Encore ?

— Le professeur Allouche...

— Le professeur Allouche est un taré. C'est un dingo, un niqué de la tête et un halluciné. Une commission d'experts a étudié, au cas par cas, l'ensemble des internés proposés à la relaxation dans le cadre de la grâce présidentielle. SNP a été auditionné, ausculté, testé, soumis à divers réactifs et déclaré li-bé-ra-ble. Par une commission officielle, compétente et crédible, constituée d'éminents psychologues et de cadres intègres. Pour moi, ça s'arrête là. Un décret présidentiel a été signé, commissaire. Vous êtes fonctionnaire de l'État et devez comprendre ce qu'est un décret de cette facture.

— Bon... Peut-on voir le libérable ?

— Vous avez un mandat ?

— Juste une carte de crédit.

— Désolé : les geôliers n'ont pas les largesses du guichetier, commissaire.

— Je suis prêt à hypothéquer ma chemise. Je ne serai pas long. Je veux le voir.

Il dodeline de la tête, méprisant.

— Pas question.

Et il nous tourne le dos.

Lino perçoit sourdre ma colère. Il m'attrape par le coude et tente de m'éloigner de l'irréparable. Je me laisse faire. Ce n'est pas l'envie de lui botter le cul, à ce tas de muflerie, qui me manque, mais je n'en vois vraiment pas la nécessité. On peut redresser le tort quelquefois, jamais les esprits tordus. C'est une question de mentalité.

Le professeur Allouche me téléphone au moment où je m'apprête à me mettre au lit. Mina me tend le combiné et s'efface. J'attends qu'elle referme la porte derrière elle pour ouvrir le débat :

— Oui ?

— J'ai essayé de te joindre toute la journée à ton bureau. Ta secrétaire m'a dit que tu étais absent.

Je comprends que c'est sa manière, à lui, de me demander si ce n'était pas moi qui faisais non de la tête à Baya.

— Elle ne t'a pas menti, professeur. J'étais en train de m'alarmer conformément à tes recommandations.

Son ton s'enhardit :

— Tu es allé voir le détenu ?

— Son directeur m'en a empêché.

— Pourquoi ?

— Ma chemise ne constituait pas une hypothèque probante.

Le professeur grommelle quelque chose qu'un bruit de friture résorbe, renifle et continue de soliloquer pendant cinq secondes.

— Par ailleurs, le rassuré-je, j'ai eu un entretien avec un ami avocat. Il a été attentif, courtois, mais absolument formel.

— C'est-à-dire ?

— SNP sera gracié dans cinq jours.

— Comment ça ? s'insurge le professeur, un chat dans la gorge.

— C'est pourtant clair : notre présumé forcené rentrera chez lui et reprendra une vie normale.

De nouveau, le professeur crachote un chapelet de jurons qu'il prolonge d'un soupir déconcerté :

— C'est affreux. Ils sont en train de commettre une erreur monstrueuse. On n'a pas le droit de traiter à la légère un dossier aussi explosif. Pourquoi refuse-t-on de m'écouter ?

— Tu nous aurais rendu une fière chandelle si tu l'avais piqué.

— Tu n'es pas sérieux.

— Peut-être, mais je suis fatigué.

Un coup d'œil, sur l'horloge murale, m'apprend qu'il me reste moins de dix secondes avant de tomber dans les pommes.

Au bout d'une kyrielle de protestations indignées, le professeur s'enquiert :

— Qu'as-tu l'intention de faire, Brahim ?

— Dormir.

4.

Je suis au fond du couloir et, depuis un bon bout de temps, j'observe Lino en train de faire du gringue à son reflet dans la glace des W.-C. Il se contemple sous tous les angles, réprimant par-ci un poil, vérifiant par-là les plis de sa veste, si fasciné par la géométrie olympienne de son profil qu'il ne me remarque pas.

À l'usure, et de peur d'y passer le reste de la journée, je me glisse derrière lui et roucoule dans le creux de sa nuque :

— Miroir, mon beau miroir aux alouettes, quel est le poulet algérois qui se rapproche le plus du dindon ?...

Lino me toise de haut en bas. Il n'est pas content de mon intrusion et commence à me trouver envahissant.

— C'est quoi ton problème, commy ?

— C'est toi qui en as un, fiston.

— Alors de quoi je me mêle ?

— Disons que ça m'intéresse.

Il me dévisage dans la glace.

— Tes ennuis ne te suffisent pas, commy ?

— On n'est pas seul au monde. Forcément, tout ce qui nous entoure nous interpelle.

— Je ne te suis pas.

— Il y a, en ville, un bruit qui court...

— Laisse-le courir, me coupe-t-il sèchement. Il est fait pour ça.

— Oui, mais c'est toi qu'il traîne derrière comme une casserole.

Ses mâchoires se contractent. La moutarde lui monte au nez. Ça ne m'intimide pas.

Lino voit bien qu'il ne fait pas le poids. En bon subalterne, il jette l'éponge, se déporte sur le côté pour ne pas abîmer sa cravate contre mon ceinturon et se dirige vers la sortie.

— Tâche de ne pas oublier toutes tes plumes au plumard.

Il médite mes propos, puis revient étaler la soie de sa chemise grenat à quelques centimètres de mon veston râpé.

— Je peux te poser une question, commissaire ?

Ce n'est la première fois qu'il m'appelle ainsi, mais jamais sur ce ton.

J'écarte les bras :

— Pourquoi pas ?

— Ça t'ennuierait de me lâcher les baskets ?

— Tu marcherais sur tes lacets.

Il dodeline de la tête, laminé par mes abus d'autorité, passe les doigts dans ses cheveux et s'en va.

Lino n'est pas bien. D'habitude, lorsque je le taquine, il encaisse avec classe. Depuis quelques jours, on dirait qu'il ne blaire plus personne. Il arrive le matin, le nez en l'air, s'entasse derrière son bureau et s'enferme dans ses pensées. Ce n'est pas sunnite. Coureur de jupons notoire, Lino passe le plus clair de son temps à hanter les ruelles interlopes en quête d'une pute bien en chair et pas assez chère. Quelquefois, il lui arrive de s'afficher avec une conquête moins réductrice dans un grill-room avant de l'investir l'espace d'une passe expéditive ou d'une culbute derrière un buisson, quelque part dans les bois de Baïnem. Le lendemain, il consacre la matinée au récit de sa prouesse *coïtale* et semble fier de faire saliver les flics surexcités rassemblés autour de lui. Ça ne va jamais bien loin. L'après-midi, je retrouve mon lieutenant plongé dans ses dossiers, laborieux et méthodique, si digne que je lui confierais volontiers ma propre sœur pour le week-end. Mais Lino a changé. Il fait plus attention à la raie au milieu de son crâne qu'à la concordance des temps dans ses comptes rendus. D'ailleurs, il n'est pratiquement jamais là. On le voit débarquer avec deux heures de retard, farfouiller dans ses tiroirs sans la moindre conviction, siffler une tasse de café et, dès que j'ai le dos tourné, pfuit !... volatilisé.

Je le regarde s'éloigner. Quelque chose dans son allure me déplaît. S'il s'estime assez grand pour mener sa barque où bon lui semble, libre à lui de tenir le gouvernail comme il l'entend. Après tout, de quoi je me mêle ? Seulement, voilà, mon intuition de Little Big Brother forgé dans les pures traditions du FLN me dit que la boussole de mon apprenti navigateur est pipée et que, si je ne le surveille pas de très près, il a de fortes chances d'échouer sur des rivages obscurs.

Ce sentiment s'accentue davantage lorsque à midi, à la cantine du Central, l'inspecteur Bliss vient gâcher mon déjeuner. Il pose son plateau sur la table et s'assoit en face de moi, le sourire abject.

— J'espère que je ne te dérange pas ?

— Tu dérangerais une momie dans son sarcophage, lui dis-je.

Le fumier ne fait pas attention au dégoût qu'il m'inspire, regarde à droite et à gauche, comme il sied à ceux qui ont sans relâche un fantôme à leurs trousses, et se penche par-dessus mon dessert pour me murmurer :

— Le poisson n'est pas frais. Tout à l'heure, j'ai vu un chat sortir des cuisines. Il était pas bien.

— C'était peut-être ta gueule qui ne lui revenait pas.

Il retire son faciès émétique de sur mon yogourt. Adulé par le directeur, il est capable de me manquer de respect, et je m'en voudrais de me fouler le poignet sur sa mâchoire de minable, moi qui ai su garder les mains propres malgré le merdier que je remue à longueur de journée. Ses doigts tripotent la fourchette, taquinent une tranche de merlan, reviennent sur une arête à la teinte suspecte avant de déloger une olive ratatinée sous une feuille de laitue. Je comprends qu'il est en train de chercher ses mots et me mets à tambouriner avec mon couteau sur le bord de mon assiette pour le déconcentrer.

— Llob, mon frère, soupire-t-il, si j'ai choisi de me joindre à toi, ce n'est nullement parce que ta compagnie m'ouvre l'appétit. Je sais ce que tu penses de moi, et tu sais ce que je pense de toi ; inutile de nous attarder là-dessus. Je suis juste venu attirer ton attention sur ton imbécile de Lino... Ce n'est pas dans mes habitudes de jouer au sauveur de dernière minute, et ce n'est pas, non plus, l'envie de le signaler au boss qui me manque – Dieu seul sait combien ce genre d'opportunité me stimule –, toutefois, si j'ai préféré m'adresser d'abord à toi, qui es son supérieur immédiat, c'est parce que tu es le seul capable de l'éveiller à lui-même...

— Tu ne peux pas abréger ? J'ai ma sole qui commence à sentir mauvais.

Il ricane, Bliss. Une horde d'hyènes ne lui arriverait pas à la cheville. Sa fausseté de jeton déclenche une multitude de frissons dans mon dos. D'un coup, le morceau de tomate, que j'étais en train de savourer, remplit mon palais de sécrétion bilieuse.

— C'que tu peux être stupide, grogne-t-il.

Il ramasse son plateau et se lève. Dans son esprit, il s'est acquitté de son devoir ; le reste, il s'en fiche. Il éprouve même un malin plaisir à l'idée de me tenir pour responsable quant au devenir de mon principal coéquipier. Pour me rafler la der, il ajoute, avec suffisamment de voix pour que les autres entendent :

— Je croyais que tu avais de la considération pour tes hommes...

Puis, le rictus aussi tranchant qu'un couperet, il file s'attabler avec une bande d'agents manifestement écœurés par mon attitude.

— Tu devrais l'écouter, me souffle-t-on par-derrière.

Je me retourne. Le lieutenant Chater, chef de la section spéciale, me cligne de l'œil. La lueur fugitive dans son regard m'amène à passer le bras par-dessus le dossier de mon siège.

— Tu as l'air d'en savoir un bout, toi aussi.

Chater, qui a fini son déjeuner et qui s'apprête à rejoindre son poste, marque un temps d'arrêt, histoire de peser le pour et le contre.

— Qu'est-ce qui se passe ?

— Le mieux serait de lui en parler, commissaire. Lino a besoin que l'on s'intéresse à lui.

— C'est-à-dire ?...

La gêne de Chater est évidente, mais la gravité de la situation prend le dessus sur les autres considérations.

— Personne, à la basse-cour, n'aimerait qu'il lui arrive des vacheries, tu comprends ?

— Qu'est-ce que vous avez, tous, à tourner autour du pot ?

— Les gars jasent, au Central. Ils trouvent que pour un petit fonctionnaire dont le salaire suffit tout juste à lui éviter de crever de faim, Lino exagère. Il change de costumes plus fréquemment qu'une star.

— Et alors ?

— Et alors, j'sais pas quoi dire. Ton lieutenant est libre de flirter avec la reine Élisabeth, s'il pense qu'il a

des chances de tromper la vigilance de sa garde prétorienne. Malheureusement, la dame qu'il fréquente n'a
pas de garde prétorienne, et Lino n'a aucune chance
d'être freiné dans sa ruée vers les emmerdes.

Sur ce, il me salue.

Une fois seul, je découvre que je n'ai plus envie de
bouffer et en déduis que le poisson, effectivement, ne
devait pas être frais.

L'après-midi, je surprends Lino en train de sommer
l'inspecteur Serdj de s'occuper de ses oignons. Ils sont
dans le bureau de Baya, et la discussion n'en finit pas de
s'envenimer au milieu d'une tornade de papiers volants
et de grincements de chaises. Serdj essaie de calmer les
choses de sa voix rampante. Il se tient contre le mur, les
mains en avant, le cou englouti par les épaules. Lino
l'accule et agite un doigt furibard dans tous les sens. De
son côté, Baya n'arrive pas à placer un mot. Elle voit
bien que la situation est sur le point de dégénérer et,
femelle reléguée au rang des moins que rien, il ne lui
reste que les yeux pour implorer les deux hommes.

Elle est soulagée de me découvrir dans l'embrasure
de la porte.

— C'est quoi, ce bordel ? je rugis.

Serdj avale convulsivement sa salive. La vénération
qu'il a pour moi, conjuguée à la grossièreté qui vient de
gicler de ma bouche, manque de l'étouffer. Lino, lui,
continue de prendre son doigt pour une machette, se
foutant royalement de mon cri de sommation. Ses yeux
ardents s'accrochent à ceux de l'inspecteur comme s'ils
cherchaient à les bousiller. Je dois le saisir par l'épaule
pour le retenir.

— Mollo, le binoclard. Quand le patron dit :
« Couché ! » on s'écrase, vu ? Ici, c'est mes quartiers, et

je ne permets à personne de hausser le ton par-dessus le mien.

Lino recule enfin, sans quitter l'inspecteur des yeux. Il passe le poignet sur ses lèvres palpitantes, vibre cinq secondes, renifle à s'esquinter les naseaux et revient à la charge :

— Je suis majeur et vacciné, braille-t-il à l'adresse de Serdj. Je n'ai pas de leçon à recevoir, surtout pas d'un plouc de ton espèce. Ma vie, ça me regarde. Je sors avec qui je veux et je me sape comme je l'entends. Est-ce que je puise dans ta tirelire ?

— O.K., admet Serdj, conciliant, je retire ce que j'ai dit. Ce n'était pas dans mes intentions de t'être désagréable.

— T'as été plus que désagréable, *kho*, tu as été chiant. Est-ce que je t'ai demandé l'heure ?

— Non.

— Alors de quoi je me mêle ?

Lino se souvient de ma main sur son épaule. Avec deux doigts, il la soulève comme s'il s'agissait d'un détonateur. Je suis sidéré par l'indélicatesse de son geste, mais je passe l'éponge. Le lieutenant est à une virgule d'imploser et je n'ai pas envie de le ramasser à la petite cuillère. Sa respiration débridée me mitraille la figure tandis qu'une salive laiteuse fermente aux coins de sa bouche. C'est vrai qu'à l'instar de ses congénères Lino est une goutte de nitroglycérine à l'affût du moindre soubresaut, pourtant c'est la première fois qu'il se fout dans une colère pareille.

— Est-ce que je peux te parler ? lui demandé-je.

— À propos de quoi ?

— Viens dans mon bureau.

— J'ai pas le temps.

— Ne fais pas l'andouille et suis-moi. Ce ne sera pas long.

— J'suis pas d'humeur, commissaire. Je préfère clore le chapitre tout de suite. J'suis fatigué et j'ai besoin de rentrer chez moi.

— Ce n'est pas encore l'heure de la fermeture.

Lino s'obstine. De nouveau, il foudroie Serdj d'un œil vorace, rajuste le col de sa chemise, me bouscule presque et se dirige vers la sortie du Central.

— Je te dis que ce n'est pas encore l'heure.

— J'suis pas sourd, maugrée-t-il, histoire de me signifier qu'il m'envoie balader.

Après le départ du lieutenant, je prie Serdj d'éclairer ma lanterne. L'inspecteur tente de minimiser l'incident. Je cogne sur le bureau ; il hisse pavillon blanc. On dirait qu'il n'attendait que cela pour dégueuler ce qu'il a du mal à digérer. Il commence par m'expliquer que Lino se conduit de façon bizarre ces derniers temps, plus précisément depuis qu'il s'est amouraché d'une dame de la haute.

— Il m'a demandé de l'argent, raconte-t-il. Je te le rendrai demain, à la première heure, qu'il a promis. Je peux toujours courir... Deux jours après, il embobine Baya et lui soutire la moitié de sa paie. J'ai des projets, qu'il a prétexté. Des projets féconds, car Lino ne distingue plus un collègue d'un bailleur de fonds. Il se rabat sur n'importe qui. En trois semaines, la moitié des gars du Central lui réclame du fric, et ça n'a pas l'air de le décourager... Cette dame n'est pas à portée de sa bourse. J'ai pensé qu'il allait s'en apercevoir et décrocher. Lino fait l'autruche. Il prend de plus en plus goût au luxe et à l'extravagance. Les collègues se font des cheveux pour lui. Ils sont persuadés qu'à cette allure, le lieutenant sera obligé de gaffer, et gravement, si vous voyez ce que je veux dire. Alors, je suis venu bavarder un peu avec lui dans l'espoir de lui faire entendre raison. Résultat, vous venez d'y assister. Lino n'a plus sa tête.

Je repose mon menton entre le pouce et l'index pour réfléchir à cette histoire pendant que Baya surveille le froncement de mes sourcils. Au bout d'une méditation, je dis à Serdj :

— Qu'est-ce qui vous autorise à avancer que Lino se fait pigeonner par une fausse vierge ? Vous connaissez la dame ? Elle est fichée chez nous comme entraîneuse, vous avez des preuves qu'elle le manipule ?

Serdj gonfle les joues :

— Pas vraiment.

— Dans ce cas, pourquoi cette dramatisation ?

— C'est le pressentiment général, au Central, commissaire. Lino vit au-dessus de ses moyens. C'est parce qu'il n'arrive pas à suivre le rythme que lui impose la dame qu'il s'essouffle déjà. Il est sur les nerfs du matin au soir. Ce n'est pas normal.

— Je crois qu'il n'y a pas le feu, hasardé-je.

— Je ne suis pas de cet avis, insiste Serdj, tarabusté. Lino perd les pédales. Je le connais. Lorsqu'il réagit comme il vient de le faire, c'est qu'il ne retrouve plus ses marques.

De la main, je prie l'inspecteur de garder son sang-froid.

— Serdj, mon pauvre Serdj, ne comprends-tu pas que notre Lino est en train de négocier enfin sa vraie crise de puberté ? C'est pourtant clair et net : il est amoureux, c'est tout... Lino est a-mou-reux.

— Vous croyez ?

— Ça crève les yeux.

Serdj est sceptique.

Je lui explique :

— L'amour est une délicieuse invraisemblance, un formidable chamboulement ; c'est un désastre merveilleux. Et Lino est en plein dedans. Il naît au monde de l'autre, tu saisis ? Il se découvre, prend conscience de sa véritable dimension et, content de son aubaine, il déconne ferme. Comme font tous les amoureux, depuis la nuit des temps.

— C'est arrivé si vite, commissaire. Il y a de la précipitation dans l'air, et Lino est maladroit.

— C'est le coup de foudre. Ça ne vous laisse pas le temps d'ajuster le tir. Et on n'y peut rien.

— Coup de foudre ? tique Serdj, qui, bien sûr, ne sait pas ce que c'est puisqu'il a été marié à dix-sept ans avec une fille qu'il ne connaissait ni d'Ève ni d'Adam, comme on a coutume de procéder dans les familles conservatrices.

Et là, je deviens tout chose.

Coup de foudre !

La résonance d'un tel vocable, au milieu d'un cagibi aussi dénué de romantisme qu'un cabinet dentaire, me catapulte à travers mille féeries. Sans m'en rendre compte, ma voix fléchit, mon être ploie tel un saule pleureur et je m'entends raconter :

— J'ai eu le coup de foudre, moi aussi. C'est pire que l'insolation. Je me souviens : le pays accédait à l'indépendance et Alger se shootait au baroud. On riait, on caracolait, on se soûlait ferme entre deux lynchages ; bref, on renaissait au monde au forceps. C'était intenable et époustouflant à la fois. Et au milieu du délire et des couleurs criardes, il y avait cette gare de banlieue, grise comme une île perdue au large des naufrages. Une gare qui se taisait. D'autres gens, moins vernis, s'apprêtaient à s'expatrier vers l'abîme. Au milieu des familles entassées sur leurs balluchons, parmi les regards transis et l'ombre des silences, *elle* était là, assise sur un banc, à l'écart dans un coin, suspendue entre la liesse des rues et le chagrin des quais. La lumière de la baie vitrée l'habillait d'une réverbération que jamais je n'ai réussi à cerner. C'était une Française, de vingt-trois, vingt-cinq ans, belle comme tout, avec des yeux plus vastes que la Méditerranée. Elle portait un petit chapeau triste, et pas de boucles à ses oreilles. Sa valise en carton devait constituer l'essentiel de sa fortune. Une longue robe noire lui descendait jusqu'aux chevilles, et sa veste courte disparaissait presque derrière ses gros boutons capitonnés. Le tissu laissait à désirer, mais la coupe était impeccable. Seule une main fine et calme, semblable à la sienne, pouvait marier autant d'humilité à tant de perfection... Ce jour-là, je me croyais le plus heureux des hommes. J'avais dansé sur tous les boulevards, et bu dans tous les bistrots avant de venir chercher je ne sais quoi au fond de cette gare de banlieue où je n'avais aucune raison de me rendre. C'était peut-être à cause d'elle que j'étais là, tétanisé par son vague sourire, incapable de tenir droit un jour de grande victoire. Dehors, le soleil refusait de décliner. Dans la gare, c'était déjà la nuit. Soudain, elle a levé les yeux sur moi ; on aurait dit qu'une déferlante me happait...

Je me tais. Brutalement. La gorge nouée. Serdj baisse la tête, ému. Baya couine imperceptiblement, le nez dans son mouchoir. Autour de nous, on entendrait zézayer un moustique. Bouleversé par l'évocation d'un tel souvenir, je me réfugie dans la contemplation de mes mains.

— Et que s'est-il passé après ? me demande Serdj d'une voix déchiquetée.

— Après, je lui fais, en hochant la tête... Après, Mina m'a foutu son coude dans les reins et elle m'a réveillé.

5.

Depuis longtemps orpheline de ses pavés, la chaussée est devenue un sentier de chèvres qu'une impasse tente de contenir derrière une barricade de détritus. De part et d'autre, des immeubles fatigués attendent la prochaine secousse tellurique pour ensevelir, une fois pour toutes, les esprits frappeurs qui les hantent. Un brigadier me repère tandis que j'essaie de négocier une acrobatie au milieu des monceaux d'ordures. De la main, il me conseille de me ranger sur le côté. J'opine du chef et abandonne mon tacot au pied d'un lampadaire décapité.

— Par ici, commissaire.

Il me promène parmi les ornières jusqu'à une bâtisse et se met à brailler, après les curieux rassemblés au rez-de-chaussée :

— Laissez passer monsieur le commissaire !

Une grosse ménagère se retourne pour voir de quoi a l'air une *autorité locale*. Ma bedaine et mes bajoues la rassurent. À son tour, elle se met à crier aux autres de s'écarter.

Je fends le beau monde comme un monarque sa cour et grimpe les marches geignardes de l'escalier. Le plancher des paliers est tel qu'en grattant une allumette on pourrait voir ce qui se passe à l'étage en dessous.

J'avance à tâtons, une main contre le mur, l'autre sur les narines à cause de la puanteur. Inutile de chercher un commutateur ; il n'y a même pas un bout de fil pour vous éveiller à vous-même.

Un flic monte la garde devant l'appartement au bout du couloir, le doigt dans le nez ; je suis obligé de le pousser sur le côté pour passer. Dans la pièce encombrée de fagots de misère, une femme est assise sur une paillasse, trois gamins apeurés contre la poitrine. Ses cheveux tourbillonnants et son regard inexpressif me glacent les entrailles.

Serdj soulève une tenture crasseuse et me rejoint dans le vestibule. Je suis étonné de le trouver là. Normalement, c'est à Lino de se charger de ce genre de situation. Mais, depuis qu'il s'est découvert des affinités avec Narcisse, Lino est introuvable. Serdj perçoit mon ras-le-bol, soulève légèrement les épaules, histoire de me signifier que lorsqu'un collègue se fait rare, ce n'est pas bien méchant de lui tenir sa place au chaud, quitte à se consumer dessus.

— Le lieutenant a un empêchement, ment-il.

— Quel genre d'empêchement ?

Serdj devine que je ne suis pas d'humeur. Il déglutit pour chasser le caillot qui cherche à se substituer à sa pomme d'Adam.

— En vérité, se dégonfle-t-il, je n'ai pas réussi à le joindre.

— Il devait être de permanence.

— Je ne sais pas où il est passé.

— Ah oui...

Serdj baisse la tête.

— C'est quoi, le topo, par ici ?

Il redresse la nuque et me devance vers le fond de l'appartement où des agents, sans conviction, tentent de

raisonner quelqu'un retranché derrière une porte ver-
rouillée.

— Il s'appelle Rachid Hamrelaine, quarante-six ans,
cinq gosses dont deux en fugue. Ses voisins le présentent
comme un type correct, discret et sans histoire. Il s'est
enfermé dans sa chambre depuis plus de cinq heures. Au
début, il hurlait qu'on lui fiche la paix. Maintenant, il se
tait. Je crois qu'il n'a plus la force de crier.

— Il est comment ?

— J'ai jeté un coup d'œil par le trou de la serrure. Il
perd beaucoup de sang.

— Je suppose qu'on ne peut pas défoncer la porte.

— Il a juré de se défenestrer.

— Il est peut-être en train de bluffer.

— Peut-être, mais qui oserait le vérifier ?

Je me tourne vers une fenêtre aux carreaux crevés,
contemple la bouteille de gaz butane posée n'importe
comment dans une alcôve réaménagée en cuisine, les
casseroles cabossées et les épaisses couches de saleté en
train de moisir sur les murs. L'appartement n'a pas
grand-chose à envier aux étables. La misère, ici, fait
comme chez elle et s'autorise même un excès de zèle.

— C'est vrai que c'est pas la joie, mais pourquoi
opter pour le pire ?

Serdj me prie de le suivre dans un séchoir horrible,
pour ne pas être entendu par les enfants.

— Il travaillait comme livreur auprès d'une entreprise étatique. Au cours d'une mission, il a eu un accident de circulation et y a laissé une jambe. Depuis huit
ans, il n'arrive pas à régulariser sa situation auprès de la
caisse sociale de son ministère. Il n'a même pas bénéficié d'une pension provisoire. Du jour au lendemain, on
a bloqué sa solde. D'après les voisins, il a essayé tous les
moyens, observé plusieurs grèves de la faim ; en vain. Il
y a quelques jours, il a reçu un ordre d'expulsion du

logement. C'était trop. Ce matin, il a parlé à sa femme et à ses enfants et leur a dit que puisque personne ne voulait l'écouter ici-bas, il ne lui restait plus qu'à porter l'affaire devant le bon Dieu. Il s'est retiré dans sa chambre et s'est ouvert les veines. Il était déjà saigné à blanc à notre arrivée. Nous avons essayé de le raisonner. Il refuse de nous entendre.

— Il a pris quelque chose ?

— Sa femme certifie qu'il n'a jamais touché à la boisson ni aux barbituriques. C'est un type pieux.

— Vous avez appelé une ambulance ?

— Elle arrive.

— Bon, je vais lui parler. Ne serait-ce que pour le tenir éveillé jusqu'à l'arrivée des brancardiers...

Soudain, un fracas. Des hurlements retentissent dans la rue. Nous nous précipitons sur le balcon. Le misérable a fini par se jeter dans le vide. Trois étages plus bas, il gît les bras en croix, face contre le sol, sa prothèse tordue à côté de lui.

Je n'ai pas fermé l'œil de la nuit.

Le matin, j'arrive au bureau avant le planton. Pendant une bonne dizaine de minutes, j'ai erré dans les couloirs en quête de je ne sais quoi. Ensuite, lorsque les premiers sous-fifres ont commencé à débarquer, je me suis enfermé à double tour dans mon box et j'ai essayé de décompresser en ne pensant à rien. Baya est arrivée à son tour, fardée comme un dragon chinois. Elle a dit quelque chose que je n'ai pas bien intercepté puis, devant mon air lugubre, elle a préféré regagner sa niche et faire celle qui n'est pas là. Au bout d'une interminable apnée, je remonte en surface pour essayer de me reprendre en main. Rien à faire. Le corps du misérable désarticulé sur le sol me rattrape. De nouveau, je ferme les yeux et replonge dans la fange de mes fixations.

Le téléphone s'en mêle.

C'est le dirlo :

— Brahim ?...

— Monsieur le directeur...

— Tu as une minute ?

— Bien sûr.

— Alors secoue ta grosse caisse et rapplique au troisième, fissa !

Lorsque le dirlo monte sur ses grands chevaux, c'est qu'un moulin à vent n'est pas loin. Je ne me suis pas trompé. Monsieur le directeur a toutes les raisons d'abuser de ses prérogatives : Il a pour hôte Haj Thobane en personne, c'est-à-dire un inépuisable stock de pots-de-vin et de passe-droits.

Haj Thobane est un personnage influent au Grand-Alger. Un historique. À l'entendre, c'est lui qui aurait botté le derrière à de Gaulle. Bien sûr, dans mon pays, ce genre de mythe a la peau si dure qu'un rhinocéros renoncerait à s'y frotter. Cependant, malgré l'invraisemblance frappante de ses faits d'armes, Haj Thobane a, au moins, deux mérites ; l'un philosophique, l'autre alchimique. Primo, il réduit en pièces la fameuse théorie de Darwin selon laquelle l'homme descend du singe. Haj Thobane, lui, descend directement de son arbre. Secundo, pour ne pas être emporté par le vent qui tourne, il s'applique à garder H-24 ses poches pleines, n'en extirpant une liasse de fafiots que pour la remplacer illico par un ripou, si bien que quand il fait tinter ses pièces de monnaie, c'est toute la ville qui tire la langue, pareille à un joli toutou. Avec lui, rien ne se perd, tout se récupère ; les hommes comme l'Histoire, y compris la main que je m'abstiens de lui tendre. Pourtant, malgré la répugnance que m'inspire son espèce, je suis presque ravi de le trouver là, dans le bureau du dirlo, aussi à l'aise dans son canapé qu'un cobra royal sur le turban d'un fakir. Quand bien même elles seraient pourries côté cour, les grosses fortunes se rachètent admirablement côté jardin, ce qui a l'avantage – tout principe révolutionnaire mis en veilleuse – de nous changer, de temps à autre, de la déprime ambiante.

Le dirlo me présente :

— C'est notre Brahim.

Haj Thobane m'adresse un sourire censé me charmer. Ayant oublié mes lunettes sur mon buvard, ça me laisse aussi froid qu'une tranche de saucisson. Nous nous sommes rencontrés combien de fois, Haj Thobane et moi ? Cinq, dix fois ?... Un peu plus, peut-être. Au moindre pépin, il rapplique chez nous car il est très ami avec le patron. Pourtant, à chaque occasion, il fait celui qui ne se rappelle pas où il m'a *déjà vu*. C'est vrai qu'en comparaison avec cette catégorie de requins, on fait figure de menu fretin, mais il ne faut pas exagérer.

Le dirlo me propose un fauteuil. Sa déférence m'inquiète. Je prends place en face du nabab et serre les cuisses avec la vigilance d'une sainte-nitouche refusant de croire que les gynécologues sont tous des impuissants.

— Tu as bonne mine, me flatte le dirlo en se joignant à nous.

— Merci, monsieur le directeur.

— Vous lui donneriez cinquante-cinq balais, Haj ?

Haj Thobane fait celui qui n'en revient pas.

— Sans blague !

— Je vous assure que notre Brahim a fêté ses cinquante-cinq ans il y a moins d'une semaine.

Haj Thobane se renverse de stupéfaction admirative. De mon côté, je reste sur mes gardes, jouant toutefois le jeu pour ne pas froisser le patron. Depuis que j'ai formulé une demande de prêt social, j'essaie de la mériter.

— C'est un écrivain, aussi, ajoute le dirlo.

— C'est-à-dire ?

— Ben, il écrit des bouquins.

— C'est pas vrai !

— Mais si, je vous assure. Il a même eu droit à des papiers élogieux dans la presse.

Haj Thobane a maintenant les yeux aussi écarquillés que les naseaux d'un hippopotame envasé. Il pousse l'estime jusqu'à se lever pour me serrer la main.

— Un flic qui écrit, n'est-ce pas révolutionnaire ? s'exclame-t-il.

— À propos de révolution, fait remarquer judicieusement monsieur le directeur, Sy Brahim est un ancien moudjahid.

Là, Haj Thobane n'en peut plus. Littéralement subjugué, il me donne l'accolade. Si ça ne tenait qu'à lui, il verserait volontiers une ou deux larmes pour me montrer combien il est fier et heureux de serrer contre lui un maquisard, c'est-à-dire un héros, un vrai, même s'il n'a pas réussi dans les affaires comme les rentiers de la Toussaint. Pendant qu'il m'esquinte le dos avec ses grosses tapes enthousiastes, j'essaie de ne pas prendre son exaltation pour argent comptant. Certes, il m'arrive quelquefois de flirter avec les berceuses, mais jamais au point de croire qu'un *zaïm* milliardaire de l'envergure de Haj Thobane puisse me tenir dans ses bras uniquement pour me féliciter. Mieux : je reste persuadé qu'il est en train de me soupeser et de voir dans quelle poche – celle de sa veste ou bien celle de son pantalon – il va devoir me ranger.

— C'est merveilleux, halète-t-il. Le miracle de notre glorieuse révolution est incarné par cet homme qui a su, malgré l'incompatibilité des deux vocations, associer le métier de flic au talent du poète. C'est bien la première fois que j'assiste à une éclipse de ce genre. Je ne crois pas que ça puisse se produire sous d'autres cieux. Un commissaire romancier ! Vraiment, c'est... c'est...

— Contre nature ? présumé-je.

M. le directeur éclate de rire pour couvrir ma bourde d'une part et, d'autre, pour me supplier de ne pas gâcher la solennité de l'instant. Je sais surtout qu'il rencontre un certain nombre de problèmes financiers pour achever la construction de sa villa, et en déduis que la charité du milliardaire repose exclusivement sur ma courtoisie.

Haj Thobane s'essouffle enfin, à mon grand soulagement. Il s'affaisse dans le fauteuil, croise les genoux et repose ses mains dessus. Ses yeux, un moment pétillants, s'immobilisent et ses traits retrouvent l'expression de leur rapacité. Je comprends que l'entracte est fini, qu'il est temps de passer aux choses sérieuses.

— Ben, voilà, commence-t-il avec cette approche méthodique qui rappelle celle d'un épaulard tournant autour de sa proie, je suis désolé de vous importuner de bon matin, monsieur Brahim, mais il s'agit d'un officier que vous connaissez...

— Je ne connais aucun officier, lui dis-je sans ménagement, ni dans l'armée au cas où vous vous attendiez à ce que j'intervienne au profit de l'un de vos protégés, ni dans la douane au cas où vous auriez des containers bloqués par les services portuaires...

Mon excès de zèle scandalise le dirlo qui manque d'avaler son dentier. Haj Thobane, lui, est ahuri par mon inconvenance. Il consulte du regard le patron, l'air de lui demander si je ne suis pas un petit peu grillé de la caboche, ensuite son regard de dieu intérimaire revient m'écraser du poids de l'anathème.

— Je vous trouve bien impulsif, monsieur Brahim Llob. Ce n'est pas prudent, pour quelqu'un de malhabile. Sérieusement, croyez-vous que je m'adresserais à un banal commissaire de police de votre acabit si j'avais un quelconque problème du côté de l'armée ou de la douane ? Je suis Haj Thobane : je peux vous faire rappliquer dans son pyjama n'importe quel ministre, petit bonhomme. Tout de suite. Rien qu'en claquant des doigts...

Je présume que lorsqu'on pèse lourd sur les chiffres, on n'est pas tenu de peser ses mots.

Il pointe un index sur moi :

— Vous avez une appréciation erronée de votre personne, monsieur Llob. Vous devriez mettre un peu d'eau dans votre vin.

— Je suis musulman.

— Dans ce cas, mettez de l'ambre gris dans l'eau qui sert à vos ablutions. Je ne suis pas venu solliciter vos performances. Tout à fait entre nous, il me faudrait un microscope pour vous localiser. Seulement, il se trouve qu'un officier de *votre* service n'arrête pas de semer la pagaïe dans mes restaurants...

Il se remet sur ses pattes courtes.

— Si ça ne tenait qu'à moi, je l'aurais pris par l'oreille et balancé dans la poubelle en veillant à ne pas trop me salir les doigts. Après enquête, il s'est avéré qu'il s'agit d'un lieutenant de police et qu'il relève du Central. Comme je suis très ami avec votre directeur, monsieur Llob, et comme je n'aimerais pas qu'un lamentable officier fausse une copinerie vieille de dix ans, j'ai jugé indiqué de me déplacer jusqu'ici afin de mettre un terme au malentendu dans la discrétion et la bonhomie.

Le dirlo est rouge comme une pivoine. Pris au dépourvu, il ne sait plus s'il doit se jeter sur moi ou bien aux pieds de son hôte pour le supplier de rester encore un peu. Haj Thobane ne restera pas une minute de plus. Il repousse le fauteuil et, les veines du cou aussi grosses et remuantes que des lombrics, marche sur la porte.

Il pivote au beau milieu du salon et braque de nouveau un index dans ma direction.

— Dites à votre lieutenant de se tenir hors de portée de mon crachat, commissaire Llob. Les blattes de son espèce s'y diluent plus vite qu'un grain de sel. Dites-lui surtout que sa plaque de poulet n'a pas cours dans mes établissements et que, la prochaine fois, je le flamberai avec.

Le dirlo tente de se rattraper. Trop tard : le nabab sort dans le couloir et s'engouffre dans l'ascenseur. De la main, il prie son lèche-bottes de ne pas le raccompagner. Les grilles coulissent, et la boîte nous le dérobe. Pendant de longues secondes, le dirlo reste patraque, la tête dans les mains, les mâchoires proéminentes. Il marmotte un chapelet d'imprécations et se retourne vers moi. D'un coup, ses narines rejoignent ses sourcils dans un cri de bête blessée :

— Ce que tu viens de faire est inqualifiable.

À qui le dit-il ? J'ai essayé de garder mon sang-froid, pourtant.

Il déglutit pour discipliner son souffle, revient vers moi et me murmure, sur un ton qui, de syllabe en syllabe, va se prolonger dans un glapissement effarant :

— J'aurais dû me méfier de mes saints et m'abstenir de t'associer à notre entretien... Je te savais imbu de ta personne, mais j'ignorais que tu étais le roi des cons. Quelle mouche t'a piqué, commissaire ? Tu as été d'un crétinisme épouvantable... Silence ! Je ne veux pas t'entendre ajouter une seule ânerie. Si tu penses me froisser avec mes amis, tu fais fausse route. Mes amis ont le sens du discernement, *eux*. Et d'un !... De deux : tu vas illico convoquer ton corniaud de Lino dans ton bureau et lui tirer les oreilles jusqu'à lui faire rentrer le nez dans la figure. Depuis un bon bout temps, j'intercepte des échos quant à ses frasques tapageuses. Pire : il use de ses galons de lieutenant de police pour déployer son bordel partout où il se manifeste et, par voie de conséquence, il traîne l'institution, toute l'institution, dans la boue.

— Monsieur le directeur...

— La ferme ! Je suis au courant de ce qui se passe au Central, et de ce qui se traficote en dehors de notre enceinte, commissaire. J'ai des rapports ténébreux sur chaque fait et geste. Les tribulations de ton connard de Lino sont en train de constituer un pavé. Je ne tiens pas à entrer dans les détails. Par contre, je te somme, im-mé-dia-te-ment, de le river à son clou.

— Dois-je comprendre que je suis responsable de ses aventures extraprofessionnelles ?

— Absolument.

— Je ne suis pas d'accord. Le lieutenant Lino est majeur et vacciné. Sa vie privée ne regarde que lui.

— Pas lorsqu'il sévit en brandissant son insigne de flic.

Je baisse la tête, *fortrait* :

— Je vais voir ce que je peux faire, monsieur le directeur, grogné-je, uniquement pour prendre congé.

— Autre chose : dis à ton pigeon que la colombe qu'il exhibe passionne peut-être la galerie, mais qu'à sa place je ferais gaffe à mon ramage. Elle va le plumer. Et après, il n'osera plus se dresser sur ses ergots sans se couvrir de ridicule.

— C'est clair, monsieur le directeur.

— Quant à toi, commissaire, la prochaine fois que tu te donnes en spectacle devant l'un de mes hôtes, je te jure... je te jure...

Une toux lui ravage le gosier et le plie en deux. La figure congestionnée et les doigts autour du cou, il me congédie de son autre main en titubant vers une carafe d'eau minérale.

Je débarrasse le plancher avant qu'il me claque entre les pattes.

Cinq minutes plus tard, Bliss envahit mon bureau avec la fausse légèreté d'un sortilège en quête d'un esprit engourdi. Feignant de s'intéresser au plafond, il se gratte le menton et, mine de rien, s'enquiert :

— J'ai cru savoir qu'un Mister Hyde rôdait au troisième.

— Et c'est qui, Mister Hyde ?

— Quelqu'un qui soulève des hurlements là où il se manifeste. J'étais chez la secrétaire du patron lorsque j'ai entendu brailler. J'ai demandé à la secrétaire s'il y avait le feu quelque part ; elle a répondu qu'elle l'ignorait. J'ai jeté un coup d'œil dans le couloir et j'ai vu Haj Thobane sortir de ses gonds. Il hurlait comme c'est rarement faisable.

— Il s'était peut-être pris le pubis dans la fermeture de sa braguette.

— Il aurait hurlé moins fort. En plus, il y avait un type rond en face de lui. Haj était sûrement après lui.

— Il était rond comment, le type ?

— Ben, genre à empêcher les bons flics d'entretenir des relations intelligentes avec les gens de la haute.

Là, je le vois venir.

Je repose mon crayon sur le buvard et grogne :

— Qu'est-ce que tu veux, l'asticot ?

Il se reprend le menton entre les doigts, histoire de trouver les mots justes, ensuite il concentre son regard sur le mien de façon à le réduire en pièces :

— C'est pas tous les jours qu'une manne céleste nous rend visite, Llob. Je trouve injuste qu'un mal luné foute en l'air les vœux de ses collègues simplement parce qu'il s'est levé du mauvais pied. On est bien, au Central. On fait bonne figure, et ça nous aide à ne pas trop surcharger nos ardoises. Si tu es diabétique, tu auras droit à ton quota d'insuline gratis. Mais, de grâce, laisse-nous nous sucrer en paix.

Nous avons profané l'intégrité territoriale de l'ensemble des cabarets du littoral, provoquant un accès d'apoplexie chez le cheptel lustré du Grand-Alger. Vers 11 heures du soir, nous atteignons Le Sultanat bleu, une chasse gardée érigée sur un rocher, au bord de la mer. Je demande à l'inspecteur Serdj de m'attendre dans le tacot et grimpe le perron en marbre vergeté de la prestigieuse demeure.

L'eunuque harnaché, en faction devant l'entrée, est à deux doigts de crever d'indignation. Chaque marche que j'escalade semble lui porter l'estocade. Au moment où j'arrive à sa hauteur, il tente de me barrer la route à la manière des hallebardiers :

— Vous êtes sûr de savoir où vous allez, monsieur ?

— Pas exactement, Casimir, mais j'y arriverai.

Je lui montre la bretelle de mon Beretta 9 mm, l'écarte comme une tenture et traverse le hall avec la vaillance d'un ours longeant un camp de scouts. Quelques poufiasses peinturlurées hoquettent de frayeur en se dépêchant de se mettre à l'abri. Je les ignore et poursuis ma trajectoire jusque dans une cour paradisiaque peuplée de couples magnifiques en train de s'en mettre plein la vue autour d'une piscine.

Un *aristocrotte* sursaute en me découvrant à côté de lui. Il me dévisage, puis regarde le ciel, cherchant de quelle planète j'aurais bien pu tomber.

— Belle soirée, lui susurré-je.

— Et comment ! s'étrangle-t-il en s'éloignant, probablement pour alerter l'équipe de décontamination.

Je rajuste une cravate imaginaire et laisse mon regard tituber au milieu des grosses fortunes. Nos tourtereaux sont là, pelotonnés dans un coin peinard, tournant le dos au monde entier. J'ai rencontré un tas de sirènes sur les rivages de mon pays, été ébloui à maintes reprises par les égéries de Kabylie, mais la houri qui sourit là, sur la terrasse du Sultanat bleu, paraît, à elle seule, illuminer le belvédère mieux qu'un feu sacré. Elle est si belle, avec sa crinière crépusculaire et ses yeux incandescents, que je ne comprends pas pourquoi le siège, sur lequel elle trône, tarde à s'enflammer.

Non ! je ne les dérangerai pas. Ils sont si charmants, semblent si heureux. Quand bien même, à côté de sa compagne, Lino ferait figure d'ombre chinoise, je ne me souviens pas de l'avoir vu aussi frais, détendu et content de lui. Je les observe un instant, me surprends à sourire lorsqu'ils rient, à m'étreindre les doigts lorsque leurs mains fusionnent, attendri, presque honteux de fouler de mes savates pourries le fief de leur idylle.

Sans bruit, en veillant à ne pas me faire remarquer, je rebrousse chemin et cours rejoindre Serdj dans la voiture.

6.

Depuis deux décennies, tous les 31 octobre, qu'il pleuve ou qu'il vente, j'entasse Mina et les gosses dans mon tacot et mets le cap sur le bled. Même lorsque je suis de service, je m'arrange pour me faire remplacer. Pour rien au monde, je raterais l'occasion de commémorer l'anniversaire du déclenchement de la révolution avec les miens. Le 1er novembre de chaque année, je retrouve mes anciens compagnons d'armes à Ighider. Ils rappliquent des quatre coins du globe, certains au volant de grosses cylindrées, d'autres à bord d'autos déglinguées, et se réunissent dans le patio du doyen du village. Après les embrassades homériques et le verre de thé traditionnel, on défile à travers le village et les champs pour aller, au haut de la colline, déposer une énorme couronne au pied du monument des martyrs. Là, on observe une minute de silence à la mémoire des Absents, au bout de laquelle nombre d'entre nous ont du mal à relever la tête. Ensuite, l'imam lève la *fatiha*, et tout le monde retourne chez le doyen honorer le méchoui.

Je crois qu'à la *dechra*, la plus édifiante journée de l'année reste le 1er novembre. Même Da Achour, qui ne quitte pratiquement jamais sa crique à cause de son obésité, se débrouille pour se joindre à nous. On déterre les années mortes, les épopées du maquis, les bombes au napalm et les bourgades ensevelies ; on vante le charisme de tel moudjahid, le patriotisme de telle tribu ; on se souvient de ceux qui ont payé de leur vie cette liberté que nos dirigeants d'aujourd'hui cherchent à nous usurper ; on soupire à l'évocation de nos idéaux tombés au rebut, des serments qu'on s'est empressés de résilier ; on recense les affronts que sont devenus nos silences et nos renoncements ; on se plaint de nos rejetons livrés aux périls des incertitudes et, au moment où l'on commence à friser l'apostasie, on se ressaisit. Tous ensemble, la main dans la main, on se soutient et on se promet de *continuer le combat* jusqu'au bout. La tribu renoue ainsi avec ses engagements ancestraux et renaît de ses cendres comme une superbe salamandre. L'espace de vingt-quatre heures, je redeviens *digne*. Raison pour laquelle jamais je ne rate ce rendez-vous qui est, pour moi, plus qu'un pèlerinage, une indispensable absolution.

C'est aussi, et surtout, pour cette même raison que je suis sur le point d'imploser, en ce matin du 1er novembre de l'an de grâce présidentielle, tandis que je me morfonds dans ma bagnole, face à la prison de Serkadji, à attendre qu'une ordure de tueur taré réintègre la société parce qu'une commission d'enfoirés aux compétences discutables croit que le laxisme et la démagogie sont les meilleurs atouts de la réinsertion, que plus on est gentil avec un alligator plus on a des chances de l'apprivoiser.

Une petite pluie sanglote sur la ville tandis qu'un vent désemparé se ratatine la poire contre les murs de lamentations que sont devenus nos remparts. Une légère brume étale son linge sale au coin de la rue. On dirait que toute la déprime du monde s'est fixé rendez-vous chez nous pour nous saper le moral. Comme c'est un jour chômé et payé, rares sont ceux qui seraient tentés d'échanger la chaleur fétide de leurs draps contre la fraîcheur sevrante des trottoirs aux boutiques closes et aux fondrières frondeuses. Hormis l'agent en faction devant le portail de la prison, pathétique dans sa solennité de réverbère attendant qu'un chien vienne lever la patte à son pied, pas l'ombre d'un spectre. Il n'est que 6 h 42 minutes, et le matin regrette déjà de s'être aventuré dans ce quartier de merde où même les chats de gouttière observent une trêve. Sans le crachotement de la bruine sur les sacs-poubelle éventrés, on entendrait ronfler le diable.

Bercé par tant de monotonie, mon regard commence à ondoyer au point que je n'arrive pas à distinguer la buée sur le pare-brise du brouillard en train de gagner mes pensées. Petit à petit, mes paupières se découvrent un mécanisme de rideau de fer et mes membres s'engourdissent. Quelque part entre Mina et Morphée, je pique du nez... Le vrombissement d'un moteur me redresse ; je m'aperçois que ma cigarette a répandu sa cendre sur ma braguette et que l'inspecteur Serdj s'est abîmé les doigts à force de tambouriner sur le volant.

D'après le communiqué officiel, les heureux bénéficiaires de la grâce présidentielle sont libres à partir de minuit. Bientôt 7 heures, et le portail de la forteresse refuse de cracher le morceau. Serdj n'est pas content. La nuit a été rude, glaciale. Le siège étant défoncé, Serdj a fini par s'assoupir contre la portière, la bouche plus grande que le ronflement. Il m'a fait de la peine. J'aurais pu lui épargner cette épreuve, mais pas moyen de mettre la main sur Lino.

— Je vais chercher du café, commissaire. Vous le voulez avec croissant ou pain beurré ?

— Les petits oiseaux vont bientôt sortir.

Serdj consulte sa montre, la moue évasive :

— On a encore une petite heure devant nous.

— Comment ça ?

— Les prisonniers seront libérés à 8 heures précises.

Je sursaute :

— Comment tu le sais ?

— J'ai appelé, hier, la permanence. Ils ont dit que c'était pas prudent d'ouvrir les vannes du pénitencier à l'heure du crime, qu'il fallait attendre le matin.

— Qu'est-ce que tu me chantes ? Et tu ne m'en as rien dit ?

— Je pensais que vous le saviez.

— Tu crois que j'aurais passé toute la nuit dans une guimbarde dégueulasse pour mon bon plaisir ?

Serdj est embarrassé. Il se frotte le nez et couine :

— J'ai pensé que vous aviez une petite idée derrière la tête, monsieur.

— Tu penses trop, inspecteur. Pour un flic, c'est préoccupant.

Le café a un goût de rinçure, mais il m'aide à me remettre les idées en place. En face, le flic en faction s'est volatilisé. Un groupe de fantômes émerge on ne sait d'où, momifié dans des voiles d'un blanc contestable. Ce sont des femmes ; des mères ou des épouses venues cueillir leurs chers internés à la sortie du pénitencier. Certaines sont accompagnées de gamins aux yeux bouffis de sommeil. Elles rasent les murs, le regard vague, et vont s'accroupir de part et d'autre de la guérite. Quelques hommes arrivent à leur tour, se rassemblent le plus loin possible des femmes et, un pied contre la palissade et le menton pris entre l'index et le pouce, ils guettent les premiers graciés. Un silence bizarre, fait d'une gêne insondable, encombre la rue. Ensuite, en moins de trente minutes, un attroupement monstre envahit la place. Un fourgon manœuvre à se tordre le châssis pour se frayer un passage dans la cohue ; c'est l'équipe de la télévision, elle est là pour couvrir l'événe-

ment. Un grand gaillard saute sur le bitume, sa caméra
sur l'épaule, vite rattrapé par une amazone ébouriffée,
le micro en évidence afin de montrer qu'elle est là pour
bosser et non pour se faire tabasser par les geôliers. Le
grand gaillard actionne sa caméra, balaie le ramassis de
pauvres bougres, s'attarde sur un vieillard que la spea-
kerine accule de questions stupides sur la miséricorde
présidentielle. Le vieillard regarde autour de lui, ne
sachant quoi répondre. Une vieille femme le bouscule
pour se mettre dans le champ de la caméra et, arrachant
le micro à la journaliste, elle se lance dans une longue
litanie. Elle raconte les années qu'elle a vécues sans son
rejeton, les petits métiers infamants qu'elle a dû subir
pour ne pas crever de faim, elle, une invalide de la
guerre. La journaliste lui fait remarquer que le Raïs a
été d'une générosité pharaonique. La vieille le reconnaît
illico presto et, les mains jointes, elle supplie le Seigneur
de diriger l'ensemble de ses bienfaits sur le Père de la
nation. Ravie, la journaliste l'encourage de la tête à
poursuivre dans le même ordre d'idées. Derrière, un
grincement fuse ; tout le monde se fige. Le portail bâille,
se referme avant de s'ouvrir dans un claquement. Les
premiers graciés apparaissent. Étrangement, personne
ne va à leur rencontre. La journaliste profite de ce
moment de flottement pour se ruer sur un rescapé enca-
goulé dans une barbe d'ascète qui se prête doctement au
jeu des questions-réponses. Il déclare qu'il est soulagé
de retrouver les siens, les amis, les rues de sa ville et la
mosquée, que Dieu a exaucé ses vœux, que désormais il
va Le servir et ne point Le décevoir. À propos de la
grâce présidentielle, il ajoutera que c'est Dieu qui
dépose la bonté dans le cœur des hommes, et que le
Raïs n'a aucun mérite, sauf celui de ne pas s'obstiner
dans l'égarement. La journaliste n'apprécie pas ; elle
somme son cameraman de stopper l'enregistrement.

Sitôt l'entretien clos, les familles déferlent sur leurs proches. Les bambins se jettent au cou de leurs pères ; les vieux dans les bras de leurs garnements ; les femmes, pudiques, se contentent de sangloter.

Serdj surveille les affranchis, sautant de la photo que nous a fournie le professeur Allouche aux gueules échevelées qui paradent sous le parvis de la prison. SNP se montre enfin, empaqueté dans un *kamis* impeccable. Il est grand comme un hercule forain, le visage massif incrusté de deux yeux inexpressifs. Il se met sur le côté pour ne pas encombrer le portail et attend, les bras croisés sur la poitrine. La foule commence à se disperser ; la chaussée retrouve ses nids-de-poule. Le fourgon de la télé s'en va, suivi par les grappes de journalistes. Bientôt, il ne reste qu'un groupuscule d'affranchis un tantinet déboussolés sur le trottoir. Une voiture noire vient se ranger devant le portail de la prison ; une portière s'ouvre. SNP saute sur la banquette arrière où quelqu'un l'attend.

— Suis-les, lancé-je à Serdj.

Debout devant la fenêtre, je fais semblant de regarder la ville emmitouflée dans sa pollution. En réalité, je suis en train d'espionner le reflet de Lino sur la vitre. Les mains dans les poches, la bouche sur le côté, le lieutenant n'a pas l'air commode. Il porte un veston en daim authentique, une chemise satinée ouverte sur une imposante chaîne de gigolo rutilant sur le duvet de sa poitrine. Son pantalon raide arbore un ceinturon doré et ses souliers cirés de frais scintillent de mille étincelles. Je n'ai pas besoin de soigner mon rhume pour comprendre qu'il s'est vidé un flacon de parfum sur le corps.

Depuis qu'il s'est épris de sa vamp, Lino devient de plus en plus chiant. Ce qui m'emmerde le plus, c'est de constater que mon autorité commence à battre de l'aile au Central puisque je n'arrive pas à mettre au pas mon plus proche collaborateur.

Je fais exprès de m'intéresser aux ruelles croupissantes pour voir si mon lascar tiendra le coup longtemps. Je le connais ; ses convictions manquent de souffle, et ce n'est pas en se pavanant comme un dindon de la farce qu'il va me faire croire que son cul est chauve à force de péter le feu.

Lino sent que je l'observe. Il tente de garder la bouche sur le côté et le sourcil haut. Au bout d'une désinvolture inefficace, il consent à retirer ses pattes de ses poches pour les raccrocher à ses hanches.

— Je peux savoir pourquoi je suis obligé de poireauter dans cette cage à fauves, commissaire ?

Je passe mon doigt sous le col de ma chemise pour lui montrer combien il est peu de chose. Le lieutenant branle la tête, gonfle les joues et exhale un soupir. De nouveau, il met les mains dans ses poches.

De guerre lasse, il avance jusqu'à mon bureau.

— Je peux savoir ce que tu me veux, commissaire Brahim Llob ?

Je me retourne enfin, le doigt sans appel :

— Tes petites feintes de plouc arriviste, tu les gardes pour les grooms, compris ? Quand on a fauté, et si on a un minimum de civisme, on demande pardon.

— Qu'est-ce que j'ai encore fait ? dit-il, hypocrite.

Mon doigt vibre puis, devant un crétinisme aussi désespérant, je décroche.

— C'est vrai qu'il m'arrive de m'absenter de temps en temps, reconnaît-il, et c'est pas la fin du monde. Personne n'est régulier, au Central.

Pour garder mon calme, je me contente d'extirper une feuille du sous-main, la pousse dans sa direction :

— En vingt-cinq jours, tu as été absent dix-sept fois ; tu t'es fait doubler cinq fois à la permanence ; tu t'es débiné cinq fois en cours de mission ; tu n'as jamais rendu compte de tes sorties et tu n'as pas une seule fois daigné justifier tes retards. C'est vrai, au Central, c'est pas la galère. Mais le Central a un directeur, et c'est pas moi. Moi, j'ai un service d'investigation et je ne tiens pas à me faire passer pour de la garniture. Je suis *ton* supérieur, ton boss, ton manitou. (Là, Lino ricane ostensiblement.) Et j'exige que tu me rendes compte de tes absences et que tu me communiques tes coordonnées partout où tu te la coules douce. Si tu trouves que c'est trop te demander, tu sais ce qu'il te reste à faire.

— Et qu'est-ce qu'il me reste à faire ?

— Une feuille 21 × 27, un stylo à bille et tu rédiges ta lettre de démission.

— J'ai pas l'intention d'interrompre ma carrière en si bon chemin.

— Dans ce cas, tu te conformes au règlement.

Lino hoche la tête. Avec sa papelardise habituelle, il feint de se prendre les tempes entre les doigts, d'un air tarabusté, en profite pour chercher un prétexte solvable et gémit :

— Pourquoi n'essaie-t-on pas de me comprendre, putain ?

Il lève sur moi des yeux attendrissants :

— Que les autres me fassent la gueule, c'est naturel. Mais pas toi, commy... Ne te rends-tu pas compte que je suis en train de vivre les plus beaux instants de toute ma chienne de vie ? Rien que pour ça, j'ai droit à la plus grande indulgence.

— C'est pas une raison. Tu es un flic, t'as des obligations.

— Ça va se tasser, commy. Je reprendrai une vie normale. Pour le moment, je suis comme catapulté à travers un conte de fées. J'ai l'impression de marcher sur les nuages.

— Il y a des trous, dans les nuages.

— Tant pis.

— Dans ce cas, tu choisis : les nuages ou le pavé.

Il est effaré, le lieutenant. Ses narines se dilatent et ses prunelles flambent.

— J'ai beaucoup de peine, commy.

— Je n'y peux rien.

Devant ma fermeté, il revient, suppliant :

— Je suis amoureux, bon sang ! J'ai rencontré l'âme sœur. Je suis comblé, heureux ; je vis un rêve, un songe merveilleux.

— Tellement merveilleux que tu ne vois pas la chaîne de tes créanciers s'allonger comme un ténia.

Là, il se fige. La colère investit son faciès soudain décomposé. Il vibre de la tête aux pieds, se triture les doigts, remue ciel et terre pour ne pas me péter à la figure.

— Je vois que les mauvaises langues ont trouvé un beau sujet de conversation. Tu veux ma version, commy ? C'est des envieux. Ils sont jaloux de mon bonheur. Ils en crèvent. Quant aux créanciers, je vais bientôt les rembourser. Encore une chose, j'suis pas un pigeon. C'est vrai que je dépense du fric, mais c'est juste pour bien me saper. Je paie rien, pas une facture. Les restos, les clubs, les sorties, c'est elle qui débourse. Elle est pleine aux as, ma belle. C'est pas le salaire d'un flic miteux qui l'intéresse ; c'est même pas le flic ; c'est l'homme qui est derrière. Elle a trouvé son jules. Et elle est aux petits soins avec lui. Cette chevalière-là, tu sais combien elle coûte ? Les yeux de la tête. Elle me l'a offerte. Et cette chaîne en or massif, de grande marque parisienne, tu sais combien elle coûte ? La peau des fesses. Elle me l'a offerte. Et cette montre Rolex, tu sais combien elle coûte...

— Elle coûterait les poils du cul que ça me ferait pas bander. S'agit pas de facture, là non plus ; il s'agit d'un lieutenant de police qui fait montre d'un manque de discernement affligeant. Que tu files le parfait amour, je suis heureux pour toi. Mais de là à te croire seul au monde, c'est impardonnable. Tu as un bureau, du pain sur la planche ; tu t'acquittes de tes tâches, un point, c'est tout. Le reste, tu as ton temps libre ; tu en fais ce que bon te semble.

— Je...

— Ça suffit, lieutenant Lino. Dorénavant, je veux te trouver dans ton bureau pendant les heures de service. Maintenant, du vent !

Lino demeure patraque pendant une minute au bout de laquelle il réalise combien sa plaidoirie a été nulle. Il relève sa mèche, pivote sur les talons et quitte le bureau en claquant si violemment la porte derrière lui que Baya pousse un cri dans la pièce d'à côté.

L'inspecteur Serdj s'amène juste au moment où Lino prend congé. Décoiffé par la bourrasque, il reste planté dans l'embrasure, son calepin sur le cœur, ne sachant plus s'il doit entrer ou revenir plus tard. Le temps, pour moi, de digérer l'affront du lieutenant, puis je lui désigne une chaise. L'inspecteur l'occupe en se faisant le plus petit possible. Le respect qu'il a pour moi est si proche de la crainte que je ne parviens toujours pas à le situer. Il avance sa chaise dans un grincement qui lui pince les narines, pose son carnet sur la table et entreprend de vérifier ses notes juste pour me laisser le temps de me calmer.

— Alors ? le bousculé-je.

Il se gratte la tempe, s'embrouille cinq secondes et dit :

— Nous manquons d'effectifs, monsieur le commissaire. La section du lieutenant Chater est en stage de perfectionnement. Nous avons fait des ponctions au niveau des autres sections, y compris celle de la circulation et auprès des nouvelles recrues. La tâche est exigeante. Nous ne pouvons pas axer une surveillance permanente sur la résidence de SNP. Bien sûr, j'ai mobilisé trois indics. Ils se font passer pour des vendeurs de cacahuètes ou de tabac, mais, à la tombée de la nuit, ils sont contraints de lever le camp pour ne pas attirer l'attention. Nos équipes de surveillance comptent dix hommes, dont deux agents d'investigation. Au bout d'une semaine, ils sont épuisés. Normal, le quart est de huit heures, et la récupération quasi nulle puisqu'ils rejoignent leurs postes à l'issue de leur tour de garde.

— Qu'est-ce que ça signifie ? Qu'on laisse tomber ?

— Je ne fais que vous exposer les grandes lignes de nos difficultés, monsieur le commissaire.

— Je ne suis pas convaincu. Tu peux trouver d'autres hommes. Y a qu'à jeter un œil dans les couloirs de cette tour d'enfoirés qu'est le Central. Tout le monde se tourne les pouces quand on ne rackette pas les p'tits vendeurs à la sauvette.

— Les autres chefs de service refusent de coopérer. Ils disent qu'ils ont besoin d'un ordre écrit, signé par le directeur.

— Eh bien, on se débrouillera sans leur foutu concours.

— Avec quoi ?

— C'est ton problème, inspecteur.

Serdj baisse la tête. Je vois le lit de sa nuque défaite où des cheveux blancs se tordent le cou. C'est la nuque la plus lamentable qu'il m'ait été donné d'examiner.

— Je vais voir ce que je peux faire, monsieur le commissaire.

Je l'approuve d'un grognement et lui demande un rapport complet sur la situation du cinglé.

— Il n'est pas sorti une seule fois de sa planque, raconte l'inspecteur. Pas même dans la cour. Depuis qu'il s'est enfermé à double tour, il évite d'approcher les fenêtres.

— Il y a quelqu'un avec lui ?

— On n'a remarqué personne.

— Il vit comment, bon sang ? Il faut bien qu'il bouffe, qu'il se ravitaille quelque part. Vous êtes sûr qu'il est en vie ? Il a peut-être clamsé pendant que tes hommes se contemplaient le nombril.

— Il n'est pas mort, commissaire. Il ne s'approche pas des fenêtres, mais on l'a vu en prière avec des jumelles. Une seule fois, le deuxième jour de sa libération, la grosse voiture noire s'est manifestée. Elle n'est pas restée dans la rue. Elle est entrée dans le garage pour en ressortir au bout d'une trentaine de minutes. Il y avait deux gars à l'intérieur. On n'a pas vu grand-chose.

— Raison pour laquelle tu dois te démerder pour recueillir un maximum d'informations sur cette saloperie de psychopathe.

— J'ai réussi à me procurer le double de son dossier. Les canards de l'époque le surnommaient le *Dermato*.

— C'était un vrai dermatologue ?

— Au propre et au figuré : *il fait la peau* à ses victimes, ensuite il les *écorche* comme des lapins. Et pas au couteau, pas avec une brosse métallique ; avec ses mains, rien que ses mains nues ! À part ça, le type est une énigme. Pas de parents, pas de proches, rien.

— Il a été jugé et condamné, pourtant...

— De toute évidence, tout a été bâclé. On dirait que ni la police ni la justice n'ont cherché à s'attarder sur l'affaire. Un homme se livre, avoue des meurtres que personne ne vérifie. Il est aussitôt traduit devant le tribunal. Condamné à perpétuité, il est enfermé. Affaire classée. À l'époque, les compétences vacillaient, mais là, on a vraiment exagéré. Le dossier rassemble à peine quelques feuillets, avec des procès-verbaux d'une rare nullité. On ne s'est même pas donné la peine d'insister sur l'identité réelle du prévenu.

— Et la maison ?

— Elle appartient à un dénommé Khaled Bachir, riche négociant en bétail, altruiste de son état. Elle servait, avant d'accueillir SNP, de villa d'hôte pour l'imamat de la cité. Son propriétaire l'a mise à la disposition de la mosquée.

Je renverse la nuque sur le dossier de mon fauteuil et tente de discipliner mes idées.

Je me demande si le professeur Allouche n'a pas poussé le bouchon trop loin.

Avec un bout de crayon, je dessine un rond sur mon buvard, puis deux minuscules ronds à l'intérieur, ensuite deux demi-cercles de part et d'autre du rond initial ; je m'aperçois que je n'avance pas, repose le crayon, joins mes doigts sous le menton et fixe l'inspecteur.

— Qu'est-ce que tu penses de tout ça, Serdj ?

— Je ne sais pas, commissaire.

J'écarte les bras, décroche mon veston de son clou et me dépêche de mettre les voiles.

7.

À la maison, c'est la platitude. Mohammed s'est mis au lit avant le coucher du soleil. Il a, paraît-il, couru toute la journée à la recherche d'un emploi décent. Mes autres gamins se font la gueule dans leur chambre. Mina et Nadia se diluent dans les émanations poisseuses des marmites. Je traîne jusqu'au salon, défais mes lacets et enlève mes chaussures. Rapidement, une odeur d'orteils meurtris se répand dans la pièce. Je m'enfonce dans le divan et actionne la télécommande. L'écran de mon vieux téléviseur Sonelec met une éternité à s'allumer ; il me propose un documentaire insipide sur le complexe sidérurgique d'El-Hadjar, fleuron du projet socialiste à l'algérienne, bâti à coups de slogans triomphalistes et de détournements tous azimuts. Mes enfants m'en veulent parce que je refuse d'installer une antenne parabolique chez moi. C'est vrai que les chaînes étrangères sont alléchantes, mais, avec les obscénités gratuites qui fusent sur les plateaux et les scènes de cul qui font l'essentiel de l'inspiration cinématographique, elles sont impossibles à regarder en famille. Comme je n'ai pas les moyens d'acheter une deuxième télé, je joue au dévot inflexible et obtus.

Mina arrive avec du café et une assiette chargée de

gâteaux. Elle me sert, s'assied en face de moi sur un pouf pelé ; ses yeux d'épouse dévouée me couvent.

— Tu veux que je te fasse couler un bain ?

— Il y a de l'eau dans les robinets ?

— Non, mais j'ai mis deux jerricans de côté pour toi.

— C'est pas la peine de gaspiller notre réserve en eau potable. Et puis, je me suis douché la semaine dernière.

Ensuite, susceptible comme une urticaire, je reviens traquer ses arrière-pensées et m'enquiers :

— Pourquoi tu veux que je prenne un bain ? Tu penses que je commence à sentir mauvais.

Outrée, elle se frappe la poitrine de la main :

— Brahim, où vas-tu chercher ces interprétations ?

Elle paraît sincère.

Pour me rattraper, je lui propose :

— Qu'est-ce que tu dirais si on sortait, ce soir ? On ira sur le front de mer regarder les bateaux ou bien rue Larbi Ben M'hidi lécher les vitrines. J'ai besoin de changer d'air.

— Rien que toi et moi ?

— Les enfants sont assez grands pour se débrouiller. Ce ne sera pas long. J'ai envie de t'offrir un sandwich au merguez, sinon un grand sorbet chez Ice Krim.

Mina me saisit par les mains.

— Le temps de m'arranger le portrait et de changer de robe, et je suis à toi.

— Tâche de ne pas te mettre trop de rouge sur les lèvres. Tu sais comment je réagis quand on te regarde de trop près.

— Gros flatteur, je suis trop vieille pour taper dans l'œil des badauds.

Elle se lève et file se refaire une beauté.

J'ai à peine ingurgité mon café que quelqu'un frappe à la porte. C'est Fouroulou, un gamin qui habite au sixième. Il balance le pouce par-dessus son épaule et m'informe qu'un bougnoule gras et grisonnant, au bas de l'immeuble, demande à me causer.

Le bonhomme qui m'attend, dans la rue, est une espèce de crapaud-buffle très en vogue au pays, en ces années de vaches maigres. Le genre qui, pour un kilo de laitue ingurgitée, en chierait dix. Contrairement à la grenouille de Jean de La Fontaine, il a réussi de façon magistrale sa mutation bovine. Couronné d'une énorme tête de veau, blanche et rasée comme celle que les boucheries françaises exposent en vitrine, il développe, un goitre plus bas, une panse capable de contenir deux airbags, un médecine-ball et, avec un peu de bonne volonté, un bon paquet de serpillières. Malgré les lunettes opaques qui lui voilent la face tel un pare-brise de voiture officielle et son costume italien flambant neuf, malgré la Mercedes étincelante qu'il conduit avec la grâce d'un hippopotame coincé dans un aquarium et la belle demoiselle souriante sur le siège d'à côté, il n'arrive pas à se défaire de son air de plouc arriviste et malodorant. Mais il est plein aux as, le salaud, et ne le cache pas.

Sans sortir de son carrosse, il actionne électriquement la vitre et me tend une main ornée de bijoux à la manière d'un sultan recueillant l'allégeance de sa cour :

— J'espère que je ne te dérange pas, mugit-il, perfide.

— Tu dérangerais un rat dans sa tombe.

Sa grosse bedaine s'ébranle d'un rire bref, qui l'essouffle.

— Sacré Brahim, toujours aussi courtois qu'un pet dans une séance de yoga.

— C'est la preuve que le monde n'a pas changé.

— T'es sûr ?

— Tu ne vas pas me faire croire que la fange a cessé de te fasciner.

Il se retourne vers sa compagne pour s'assurer qu'elle
n'est pas choquée par mes propos, lui glisse quelques
recommandations, ouvre la portière et m'éloigne de sa
dulcinée :

— Tu devrais soigner ton langage, Brahim.

— La Sécurité sociale ne rembourse pas ce mode de
thérapie. Pourquoi tu es venu gâcher ma soirée, Hadi
Salem ? Tu trouves que je ne suis pas assez persécuté
par ton copain le dirlo ?

Hadi Salem a été un camarade de promotion. Il avait
choisi d'être flic pour se mettre derrière la loi afin de
l'enculer. Mais il était archinul côté études et, à la fin de
notre stage de formation à l'école de police, ses notes
misérables et ses prédispositions professionnelles aléa-
toires ont fait qu'il était impossible de le muter dans un
service opérationnel sans préparer le terrain aux catas-
trophes. Il fut orienté sur un bureau auxiliaire, et sa
tâche se limitait à classer les factures et les dépositions
bidons au sous-sol des archives. Et là, dans la pénombre
propitiatoire des cagibis, qui ne tarda pas à influer sur la
noirceur de ses desseins, il apprit à traficoter, puis à
manœuvrer plus large, et se découvrit une vocation qui
charma tous les chefs véreux et les apprentis ripoux de
son unité : il devint l'homme des situations obscures.
Son flair de flic raté allait l'éloigner des pistes criminelles pour l'attirer vers celles des appétits personnels.
Ses galons d'inspecteur consolidèrent ses trafics d'influence. On le vit beaucoup plus chez les maires louches
et dans les bars interlopes qu'avec une loupe, penché sur
les traces d'un délinquant. Petit à petit, il se mit à
connaître des gens intéressants, à percer leurs petits
secrets et à intervenir, çà et là, pour classer un dossier
explosif ou faire disparaître des pièces à conviction. Une
fois à la tête d'un petit capital, il s'intéressa au foncier
pour y blanchir son argent sale. Arrêté une première

fois, il bénéficia d'un doute. À son tour, il se mit à graisser la patte à ses supérieurs qui, reconnaissants ou alléchés, fermèrent les yeux sur ses agissements. Sa réputation de Midas atteignit la haute hiérarchie. Les manitous de la police le trouvèrent discret et efficace, négociateur émérite, et lui confièrent la gestion de leurs petites affaires parallèles. En l'espace d'une décennie, il réussit à enrichir l'ensemble des cadres influents du ministère de l'Intérieur et gravit les échelons aussi vite qu'une gerboise. Commissaire, puis commissaire divisionnaire, il déboucha sur le cabinet du ministre en qualité de conseiller pluridisciplinaire, expert ès magouilles en tout genre. Aujourd'hui, Hadi Salem est à la tête d'un établissement sécuritaire névralgique et d'une fortune tentaculaire dont les ramifications ont débordé les frontières du pays.

Il extirpe un paquet de cigarettes américaines et m'en propose une :

— Ce sont de vraies Marlboro, achetées à Paris.

— Non, merci, elles nuisent gravement à la santé.

— Tu as arrêté de fumer ?

— Pas forcément, mais sur le paquet de mes cigarettes algériennes, il n'y a pas d'indications dissuasives.

Il barrit un rire amusé, flambe un briquet en or massif et me souffle la fumée à la figure.

Il prend un air sérieux et embarrassé :

— Brahim, je suis venu te parler en frère.

— J'ignorais que ma mère avait d'autres amants.

— S'il te plaît, range ton sarcasme avec ton dentier et essaie d'être aimable. J'ai un ami qui s'inquiète. Il vit un dilemme. Il adore les flics et ça l'embêterait d'en bousiller quelques-uns pour des broutilles. C'est un gars formidable, très généreux et désintéressé. Il est très copain avec nos patrons. Et il ne comprend pas pourquoi un minable poulet de rôtisserie lui cherche noise. Ce matin,

il est venu me rendre visite dans mon bureau. Son récit
m'a fendu le cœur, je t'assure. J'étais si peiné pour lui, et
si honteux de notre institution que si la terre s'était
ouverte, je n'aurais pas hésité à me jeter dedans. Alors
que nous, les hauts cadres de la police, faisons tout pour
redorer la blason de la profession, de petits flicaillons à
peine galonnés crachent dans la soupe et traînent le
ministère dans la boue. J'ai demandé à l'ami pourquoi il
ne s'était pas adressé directement au ministre, qui est
son copain. Tiens-toi bien ; le brave gars m'a déclaré
qu'il n'allait pas foutre en l'air la carrière d'un jeune
officier simplement parce qu'il se laissait un petit peu
aller. J'en ai eu les larmes aux yeux, *wallah laadim*.
Pourtant, c'est quelqu'un de très puissant. Il lui suffit de
se frotter les doigts pour réduire en bouillie le plus
coriace d'entre nous. Eh bien ! non, il refuse d'abuser de
sa notoriété. Il voudrait juste que l'on raisonne la brebis
galeuse...
    — Je suppose que ton bon samaritain est Haj Thobane.
    — Dans le mille.
    — Et l'officier indélicat, c'est Lino.
    — On ne peut rien te cacher.
    — C'est parce que la honte n'offusque plus personne,
Hadi.
    — C'est exactement ce que j'ai dit à notre ami Haj
Thobane.
    L'andouille !
    — J'ai dit une connerie, Brahim ?
    Je dodeline de la tête, désespéré :
    — La graisse de ta bedaine a envahi ton crâne.
    Il rougit. Ses bajoues battent l'air comme les oreilles
d'un éléphant. Il lâche un soupir de quoi soulever une
voile et gémit :
    — Tu vois ? Tu refuses d'entendre raison. Avec toi, il
y a toujours un os. Je viens en ami, tu m'accueilles en

indésirable. Je te parle d'un malentendu, tu en fais un dialogue de sourds. J'essaie d'être aimable, tu en profites pour être désagréable.

— Je peux savoir pourquoi tu es venu me voir ?

— Pour mettre un terme aux indélicatesses de ton lieutenant... si tu tiens encore à lui.

— Je l'ai remis à sa place, cet après-midi.

Il ôte ses lunettes pour bien m'observer, cherche le piège, ne le voit nulle part. D'un coup, une forte jubilation lui relève les bajoues.

— Tu lui en as causé ?

— J'ai été ferme avec lui.

— Et qu'est-ce qu'il compte faire ? Je veux dire, est-ce qu'il accepte de renoncer à Nedjma ?

— Nedjma qui ?

— La fille avec qui il sort.

— Elle s'appelle Nedjma ?

— Ça n'a pas d'importance. L'essentiel est que ton lieutenant tourne la page et aille renifler ailleurs. Nous n'allons quand même pas laisser nos subalternes porter préjudice à notre intégrité.

De la main, je le prie d'éloigner sa cigarette impérialiste qui me pique les yeux et lui explique d'un ton rasséréné :

— J'ai dit au lieutenant que dorénavant il serait à l'heure dans ses bureaux, qu'aucune absence illégale n'était tolérable et que je refusais de me laisser marcher sur les pieds.

— Excellent. Tu penses qu'il t'a entendu ?

— Et comment !

— C'est fantastique. Je vais de ce pas rassurer Haj Thobane.

— Attention, Hadi. J'ai corrigé le lieutenant, pas le gigolo.

Il fronce les sourcils, écrase sa cigarette contre le mur

de mon immeuble. Sa main tremble ; ses lèvres remuent d'une manière déplaisante.

— C'est quoi, ce charabia ?

— Le lieutenant sera à l'heure au boulot. Le reste, ses soirées, ses week-ends, ses poufiasses, c'est sa vie privée. Il est assez grand pour l'assumer.

— Je crains qu'il ne fasse pas le poids, ton gringalet. Haj va l'écrabouiller comme une mouche.

— C'est pas mon problème.

— Si, ce sera à cause de toi. Tu n'auras rien fait pour dissuader ton chiot. Et, par ricochet, tu seras d'une manière ou d'une autre éclaboussé par le scandale que cette histoire va provoquer. Je te rappelle que Haj Thobane a le bras long. C'est un grand révolutionnaire.

— Sa révolution, qu'il en fasse un pain de sucre et qu'il s'asseye dessus. C'est une affaire entre lui et Lino. Je veux pas être mêlé à ça.

— Comment oses-tu parler ainsi de l'un de nos plus valeureux moudjahidin ?

— Il est le vôtre, pas le mien. Pour moi, c'est qu'un épais couillon de faux dévot qui vole comme il respire et qui ne mérite pas plus d'égards qu'un baiseur de chèvres qui s'est pris la bite entre les dents d'un bouc.

— Oh ! s'indigne Hadi.

Il recule jusqu'à sa Mercedes, la figure froissée, me regarde intensément pendant dix secondes, saute dans sa caisse et démarre dans un hurlement de pneus.

— C'est ça, gros connard, maugrée-je, fous le camp et ne reviens plus vicier mon oxygène chez moi.

Mina est pimpante. Elle a mis la robe que je lui avais achetée dernièrement, c'est-à-dire il y a trois ans, une touche de rimmel pour adoucir son regard ensorceleur et une imperceptible couche de poudre sur les joues. Elle est belle comme tout. Mais, dès qu'elle voit la gueule que je fais en rentrant, elle comprend que sa soirée est gâchée. Stoïque, elle retire son enthousiasme comme l'autre sa plainte et pivote sur les talons pour aller dans la chambre remettre le tablier.

— Où tu vas ? je lui demande.

— Ben, me changer.

— Pourquoi ?

— On t'a encore énervé...

— On m'a énervé, c'est vrai. Mais nous n'allons pas laisser des minables troubler nos esprits.

Je lui offre mon bras.

Elle hésite, Mina. Puis, mon sourire renaissant pareil à une aube bénie, elle glisse sa main autour de mon coude et me suit au-dehors. Ce soir, Mina et moi, nous allons déconner jusqu'à n'en plus dessoûler.

J'arrive au bureau vers 8 h 15. Lino est déjà là, les manches de sa chemise retroussées aux épaules, le crayon entre les doigts. Il est arc-bouté contre une pile de dossiers en instance et il *travaille*. En me voyant débarquer, il lève significativement un œil sur l'horloge murale.

— Elle est toujours en avance, je grogne pour l'envoyer valdinguer.

Lino ricane, reprend sa paperasse et feint de m'ignorer. Il a une tasse de café encore fumante à côté de sa machine à écrire, un superbe cendrier en écaille à portée du geste et un reste de cigarette en train de rendre l'âme à petit feu. La preuve qu'il est là depuis moins de vingt minutes. Lino fume trois cigarettes par heure. À mon tour, je ricane et envoie le planton me chercher du café.

Un premier round d'observation s'installe entre le lieutenant et moi, puis un deuxième, puis un troisième. Lui, il refuse de se soustraire à ses dossiers ; moi, je m'interdis de faire le premier pas. Au retour du planton, et après une bonne cigarette brune au goût de poil de chat, je sonne Baya et l'invite à prendre place en face de moi. Elle obéit et ouvre son agenda à la page du jour.

— C'est pour une note de service, lui dis-je.

— Je vous écoute, monsieur le commissaire.

— Objet : les absences...

Lino accuse le coup ; sa mèche en frémit. Il se reprend vite et s'enfonce dans ses feuillets.

Je dicte la note de service à la secrétaire, en articulant bien et en insistant sur les mots appropriés. Satisfait de l'agencement de mes phrases courtes et ciblantes, de mes virgules judicieuses et de la fermeté de mes sommations, j'ajoute :

— Je veux que la note soit collée partout, y compris dans les chiottes. Comme ça, personne ne dira qu'il n'en savait rien.

Baya glisse un coup d'œil en direction du lieutenant ; ce dernier lui renvoie l'ascenseur, histoire de lui signifier que je ne l'impressionne pas et qu'il aura, pour ma note de service, autant de considération que pour un Kleenex.

Je signale à Baya que sa présence me fatigue déjà ; elle retrousse son museau et se lève, son agenda contre les nichons.

Lino fait exprès de claquer ses dossiers sur la table, les uns après les autres. Il est en train de me dire que les litiges contenus dedans sont résolus. À la vitesse avec laquelle il tourne les pages, je comprends qu'il a la tête ailleurs. Vers 9 heures, il repousse le reste de sa paperasse et se prend les tempes entre les pouces. Deux fois, sa main se tend vers le téléphone avant de battre en retraite. Il soupire, toussote, extirpe un journal, s'essaie aux mots fléchés, s'attaque à une caricature, déforme le dessin avant de le raturer ; ses mâchoires roulent comme des poulies dans sa figure tendue. Pour l'exacerber davantage, je pose les pieds sur mon bureau et lui présente les semelles de mes vieilles chaussures. Le silence, dans la pièce, est chargé d'une sourde animosité.

Une voiture passe dans la rue ; et ça fait comme une idée saugrenue qui traverse l'esprit d'un maire prompt à greffer un désarroi supplémentaire au quotidien d'une populace depuis longtemps à la dérive. Lino cède ; il s'empare du combiné et forme un numéro en cachant l'appareil de son bras. Son visage se contracte davantage ensuite, il flamboie lorsqu'on décroche au bout du fil.

— Tu ne te languis plus de moi, chérie ?... Ben, tu ne m'as pas appelé... (Il consulte sa montre.) Exactement 9 h 32... Oh ! j'ai complètement oublié que tu ne te levais jamais avant midi.

Lino, qui a cherché à m'en mettre plein la vue en téléphonant à sa dulcinée, se rend compte qu'il s'est planté. Mina, si je la réveillais à 3 heures du mat', ne me raccrocherait au nez pour rien au monde. Il repose le combiné, reprend son stylo et entreprend de défigurer, un à un, les portraits dans le journal.

Brusquement, dans le couloir, retentissent les claquements furibonds d'une paire de talons aiguilles. Le lieutenant redresse les oreilles comme un animal en chaleur décelant dans l'air la proximité d'une femelle. Le martèlement s'intensifie, s'approche, bifurque et investit le bureau de Baya. Des chaises métalliques sont écartées avec brutalité. J'entends ma secrétaire crier : « Hé ! c'est pas un moulin, ici. » Une voix tranchante lui réplique : « Je sais ! » Tout de suite, la porte de mon empire est bousculée malgré la vaillance de Baya. Une dame s'avance vers moi et vient abîmer son poing de majorette sur mes dossiers.

— C'est vous, le commissaire Llob ?

Je n'apprécie guère ces manières, pourtant je consens à prendre sur moi. La dame m'intéresse. Le genre à me gonfler à bloc. Ça me rappelle mes jeunes années de militant du FLN. Une énergie cybernétique gravite autour de sa personne. La fermeté de ses poings, l'acuité de son regard et la sévérité de son chignon m'interpellent. Ce brin de femme, sanglé dans un tailleur austère, avec ses lunettes de syndicaliste et son front haut, dissimule une véritable bombe. Je connais les Algériennes ; ce n'est pas de la tarte. Aussi, lorsque l'une d'elles affiche clairement ses intentions d'en découdre, il serait stupide de lui tenir tête. Je me laisse donc me répandre dans le fauteuil, ramène mes mains sur le ventre et me contente de la contempler. Elle est magnifique ; et sa colère est, à elle seule, un enchantement. Dans son coin, Lino est sous le charme, sauf que son regard traîne bien bas.

— C'est vous ? s'enquiert-elle, le doigt braqué sur moi.

— À qui ai-je l'honneur ?

— À la Justice.

— Je ne vois pas son bandeau.

— De toute évidence, c'est vous qui le portez puisque vous ne voyez pas où vous mettez les pieds. Je n'irai pas par trente-six chemins. Ceci est mon dernier avertissement. Si vous ne levez pas, dans les trente minutes qui suivent, l'imbécile dispositif de harcèlement que vous avez déployé autour de mon client, je vous traînerai devant les tribunaux jusqu'à ce que votre bedaine se plaque contre vos vertèbres. Je vous rappelle que M. SNP a bénéficié de la grâce présidentielle. Rien ne vous autorise à contester ou à chahuter cette mesure, monsieur le commissaire. Pour le moment, j'ai décidé de m'adresser directement à vous pour vous mettre en garde contre votre excès de zèle. La prochaine fois, je me passerai de cette étape, et là vous entendrez parler de maître Wahiba.

Sur ce, elle pivote sur elle-même et s'en va comme elle est venue. En coup de vent.

— Eh ben, dis donc ! fait Lino.

8.

Monique nous invite à dîner. Elle a beaucoup insisté. Je lui ai dit qu'elle n'avait pas à se donner cette peine. En réalité, j'étais crevé et j'avais envie de me planter face à la télé et suivre tranquillement le match JSK-Olympique El Khroub pour le compte des éliminatoires de la Coupe d'Algérie. Monique m'a rappelé qu'elle disposait d'une télé chez elle et que Mohand serait ravi d'entreprendre un brin de causette avec moi. J'ai sucé du sel pendant une minute, indécis ensuite, l'Alsacienne s'étant mise à énumérer les petits plats provinciaux qu'elle était en train de mijoter, j'ai fini par céder aux tentations.

Mina non plus n'avait pas envie de sortir. Elle a prétexté une migraine pour se débiner. Je lui ai fait remarquer que si elle voulait mettre un peu de sous de côté, ce serait l'occasion. La dernière fois que nous avions secoué notre tirelire, il nous avait fallu d'abord la débarrasser des toiles d'araignées qui la momifiaient. Mina a pesé le pour et le contre puis, raisonnable, elle a enfilé sa robe et s'est dépêchée de me rattraper dans l'escalier.

Nous avons sauté dans notre charrette et nous sommes allés acheter quelques gâteaux chez le pâtissier

le moins cher du quartier pour ne pas nous présenter
chez nos hôtes les mains vides. Comme il faisait encore
jour, nous avons décidé de faire un tour en ville, histoire
de nous creuser la panse de façon à engranger, en une
soirée, de quoi ruminer jusqu'aux prochaines élections.

Alger se laisse vivre. C'est une ville qui n'a pas assez
de suite dans les idées, mais qui, pareille à un supplicié
la veille de son martyre, essaie de profiter des rares instants de répit que les djinns lui concèdent. On dirait
qu'elle évite de se regarder en face. Peut-être parce qu'il
n'y a rien à voir. D'ailleurs, les gens s'en foutent. La rue
Larbi Ben M'hidi pullule de paysans venus de contrées
lointaines soudoyer des guichetiers malins et gour-
mands. De jeunes loubards se pavanent sur les trottoirs,
la chemise ouverte sur des chaînes en or massif ; ceux-là
se prennent pour des vitrines et ne sont pas contents
lorsque les demoiselles ne s'arrêtent pas pour les
contempler. D'autres, moins riches, exhibent le duvet de
leur thorax et oublient que les os proéminents surplom-
bant leur ventre d'affamés compromettent considérablement leur chance de séduire une cartomancienne en
manque de lubrification. Amusée par leurs pantomimes,
Mina sourit. Ça doit lui rappeler un tas de souvenirs. Moi,
à mes vingt ans, j'étais plus téméraire. À l'époque, pour
culbuter une fausse vierge, il fallait d'abord s'acquitter
de ses prières tant l'honneur de la tribu veillait au grain.
Je me souviens, la première voisine, que je m'étais
offerte dans la buanderie de ma tante, était de vingt-
cinq ans mon aînée. Elle était tellement poilue qu'elle
n'arrêtait pas d'éternuer à chaque fois que mon doigt
parvenait à se frayer un passage jusqu'à la chair ferme.
Et encore, le temps de baisser ma culotte, ses poils
avaient repoussé si vite que je ne retrouvais plus mes
points de repère. Lorsque je raconte cette histoire à
Mina, elle est si triste qu'elle regrette d'avoir longtemps

hésité avant de consentir à me prendre pour époux. Mais les temps d'antan ne sont plus de ce monde. Les passions se trompent de sujet et les rêves se fabriquent ailleurs. Alger n'a pas tout à fait perdu son âme ; cependant, là où échoue le regard, on voit que ça ne tourne pas rond. Vous crevez d'envie de rejoindre le front de mer ; une fois sur place, vous n'avez plus qu'une idée fixe : rentrer chez vous sans tarder. Les étincelles qui vous inspiraient naguère vous préoccupent soudain. Tous ces petits détails qui peaufinaient le charme de la cité ont foutu le camp. Les cafés ressemblent aux tanières, les cinoches sont sous scellés, les parcs et les esplanades se délabrent au gré des déconvenues ; il ne reste au pauvre bougre que des chaussées lépreuses à arpenter à longueur de journée, les oreilles assiégées de grossièretés obscènes, les narines meurtries par le relent des gargotes. Impossible de s'asseoir à une table sans qu'un mal luné ne vienne vous noyer sous son ombre ; impossible de se pencher par-dessus une rampe sans être tenté de sauter dans le vide. El Bahja a mal. Sa pudeur n'éprouve plus le besoin de cacher ses flétrissures. Sa douleur est flagrante, son ras-le-bol dépasse les bornes. Partout, des flics débraillés emmerdent leur monde quand ce n'est pas une bagarre qui crée des attroupements monstres aux alentours des lieux publics. Un malaise insondable est en train de pervertir les esprits. L'invective se veut vaillante et le blasphème sismique. Ce sont des symptômes qui ne trompent pas ; des signes avant-coureurs qui ne disent rien qui vaille. Certes, on n'a pas encore mis le doigt sur l'essentiel ; cependant, universitaires ou cheminots, médiums ou têtes de bois, délurés ou abrutis, personne ne comprend pourquoi, dans un pays où il y a à boire et à manger pour les grands et les petits, le peuple en entier crève la dalle ; personne n'est en mesure d'expliquer pourquoi, sous le déluge des lumières que déverse ce bon vieux soleil d'Algérie, les intègres marchent à tâtons, les braves rasent les murs et les jeunes s'évertuent à trouver dans la pénombre des portes cochères la noirceur épouvantable des abîmes.

Mina rumine tout ça sans un mot. Son regard s'est voilé. Il n'y a pas de doute : la patrie s'enfonce bel et bien. Les bonnes volontés s'émiettent contre les remparts des appétits forcenés, le renoncement commence à s'ancrer chez les militants, et les diplômés de la dernière heure réclament à cor et à cri une part du gâteau qu'ils ne sont pas près d'entrevoir un jour. Un de ces quatre, sans crier gare, la poudrière va surprendre les plus avertis. La déconfiture s'annonce grandiose, et les dégâts irréversibles.

Pour décrisper ma passagère, je lui fous un coude affectueux dans le flanc et lui susurre :

— Tu t'rappelles l'Alger des années baraka ?

— J'essaie de ne pas trop remuer le passé, soupire-t-elle.

— Ce sont les mêmes rues, les mêmes gens, les mêmes lumières. Qu'est-ce qui a bien pu changer ?

— Les mentalités.

— Les mentalités ?

— Avant, on partageait tout.

— On n'avait pas grand-chose, pourtant.

— Mais on y mettait du cœur.

— Tu penses que notre malheur vient du fait que le cœur n'y est plus ?

— C'est ce que je crois. Le colon parti, on s'est perdus de vue. À force de chercher coûte que coûte à croquer la lune, nous avons renoncé à l'essentiel : la générosité. Les hommes, Brahim, c'est comme les éléphants. Un pas en dehors du groupe, et déjà ils courent à leur perte. Nous sommes devenus égoïstes. Et nous avons rompu les amarres. Nous croyons prendre nos distances vis-à-vis des autres ; en vérité, nous dérivons. En nous isolant, nous avons dégarni nos flancs, si bien que la moindre taloche nous traverse de part en part comme une estocade. Parce que nous avons choisi de manœuvrer en solo, nous nous décomposons. Nous nous égosillerions jusqu'à extinction des voix que personne ne viendrait à notre rescousse, puisque chacun n'écoute que son propre chant de sirène.

— Tu n'as pas que des soucis ménagers dans la tête, dis donc. Où t'as appris à causer comme ça ?

— En raccommodant tes chaussettes.

— Tu aurais dû tenter ta chance du côté de l'université pendant qu'il était encore temps.

— Impossible. Déjà au lycée, tous les jours à la sortie des classes, il y avait un jeune zazou qui m'attendait sur le trottoir d'en face. Il m'emboîtait le pas et me contait fleurette jusqu'aux portes de mon quartier. Parce qu'il était dans la police, il se croyait tout permis. Il me parlait d'un appartement au troisième pour lui tout seul, avec un tas de fenêtres, des serpillières à gogo et un joli frigo. Il disait que c'était un vrai coin de paradis, que le soir, avant de rendre l'âme, le soleil jetait ses ors dans la pièce au fond du couloir, une chambre grande comme un empire, avec une armoire à glace flambant neuve, un lit orné d'oreillers brodés et recouvert de draps soyeux sous lesquels on concevait les plus beaux enfants de la terre.

— Avoue que c'était un sacré charmeur, le flic, puisque la veille des examens, au lieu de réviser tes cours, tu récitais par cœur ses boniments.

— Il n'était pas plus charmeur qu'un fakir, sauf que mon père, qui était sourd d'une oreille, lui prêtait volontiers l'autre à défaut de m'écouter.

J'abats le plat de la main sur son genou et éclate de rire.

Je me suis souvent demandé ce qu'il serait advenu de moi si Mina ne m'avait pas épousé. Elle est plus que ma femme, elle est ma belle étoile à moi. Rien que de la sentir près de moi me remplit d'une incroyable assurance. C'est fou comme je l'aime mais, dans un pays où l'interdit dispute au *harem* les palpitations de notre âme, il serait encore plus fou de le lui déclarer.

Le vieil immeuble où habite Monique se trouve derrière un square aux bancs dévastés. D'un côté, des bâtiments d'une laideur agressive lui barrent la route vers la mer. De l'autre, la muraille austère d'un collège le tient en respect. Pris en étau entre la misère des uns et le charivari des autres, il essaie de garder la tête froide. Contrairement aux taudis environnants, il s'est donné une couche de peinture sur la façade principale, propose une entrée fiable, des cages d'escalier avec éclairage et un ascenseur encore opérationnel, ce qui, dans la déconfiture en vigueur, relève du miracle. Les marches sont propres et les murs, bien qu'éprouvés par l'humidité, ne portent aucun graffiti. Nous sommes chez les gens bien élevés.

Nous atteignons le cinquième étage sans encombre. L'appartement de Monique se trouve sur la gauche. Un paillasson est mis à la disposition des bouseux. Mina apprécie le sérieux du palier, une petite moue sur la figure car, chez elle, les voisins ne laissent jamais rien au hasard, raflant jusqu'aux poubelles et aux mégots mal écrasés.

Je sonne.

Une serrure claque et la lourde s'écarte sur un Mohand pathétique dans son costume de prolétaire lettré.

— Vous vous êtes trompés en chemin ? gargouille-t-il en regardant sa montre.

— Juste une crevaison. Le problème, le vulcanisateur avait un bras dans le plâtre.

— Très ennuyeux, effectivement.

— Tu nous laisses entrer ?

— Oh ! pardon, sursaute-t-il en s'écartant.

Mina passe la première. Je la suis de près. L'intérieur de la demeure ressemble à ce qu'on a déjà vu à la librairie. Des bouquins partout, sur les étagères, sur les sièges, dans les coins. Par-dessus la cheminée, un portrait de Kateb Yacine flirte avec un tableau d'Issiakhem, ensuite, au milieu d'un cafouillis de statues et de vétustés indéfinissables, des livres, des manuscrits et encore des livres.

Mohand nous débarrasse de notre paquet de gâteaux, nous désigne un canapé pelé sous la fenêtre.

— Le match n'a pas encore commencé, me rassure-t-il.

— Tant mieux. Où c'qu'elle est, ta grosse vache ?

— Je suis là, mugit Monique des cuisines. J'arrive dans deux petites secondes.

Mina me lance un regard désapprobateur avant de s'asseoir. Je lui cligne de l'œil, histoire de la prier de mettre ses complexes au placard. Si je suis venu chez Monique, c'est d'abord pour déconner.

Mohand revient avec une chaise en osier, s'installe dans un coin et croise les bras à la manière d'un écolier attendant sagement son goûter. Avec lui, aucune chance de s'amuser. Il peut rester des heures silencieux, tassé dans son siège, la tête ailleurs et les yeux dans le vague. Pour rien au monde je ne voudrais échouer sur une île déserte avec lui. Incapable de se mettre au lit sans un texte contre la figure, les mauvaises langues racontent que lorsque Mohand porte la main sur la foufoune à

Monique, c'est juste pour y tremper le doigt afin de tourner les pages de son bouquin.

— C'est vrai que tu t'intéresses au foot ? je lui demande.

— Qu'est-ce que tu crois ?

— Y a d'autres trucs que tu me caches ?

— Ça dépend de ce que tu veux voir, me dit-il sans ironie.

— Je t'ai déjà raconté l'histoire du fossoyeur qui voulait devenir spéléologue ?

— Je ne pense pas.

— Si ta femme est d'accord, je la garde pour le dessert.

— Très bien.

Je le détaille un moment. Ses lèvres paraissent cicatrisées et son enthousiasme grippé. Ça va être duraille de supporter la JSK avec lui.

Je n'ai pas le temps de me défaire de mon paletot que le téléphone s'en mêle. Mohand décroche. Il dit allô comme on dit Votre Seigneurie, écoute, égrène une politesse avant de lever les yeux sur moi :

— Bien, monsieur, je vous le passe.

Il me tend l'appareil.

Lorsque j'ai reconnu la voix grêle de l'inspecteur Serdj au bout du fil, mon sang n'a fait qu'un tour.

— On ne peut plus souffler un instant, maintenant ?

— Navré, commissaire. J'ai d'abord appelé chez vous. Votre fils m'a renvoyé à ce numéro.

— Qu'est-ce qu'il y a encore ?

— L'un de nos gars, qui surveillait la demeure de notre *ami,* vient d'être agressé. J'ai appelé une ambulance, elle sera là dans dix minutes.

— C'est grave ?

— J'ai préféré ne courir aucun risque.

— Bon, j'arrive.

Mina tente de protester. La noirceur de mon regard la pétrifie. Mohand est désolé, mais garde son embarras pour lui.

— Il faut que j'y aille, leur expliqué-je. Un de mes hommes vient de se faire tabasser. Il s'agit d'une opération que j'ai montée sans l'aval de la hiérarchie. Une initiative qui pourrait dégénérer.

Monique rapplique. Elle a mis de l'ordre dans ses cheveux et du rouge sur ses lèvres. Ses mamelles remuent furieusement sous sa chemise de videur.

— Tu t'en vas déjà ?

— Le devoir m'appelle.

— Tu ne peux pas charger quelqu'un de te remplacer ? Regarde comme je me suis arrangé la frimousse pour ton nègre.

— Il est impératif que je me déplace sur les lieux pour empêcher que cette affaire ne s'ébruite. C'est très sérieux. Je vous promets d'être de retour avant la fin de la mi-temps.

L'ambulance est déjà sur place. Son gyrophare mitraille la ruelle d'éclaboussures bleuâtres. Il fait nuit, et l'unique réverbère de l'endroit a rendu l'âme depuis des lustres. Deux voitures de police se gargarisent sur le trottoir pendant que les brancardiers finissent de serrer les sangles autour du blessé. L'inspecteur Serdj a l'air embarrassé :

— C'est moche, m'annonce-t-il à bout portant.

Je me penche par-dessus le brancard. Le malheureux paraît ankylosé. Bien que ses yeux soient ouverts, il ne semble pas réaliser ce qui se passe. On lui a placé un collier autour du cou et enturbanné le crâne dans un bandage épais.

— Qui c'est, le toubib ? je demande.

— Moi, répond un freluquet en tripotant son stéthoscope.

— Il va comment ?

— Il faut que je lui fasse des radios. De prime abord, le coup sur la tête est vilain. Le tassement de vertèbres a été sûrement occasionné par la violence du choc. Il n'y a pas de saignement important, mais la bosse est considérable.

— Il a dit quelque chose ?

— Non. Je peux disposer, commissaire ? Plus vite il est évacué sur l'hôpital et plus on a des chances de le retaper. Une hémorragie interne n'est pas à exclure.

— Merci, docteur. Je compte sur vous pour me le remettre sur pied.

L'ambulance file aussitôt, les sirènes ululantes.

Je me retourne vers Serdj.

— Je t'avais dit qu'il fallait mettre deux hommes à chaque quart, commencé-je, pour lui faire porter le chapeau.

— Ils étaient deux.

La froideur de son ton atténue ma hargne. Je change de procédure :

— Raconte...

— Ils étaient au poste depuis quatre heures environ. À un moment, l'un d'eux est allé chercher du café dans le coin. À son retour, il a trouvé la portière ouverte et son coéquipier affalé sur le volant, la nuque tordue.

— J'suis pas resté absent longtemps, dit le rescapé. Peut-être cinq, dix minutes. Le café est juste là, au tournant. Je reviens vite et je découvre Mourad, la figure contre le tableau de bord. J'ai demandé à la dame de la maison d'en face si elle avait vu quelque chose. Elle n'a rien remarqué. J'ai couru jusqu'au coin, devant ; personne. J'ai vérifié si on avait volé des trucs dans la bagnole. On n'a touché à rien. Pas même au flingue de Mourad qui était dans la boîte à gants.

— D'accord, je le calme. On lève le camp et on reparlera de ça, demain, à la première heure, dans mon bureau. Toi aussi, Serdj, tu rentres avec l'équipe. Inutile de vous préciser que cette histoire n'a jamais eu lieu. Pour le blessé, tu chargeras un proche d'aller veiller sur lui, à l'hôpital.

Serdj attend de voir la première voiture de police partir pour me confier :

— Si jamais le Central en est informé, nous sommes foutus.

— *Je* suis foutu. C'est moi qui suis à l'origine de cette affaire et je n'ai pas l'habitude de me dérober quand les emmerdes sont là.

— Ce n'est pas ce que je voulais dire, commissaire.

— Rentre chez toi, Serdj.

— Qu'est-ce que vous allez faire ?

— Je vais m'entretenir avec notre esprit frappeur.

— C'est une très mauvaise idée. Rien ne prouve que c'est lui. Et puis, il peut très bien porter plainte contre nous, et là, tout le monde va être au courant de nos combines. Pas seulement le Central, commissaire. La wilaya, le ministère et... la présidence. À mon avis, on a assez merdouillé. Maintenant, on s'arrache. Depuis le début, je savais que ça allait mal tourner.

— Rentre chez toi, Serdj. Et tâche de dormir.

L'inspecteur comprend qu'un tank ne me retiendrait pas. Il dodeline de la tête, de plus en plus embêté, puis, d'une main lasse, il me montre une villa derrière un muret grillagé.

Je sonne.
Deux minutes après, je remets ça.
Un crachotement fuse d'un Interphone encastré dans

l'embrasure. Je me présente. Un déclic se déclare à hauteur de la serrure, et la porte cède.

Je traverse une petite cour dallée, gravis un perron de trois marches, pousse une deuxième porte en chêne et débouche sur une grande salle nue et chichement éclairée. Quelque chose bouge au fond de la pièce. C'est SNP, drapé dans une saharienne, la tête dans une calotte et la barbe en éventail. On dirait un personnage tiré des gravures phéniciennes. Il est assis en fakir sur une natte, les mains sur les genoux et le buste haut, évoquant un tas de chiffons oublié sur les quais. Tout de suite, un jet de haine fulmine à travers mon être, comme à chaque fois que je suis devant un meurtrier arrogant et fier de l'être.

Le pouce par-dessus l'épaule, je grogne :

— C'est toi qui as cogné mon flic ?

SNP laisse entrevoir un sourire méprisant. Ses yeux glissent sur moi comme l'ombre d'un rapace, réveillant des frissons dans mon dos.

Il dit, après une interminable méditation :

— Je savais que la police fabriquait des esprits de seconde zone, mais j'ignorais que les enquêtes étaient d'une facilité aussi déconcertante.

Sa voix semble émaner d'un souterrain.

— D'accord, reconnais-je. Je vais formuler plus intelligemment ma question : c'est toi le salopard qui a malmené le jeune flic qui était en faction, là, dehors ?

— Sortez, commissaire...

Il n'y a pas de colère dans sa sommation.

— En plus, tu sais qui je suis ?

— Ne soyez pas idiot. Allez-vous-en.

Son assurance me rend vache. Il essaie de me pousser à bout et je dois lutter pour ne pas tomber dans son jeu.

— Je vais te dire une chose, fumier. Tu peux m'envoyer tes avocats, tes anges gardiens, tes âmes damnées

eau. Le jour, il bottait le cul aux éplucheurs
le soir, il picolait aux frais des ingénues du
leur racontant comment, à lui seul et sans
ssion, il semait la débandade parmi les paras
is, au bataillon, on se mit à réceptionner du
phistiqué, et les choses commencèrent à se
Il ne s'agissait plus de bricoler des engins
de les faire péter au passage d'un camion
s instructeurs soviétiques brandissaient des
quiétants et insistaient sur la nécessité de se
trictement aux instructions contenues sur les
ploi. Hocine ne suivait pas. Il était dépassé.
a purger un stage de recyclage dans une
lisée. Là, les neurones esquintés par les fortes et les calculs ésotériques, il dut déclarer
ndit le sac marin, le casque et les brodequins
sa chance dans le civil. Il fut tour à tour gara-
, prêteur sur gages avant de louer un chalu-
t coffrer pour usage abusif de dynamite au
sorties de pêche. Les conditions alarmantes
ion parvinrent jusqu'à son ancien chef maqui-
-temps devenu dieu intérimaire – qui rappli-
re, foutant le feu au pénitencier et déclarant
t l'entendre que jeter au cachot un héros de
n était le summum de l'ingratitude et de
Hocine El-Ouahch fut libéré sur-le-champ.
aussitôt dans la police pour se venger de
On le vit d'abord, vers la fin des années
après les charretiers, place du 1er-Mai, puis
les supporters du Mouloudia à l'entrée du
nine. Sa réputation de gros bras ne tarda pas
re à travers les bas quartiers. Flic le jour,
a nuit, ses magouilles prospéraient au vu
tout le monde sans susciter la moindre
ans la police, l'esprit de corps primait sur

et toutes les commissions présidentielles du pays, ça ne
me fera pas fléchir une seconde. Je vais te coller au train
jusqu'à ce qu'il ne reste plus de peau sur tes fesses.

— Faites ce que vous voulez, commissaire, mais ne
m'en dites rien. Je ne vous ai rien demandé. Maintenant,
laissez-moi.

Je hoche la tête, à deux contractions de choper une
apoplexie.

Du doigt, je le menace :

— Tu as intérêt à te tenir à carreau, *criminel*.

Là, je sens que je viens de mettre le doigt sur une
petite fissure dans l'armature du gourou. Car sa barbe a
vibré et ses yeux ont lancé un éclair.

Il se ressaisit derechef, redresse le cou et décide de ne
plus m'adresser la parole. Pour ma part, j'estime en
avoir assez vu. Je pivote sur les talons et m'apprête à
m'en aller lorsque sa voix me saute dessus.

— Que sais-tu du *criminel*, commissaire ? me tutoie-
t-il subitement. Ta vaillance, ta droiture ou bien seulement une manière comme une autre de gagner ta croûte ?
Parce que tu es flic, tu penses que ça te range systématiquement du côté de la veuve et de l'orphelin ? Mon œil !
Tu n'es rien d'autre qu'un vulgaire esclave de la fonction
publique qui ferait mieux d'être à l'heure s'il ne tient
pas à servir de paillasson au patron. Tu n'as pas plus de
considération pour le bougre de contribuable qu'un cheval de cirque n'a d'égard pour la galerie. Il s'agit d'une
simple distribution de rôles, aussi arbitraire qu'irrévocable. Chacun s'y conforme, un point, c'est tout.

Je continue de marcher vers la sortie.

Sa voix me poursuit à travers les douves :

— Il n'y a vraiment pas de quoi en faire un plat. Nous
sommes aussi à plaindre les uns que les autres. Il y a en
toi les mêmes pulsions criminelles que chez n'importe
quel prédateur, commissaire. Tu traques le gibier dans

l'exercice de tes fonctions ; je traque le mien dans l'accomplissement de ma vocation. Ça fait de toi un héros ; ça fait de moi un as.

J'arrive devant la porte.

La voix se hausse d'une octave, m'agrippe par le col et halète dans le creux de ma nuque :

— La vie et la mort, le Bien et le Mal, le hasard et la fatalité, c'est du pareil au même ; de stupides théories qui s'évertuent à supplanter les destinées ; des idées reçues qui se substituent aux vraies interrogations. Ainsi tourne la roue, charriant dans son brassage les millions de clones qui constituent les maillons de la chaîne, aussi unis dans le drame que les doigts de la main étreignant l'arme du crime. Qui sommes-nous, commissaire ? Rien que des êtres soumis, malgré eux, à cette déferlante souveraine et immuable qu'est le sort ; rien que de vulgaires pions sur l'échiquier du Seigneur. Toi-même aurais aimé être quelqu'un d'autre, une sommité, un commandeur, une idole ou bien Crésus en personne. Hélas ! nous ne disposons que du script que nous impose la fatalité, et nous essayons de nous en accommoder. Plus tard, on dira qu'on est fier d'être telle ou telle ombre chinoise... Foutaises ! Nous n'avons aucun mérite, et aucun tort non plus. Dieu a créé le monde ainsi retors. Pourquoi ? Qui oserait le Lui demander ? Tout ce que je sais est que Dieu a toute la latitude d'y porter des retouches. S'Il ne bouge pas le petit doigt, c'est qu'Il a Ses raisons. Alors, de quoi je me mêle ?

Je me retourne, le dévisage un instant.

Son sourire a disparu.

J'ignore quel est le coefficient réel de ce premier aveu, cependant, au point où en sont les choses, c'est déjà ça de gagné.

vie de châ
de patates
Caméléa e
ordre de n
français. P
matériel s
compliqué
explosifs e
ennemi. L
grimoires i
conformer
modes d'er
On l'envoy
école spéci
mules sava
forfait et r
pour tenter
giste, livreu
tier. Il se f
cours de se
de sa déten
sard – entr
qua dare-d
à qui voula
la révoluti
l'ignominie
Il s'engage
ses geôlier
1960, siffle
cogner sur
stade Bolo
à se répan
proxénète
et au su d
objection.

Hocine El-Ouahch
d'établissement scola
persuadé que seul le
sainte horreur de ces
diplômés. Pour lui, c
ce sont ses mains. S
c'est parce que tout
monte par la force du
le moindre manuel,
durant la guerre de
rails et de ponts qu
s'en est toujours pa
contenté d'un grade
génie, passant le plus
douar, une cigarette
autour du cou et la
poivrot râleur et bel
dées ne courant gu
taient sur les bordels
les morpions en qua
regardant. Il s'enten
quelquefois à calme
coces qui accusaient

l'ensemble des autres considérations. Hocine s'en inspira pour mettre les bouchées doubles. Avec beaucoup de talent. Il connaissait ses marges de manœuvre, ne dépassait jamais ses limites et veillait à ne point profaner de chasses gardées... Un matin, sans crier gare, on le retrouva chauffeur assermenté d'un haut cadre de la nation – célèbre pour ses coups de gueule en direction du Bureau politique – qui tira sa révérence de façon si suspecte que de nombreux nababs jugèrent prudent de conduire eux-mêmes leur voiture de service. Il faut avouer qu'en cette période de redressement révolutionnaire les fugues de cette nature étaient presque un phénomène de société : à la fuite des cerveaux succédait la fuite des capitaux, et un tas d'apparatchiks, lésés ou aisés, préféraient prendre le large avant d'être pris dans les filets des conspirations. Les départs massifs engendraient des postes vacants et les opportunistes s'en donnaient à cœur joie. Ce fut ainsi que Hocine El-Ouahch, dit le Sphinx, squatta le bureau Investigation, suite à la disparition tragique de son directeur. Bizarrement, aucun huissier ne vint le déloger. En vérité, Hocine El-Ouahch était le meilleur postulant à ce poste sur le marché noir national. La hiérarchie s'adonnait aux spéculations tous azimuts et il n'y avait pas mieux, pour mener à bien ses petites combines, que de confier le bureau Investigation à un abruti zélé doublé d'un merdouillard émérite. Hocine n'était pas bête, il était seulement analphabète. Il joua le jeu à fond, signant à bras raccourcis, et à la grande satisfaction de ses supérieurs, factures bidons, annulations d'enquêtes, gel de dossiers, rapports antidatés, faux témoignages, etc. Du jour au lendemain, il ne pouvait plus se déplacer sans une escorte de courtisans aux émanations sulfureuses. Il devint très riche, ce qui lui valut d'être absous de ses péchés, et très influent, ce qui l'éleva au rang des divini-

116 La part du mort

tés locales. Aujourd'hui, Hocine El-Ouahch est un *zaïm*
à part entière. Il ne sait toujours pas lire un journal, mais
à chaque fois qu'un ressortissant des grandes écoles étale
ses diplômes dans l'espoir de bénéficier d'un minimum de
considération, Hocine lui rabat derechef le caquet en
retroussant son veston sur ses blessures de guerre et en
égrenant sur son chapelet de faux dévot ses innombrables faits d'armes sans lesquels l'Algérie serait
encore sous la botte française à l'heure qu'il est.

C'est dire combien l'Histoire, par endroits, est le pire
ennemi de l'Avenir !

Personnellement, je n'ai pas eu affaire au Sphinx. On
se connaît de longue date et nos rapports sont ordi-
naires. Cela ne veut pas dire que j'ai du respect pour
lui ; j'estime seulement que je n'ai pas à rougir de l'opprobre de mes confrères. Pour moi, le Sphinx a un boulet à la place du crâne et je n'ai aucune raison d'attendre
de lui une quelconque présence d'esprit. C'est pourquoi,
lorsque j'ai repéré son nom parmi ceux des membres de
la commission de la grâce présidentielle, j'ai failli me
déboîter la pomme d'Adam. J'ai d'abord demandé à
Serdj s'il s'agissait bien du Hocine El-Ouahch, alias le
Sphinx. Serdj a téléphoné à droite et à gauche et est
revenu me confirmer la chose. L'après-midi durant, je n'ai
pas réussi à comprendre ce que foutait un âne bâté au
milieu d'une équipe de psychiatres de renom. La nuit,
pas moyen de fermer l'œil. Au matin, incapable de me
résoudre à l'idée qu'un pays soit foutu dès lors qu'un
inculte chapeaute un panel d'érudits, j'ai décidé d'aller
le voir de près. Qui sait ? il a peut-être changé, depuis.

J'arrive au bureau Investigation vers le coup de
9 h 30. On m'a signalé que le Sphinx n'est pas tout à fait
réveillé avant dix bonnes tasses de café et trois engueulades carabinées. Donc, je prends mon temps. Je gri-
gnote un croissant dans un café borgne, parcours le jour-

et toutes les commissions présidentielles du pays, ça ne me fera pas fléchir une seconde. Je vais te coller au train jusqu'à ce qu'il ne reste plus de peau sur tes fesses.

— Faites ce que vous voulez, commissaire, mais ne m'en dites rien. Je ne vous ai rien demandé. Maintenant, laissez-moi.

Je hoche la tête, à deux contractions de choper une apoplexie.

Du doigt, je le menace :

— Tu as intérêt à te tenir à carreau, *criminel*.

Là, je sens que je viens de mettre le doigt sur une petite fissure dans l'armature du gourou. Car sa barbe a vibré et ses yeux ont lancé un éclair.

Il se ressaisit derechef, redresse le cou et décide de ne plus m'adresser la parole. Pour ma part, j'estime en avoir assez vu. Je pivote sur les talons et m'apprête à m'en aller lorsque sa voix me saute dessus.

— Que sais-tu du *criminel*, commissaire ? me tutoie-t-il subitement. Ta vaillance, ta droiture ou bien seulement une manière comme une autre de gagner ta croûte ? Parce que tu es flic, tu penses que ça te range systématiquement du côté de la veuve et de l'orphelin ? Mon œil ! Tu n'es rien d'autre qu'un vulgaire esclave de la fonction publique qui ferait mieux d'être à l'heure s'il ne tient pas à servir de paillasson au patron. Tu n'as pas plus de considération pour le bougre de contribuable qu'un cheval de cirque n'a d'égard pour la galerie. Il s'agit d'une simple distribution de rôles, aussi arbitraire qu'irrévocable. Chacun s'y conforme, un point, c'est tout.

Je continue de marcher vers la sortie.

Sa voix me poursuit à travers les douves :

— Il n'y a vraiment pas de quoi en faire un plat. Nous sommes aussi à plaindre les uns que les autres. Il y a en toi les mêmes pulsions criminelles que chez n'importe quel prédateur, commissaire. Tu traques le gibier dans l'exercice de tes fonctions ; je traque le mien dans l'accomplissement de ma vocation. Ça fait de toi un héros ; ça fait de moi un as.

J'arrive devant la porte.

La voix se hausse d'une octave, m'agrippe par le col et halète dans le creux de ma nuque :

— La vie et la mort, le Bien et le Mal, le hasard et la fatalité, c'est du pareil au même ; de stupides théories qui s'évertuent à supplanter les destinées ; des idées reçues qui se substituent aux vraies interrogations. Ainsi tourne la roue, charriant dans son brassage les millions de clones qui constituent les maillons de la chaîne, aussi unis dans le drame que les doigts de la main étreignant l'arme du crime. Qui sommes-nous, commissaire ? Rien que des êtres soumis, malgré eux, à cette déferlante souveraine et immuable qu'est le sort ; rien que de vulgaires pions sur l'échiquier du Seigneur. Toi-même aurais aimé être quelqu'un d'autre, une sommité, un commandeur, une idole ou bien Crésus en personne. Hélas ! nous ne disposons que du script que nous impose la fatalité, et nous essayons de nous en accommoder. Plus tard, on dira qu'on est fier d'être telle ou telle ombre chinoise... Foutaises ! Nous n'avons aucun mérite, et aucun tort non plus. Dieu a créé le monde ainsi retors. Pourquoi ? Qui oserait le Lui demander ? Tout ce que je sais est que Dieu a toute la latitude d'y porter des retouches. S'Il ne bouge pas le petit doigt, c'est qu'Il a Ses raisons. Alors, de quoi je me mêle ?

Je me retourne, le dévisage un instant.

Son sourire a disparu.

J'ignore quel est le coefficient réel de ce premier aveu, cependant, au point où en sont les choses, c'est déjà ça de gagné.

9.

Hocine El-Ouahch, dit le Sphinx, n'a jamais fréquenté
d'établissement scolaire. Il a appris sur le tas et reste
persuadé que seul le terrain forge les experts, d'où sa
sainte horreur de ces phraseurs imbus qu'on appelle les
diplômés. Pour lui, ce n'est pas la tête qui fait l'homme,
ce sont ses mains. Si l'adresse s'appelle aussi doigté,
c'est parce que tout repose sur les mains et tout se surmonte par la force du poignet. La preuve, sans consulter
le moindre manuel, il a exercé en qualité d'artificier
durant la guerre de libération et a fait sauter tant de
rails et de ponts que le réseau ferroviaire algérien ne
s'en est toujours pas remis. À l'indépendance, il s'est
contenté d'un grade de caporal-chef dans une unité de
génie, passant le plus clair de son temps à plastronner au
douar, une cigarette Bastos au bec, le ceinturon clouté
autour du cou et la vareuse ouverte sur sa bedaine de
poivrot râleur et belliqueux. À l'époque, les dévergon-
dées ne courant guère les rues, les bidasses se rabat-
taient sur les bordels où l'on cultivait la chaude-pisse et
les morpions en quantité industrielle. Hocine n'était pas
regardant. Il s'entendait bien avec la patronne et l'aidait
quelquefois à calmer les soldats aux éjaculations pré-
coces qui accusaient les filles d'irrégularités. C'était la

vie de château. Le jour, il bottait le cul aux éplucheurs de patates ; le soir, il picolait aux frais des ingénues du Caméléa en leur racontant comment, à lui seul et sans ordre de mission, il semait la débandade parmi les paras français. Puis, au bataillon, on se mit à réceptionner du matériel sophistiqué, et les choses commencèrent à se compliquer. Il ne s'agissait plus de bricoler des engins explosifs et de les faire péter au passage d'un camion ennemi. Les instructeurs soviétiques brandissaient des grimoires inquiétants et insistaient sur la nécessité de se conformer strictement aux instructions contenues sur les modes d'emploi. Hocine ne suivait pas. Il était dépassé. On l'envoya purger un stage de recyclage dans une école spécialisée. Là, les neurones esquintés par les formules savantes et les calculs ésotériques, il dut déclarer forfait et rendit le sac marin, le casque et les brodequins pour tenter sa chance dans le civil. Il fut tour à tour garagiste, livreur, prêteur sur gages avant de louer un chalutier. Il se fit coffrer pour usage abusif de dynamite au cours de ses sorties de pêche. Les conditions alarmantes de sa détention parvinrent jusqu'à son ancien chef maquisard – entre-temps devenu dieu intérimaire – qui rappliqua dare-dare, foutant le feu au pénitencier et déclarant à qui voulait l'entendre que jeter au cachot un héros de la révolution était le summum de l'ingratitude et de l'ignominie. Hocine El-Ouahch fut libéré sur-le-champ. Il s'engagea aussitôt dans la police pour se venger de ses geôliers. On le vit d'abord, vers la fin des années 1960, siffler après les charretiers, place du 1er-Mai, puis cogner sur les supporters du Mouloudia à l'entrée du stade Bologhine. Sa réputation de gros bras ne tarda pas à se répandre à travers les bas quartiers. Flic le jour, proxénète la nuit, ses magouilles prospéraient au vu et au su de tout le monde sans susciter la moindre objection. Dans la police, l'esprit de corps primait sur l'ensemble des autres considérations. Hocine s'en inspira pour mettre les bouchées doubles. Avec beaucoup de talent. Il connaissait ses marges de manœuvre, ne dépassait jamais ses limites et veillait à ne point profaner de chasses gardées... Un matin, sans crier gare, on le retrouva chauffeur assermenté d'un haut cadre de la nation – célèbre pour ses coups de gueule en direction du Bureau politique – qui tira sa révérence de façon si suspecte que de nombreux nababs jugèrent prudent de conduire eux-mêmes leur voiture de service. Il faut avouer qu'en cette période de redressement révolutionnaire les fugues de cette nature étaient presque un phénomène de société : à la fuite des cerveaux succédait la fuite des capitaux, et un tas d'apparatchiks, lésés ou aisés, préféraient prendre le large avant d'être pris dans les filets des conspirations. Les départs massifs engendraient des postes vacants et les opportunistes s'en donnaient à cœur joie. Ce fut ainsi que Hocine El-Ouahch, dit le Sphinx, squatta le bureau Investigation, suite à la disparition tragique de son directeur. Bizarrement, aucun huissier ne vint le déloger. En vérité, Hocine El-Ouahch était le meilleur postulant à ce poste sur le marché noir national. La hiérarchie s'adonnait aux spéculations tous azimuts et il n'y avait pas mieux, pour mener à bien ses petites combines, que de confier le bureau Investigation à un abruti zélé doublé d'un merdouillard émérite. Hocine n'était pas bête, il était seulement analphabète. Il joua le jeu à fond, signant à bras raccourcis, et à la grande satisfaction de ses supérieurs, factures bidons, annulations d'enquêtes, gel de dossiers, rapports antidatés, faux témoignages, etc. Du jour au lendemain, il ne pouvait plus se déplacer sans une escorte de courtisans aux émanations sulfureuses. Il devint très riche, ce qui lui valut d'être absous de ses péchés, et très influent, ce qui l'éleva au rang des divini-

tés locales. Aujourd'hui, Hocine El-Ouahch est un *zaïm*
à part entière. Il ne sait toujours pas lire un journal, mais
à chaque fois qu'un ressortissant des grandes écoles étale
ses diplômes dans l'espoir de bénéficier d'un minimum de
considération, Hocine lui rabat derechef le caquet en
retroussant son veston sur ses blessures de guerre et en
égrenant sur son chapelet de faux dévot ses innombrables faits d'armes sans lesquels l'Algérie serait
encore sous la botte française à l'heure qu'il est.

C'est dire combien l'Histoire, par endroits, est le pire
ennemi de l'Avenir !

Personnellement, je n'ai pas eu affaire au Sphinx. On
se connaît de longue date et nos rapports sont ordi-
naires. Cela ne veut pas dire que j'ai du respect pour
lui ; j'estime seulement que je n'ai pas à rougir de l'opprobre de mes confrères. Pour moi, le Sphinx a un boulet à la place du crâne et je n'ai aucune raison d'attendre
de lui une quelconque présence d'esprit. C'est pourquoi,
lorsque j'ai repéré son nom parmi ceux des membres de
la commission de la grâce présidentielle, j'ai failli me
déboîter la pomme d'Adam. J'ai d'abord demandé à
Serdj s'il s'agissait bien du Hocine El-Ouahch, alias le
Sphinx. Serdj a téléphoné à droite et à gauche et est
revenu me confirmer la chose. L'après-midi durant, je n'ai
pas réussi à comprendre ce que foutait un âne bâté au
milieu d'une équipe de psychiatres de renom. La nuit,
pas moyen de fermer l'œil. Au matin, incapable de me
résoudre à l'idée qu'un pays soit foutu dès lors qu'un
inculte chapeaute un panel d'érudits, j'ai décidé d'aller
le voir de près. Qui sait ? il a peut-être changé, depuis.

J'arrive au bureau Investigation vers le coup de
9 h 30. On m'a signalé que le Sphinx n'est pas tout à fait
réveillé avant dix bonnes tasses de café et trois engueulades carabinées. Donc, je prends mon temps. Je gri-
gnote un croissant dans un café borgne, parcours le jour-

avec moi. M. El-Ouahch est en ligne avec la présidence. Dès que la lampe rouge sur le fronton passe au vert, il sera à toi. Ça va lui faire plaisir de te revoir. Il a énormément d'estime pour toi.

— Tu vas me complexer.

Ghali s'assoit sur le bord de son bureau, pareil à un dieu hollywoodien posant sur un filon, repose ses mains manucurées sur son genou et me surplombe de toute sa splendeur.

— Un groupe de commissaires va partir en stage en Bulgarie. La liste est encore ouverte. Si tu veux, je peux toucher deux mots au service Étranger.

— Je suis bien auprès de mes gosses.

— Réfléchis au lieu de dire des sottises. Il ne s'agit pas d'une expédition amazonienne. Côté financier, une vraie aubaine. Neuf mois dans une école d'excellente réputation. Le pécule en devises te paiera facilement deux voitures au retour. Tu pourrais même démarrer une petite affaire. Il te reste combien, pour la retraite ?

— J'ai pas l'intention de rendre mon tablier.

— Brahim, tu ne vas pas rajeunir. Les limites d'âge sont en vigueur. Un matin, tu risques de trouver une mauvaise nouvelle dans ton courrier. Mauvaise parce que tu as le tort de ne pas anticiper. À mon avis, tu sautes sur l'occasion où qu'elle se présente. La Bulgarie est un beau pays. Les gens sont formidables et la vie n'est pas chère pour un stagiaire payé en dollars. Neuf mois, c'est vite passé. Mais leur rentabilité est maximale.

— Je ne parle pas le bulgare.

— Qui te parle de langue, Brahim ? On cause pognon.

— Je cède ma place aux jeunes.

— Les jeunes ont l'avenir devant eux. C'est aux vieux de goûter un peu au repos du guerrier. Tu galères depuis des décennies, Brahim. Je suis de ceux qui pensent que tu mérites tous les égards du monde. J'apprécie ta droiture, ton engagement, ton patriotisme et ta probité. Vraiment, les flics de ton gabarit sont une denrée rare de nos jours. Je serais ravi de t'être utile à quelque chose.

— C'est très gentil.

— Je suis sincère.

Je l'affronte posément. Il ne se détourne pas, histoire de me prouver sa bonne foi. À cet instant précis, une superbe demoiselle moulue dans un superbe tailleur s'amène avec un plateau scintillant. Elle est fardée sur plusieurs couches et son corsage propose des nichons si vaillants que ma pudeur est disqualifiée d'office. Elle pose une tasse en porcelaine devant moi, y verse deux doigts de café avec infiniment de délicatesse. Ghali la remercie en posant la main sur sa tasse et la congédie. Avant de s'en aller, elle me regarde droit dans les pupilles, si profondément que quelque chose remue au creux de mon être.

— Elle s'appelle Noria, m'informe Ghali. Elle nous vient de la Sorbonne. Doctorat d'État avec les plus vives félicitations du jury.

— J'ignorais que le BI exigeait de grands diplômes pour gérer une cafetière.

Ghali se rend compte de sa bourde. Il passe une main sur son visage cramoisi et se racle la gorge. Je n'ai pas le temps de lui porter le coup de grâce que la lampe sur le fronton vire au vert. Sauvé par le gong, le play-boy m'annonce aussitôt à son manitou pour se débarrasser de moi.

Le Sphinx ne se lève pas pour me saluer. Il paraît même ennuyé de me recevoir. Son entretien avec la présidence semble lui rester en travers de la gorge. Longtemps, son regard toise le combiné, le sourcil pesant. J'en profite pour le dévisager de plus près. Jamais je ne parviendrai à me familiariser avec son profil. Hocine El-Ouahch n'a pas un millimètre de nez. On dirait qu'un méchant courant d'air lui a claqué la porte d'un coffre-fort sur la figure quand il était môme. On mettrait une règle de maçon sur sa gueule que la bulle se stabiliserait illico au beau fixe. On ne le surnomme pas le Sphinx par hasard. Il est laid comme c'est rarement tolérable. Pour modérer l'inconvenance de ses traits, il entretient une vaste moustache que renforce une barbe de charlatan à faire pâlir de jalousie le pubis d'une tenancière. Pourtant, ce qui choque davantage, chez notre yeti méditerranéen, ce sont ses mains, repoussantes et velues comme des tarentules géantes. Il les tient jointes dans une étreinte qui rappelle celle d'un barbouze s'apprêtant à broyer un suspect.

— Ce sacré Brahim Llob, toujours aussi attachant qu'un pou, nasille-t-il après un bref coup d'œil sur l'horloge. Pas moyen de lever les yeux sans t'avoir dans le collimateur.

— C'est la preuve que je suis un Algérien authentique.

Il ne voit pas le rapport, médite mes propos pendant cinq secondes avant de relancer le débat :

— Ce qui signifie ? fait-il sur ses gardes.

Je lui explique :

— Le propre de l'Algérien est de ne pas passer inaperçu : ou il fascine ou il se donne en spectacle.

— Le problème est que tu pousses le bouchon très loin : tu t'exposes.

— Tu trouves ?

— À en juger par ce que je viens d'entendre, oui.

— Et que raconte-t-on à mon sujet ?

— Des vertes et des pas mûres. Tu as eu affaire, récemment, à une certaine maître Wahiba ?

— Elle est venue me clouer le bec dans mon bureau, il y a quelques jours.

— Faudrait que tu fasses gaffe. Cette dame, c'est de la nitroglycérine. Quand elle s'égoutte quelque part, le sinistre qui s'ensuit est définitif. Devine qui était au bout du fil, il y a trois minutes ? Le chef de cabinet du Raïs. Ils couchent ensemble. Elle a dû attendre qu'il la rejoigne au plumard pour le remonter contre toi. Apparemment, ça carbure. Il a essayé de te joindre à ton bureau. On lui a dit que tu étais chez moi. J'ai dû sortir le grand jeu pour le calmer. Il m'a chargé de te mettre en garde contre ton excès de zèle. Pour cette fois, il passe l'éponge. Encore un écart de conduite, et ce sera l'écartèlement sur la place publique.

Il s'aperçoit enfin que je suis debout au milieu du salon, ravale sa salive et m'invite à m'installer sur une chaise capitonnée. Je me laisse choir sur le siège et croise les genoux, la moue renfrognée.

Hocine se ressaisit.

Il agite un chapelet, le fait pirouetter autour de son index et réfléchit.

— Ça t'amuse tant que ça, les emmerdes, Brahim ?

— J'essaie de mériter mon salaire.

Il repose son chapelet, se lisse la barbe et me considère avec acuité :

— T'es venu pour quoi, commissaire ?

Le ton est expéditif.

— Je crains qu'un danger public n'ait bénéficié de la grâce présidentielle.

— Et alors ?

— Depuis des semaines, j'essaie de comprendre ce qui cloche dans cette histoire. Mais à qui m'adresser ? Et, d'un coup, je m'aperçois qu'un confrère faisait partie de la commission présidentielle. Alors, je suis venu voir dans quelle mesure il pourrait éclairer ma lanterne.

— Mon Dieu ! soupire-t-il, excédé.

Il se prend la tête à deux mains, secoue sa barbe puis, après une imprécation silencieuse, avoue :

— Ton cas me chagrine, Brahim. C'est fou comme ça me peine de voir un ancien maquisard, héros de la plus grande révolution du siècle, vieillir si mal.

— Seul le vin se bonifie avec le temps.

— Ne te crois surtout pas obligé d'avoir réponse à tout.

— C'est plus fort que moi.

— En plus, tu te trouves spirituel. Je vais éclairer ta lanterne de luciole, commissaire. C'est ce que tu veux, n'est-ce pas ? Ton problème, c'est *toi*. Tu ne te supportes plus. Tu cherches noise dans l'espoir qu'on te cloue le bec une fois pour toutes. L'autre problème, personne ne daigne te rentrer dedans. Les gens n'ont pas que ça à faire. Bon sang ! fulmine-t-il en brassant l'air avec son chapelet, réveille-toi. Il y a du soleil, des terrasses en fête, des jardins à chaque coin de rue. Les gamins s'amusent, les mémés se shootent dans les parfumeries, les jeunes essaiment autour des lycées et les minettes sont belles comme des paillettes dorées. Est-ce que tu vois où je veux en venir ? La guerre est finie. L'ennemi est parti. Le pays se porte à merveille. Pas de meurtres, ni attentats ni prises d'otages ; tout baigne. Malheureusement, si ça rassure le peuple, ça ennuie le commissaire Llob, né pour en découdre, sinon pour soulever des tempêtes dans des verres d'eau. Le bât te blesse à cet endroit précis : dans ton insatisfaction. À défaut d'enquêtes, tu traques ton propre déplaisir. Et tu marches sur les pieds des autres en passant. Figure-toi que ce n'est pas la bonne solution. Non seulement tu ne soulèves pas de tempête, mais tu te démènes pour te noyer dans le verre. Si tu veux un conseil d'ami, prends quelques jours de congé et offre-toi une cure à Hammam Rabbi. Il n'y a rien qui cloche, dans notre histoire. Si la commission a

jugé raisonnable de faire bénéficier de la grâce présidentielle un détenu, c'est qu'il la mérite. Les experts sont
des scientifiques éminents, triés sur le volet. Et puis,
j'étais là pour superviser le travail. Les diplômés ont
leur savoir, moi j'ai mon expérience. Je connais mieux
que quiconque le facteur humain. Ça fait des dizaines
d'années que je commande les hommes, que je forme et
réforme toutes sortes d'individus.

— Ça fait des dizaines d'années que je suis flic, moi
aussi. C'est pas l'ennui qui me botte le derrière, mais
l'intuition. Je suis certain d'avoir mis le doigt sur un truc
et je renonce à lâcher prise.

Hocine le Sphinx est navré. Mon obstination le
lamine. Il écarte les bras en signe d'abdication et
grogne :

— Tu fais ce que tu veux.

— J'ai besoin de jeter un coup d'œil sur son dossier.

— De qui parles-tu, au juste ?

— De SNP.

Il fronce les sourcils.

— Tu es sûr que son cas a été étudié par *ma*
commission ?

— Si je mens, je vais en enfer.

De nouveau, il plisse les yeux et essaie de se rappeler.
Au bout d'une recherche bredouille, ses lèvres se ramollissent :

— Ça ne me dit rien.

— SNP, alias le Dermato. En prison depuis 1971.
Pour une série de meurtres épouvantables...

— N'insiste pas, je suis saturé. Ma commission a étudié mille trois cent cinquante-sept dossiers. Au cas par
cas. En son âme et conscience. Il n'y a ni influences exté-
rieures ni décisions à la légère. Si ton suspect a été
relaxé, c'est parce que nous avons estimé qu'il était parfaitement capable de retourner dans la société et de

refaire sa vie. Tu dis qu'il était en taule depuis 1971. C'est-à-dire depuis dix-sept ans. Quand on a passé une telle tranche de vie derrière les barreaux, on n'a plus de secrets pour les surveillants. Par conséquent, si la direction pénitentiaire l'a proposé à une éventuelle relaxation, et si les experts ont validé cette proposition, c'est la preuve que le détenu a droit à une deuxième chance. Il n'y a pas anguille sous roche, Brahim. Il n'y a même pas d'eau dans la rivière. Tu es en train de fantasmer sur un pauvre bougre qui ne demande qu'à repartir de zéro.

— Possible. Je ne demande pas la lune, je veux juste jeter un coup d'œil sur son dossier. Les rares informations que j'ai réussi à rassembler autour de son profil sont trop maigres pour élaborer un portrait-robot fiable.

— Je n'ai aucun dossier de cette nature dans mes locaux.

— Tu pourrais peut-être m'indiquer...

— Je n'ai rien à t'indiquer, tranche-t-il. Tu es en train d'engager une contre-expertise ou quoi ?

— Je suis en train d'empêcher un assassin de charcuter des innocents.

— Attends d'abord qu'il passe à l'acte pour lui lire ses droits constitutionnels. Aucune loi ne nous autorise à jeter au trou un bonhomme juste parce que sa mine ne nous revient pas.

— Eh bien, la loi a besoin de s'éveiller à elle-même.

Le Sphinx a un haut-le-corps. Il tire les lèvres, déçu, et maugrée :

— Tu es complètement taré. Et je n'ai pas l'intention de mettre sur pied une autre commission d'experts pour étudier ton cas. Il est clair que tu es en train de choper un vilain rhume mental et, de toute évidence, tu n'as aucune envie de te soigner. Je t'ai accordé dix minutes de mon temps. J'ai même été très sympa. Maintenant, s'il te plaît, j'ai des coups de fil à donner.

Je me lève.

Déjà, il tend la main vers un combiné.

Quand j'arrive devant la porte, il dit :

— À propos, ton lieutenant Lino, tu es sûr qu'il a toute sa tête ?

— Il a une belle gueule, et ça lui suffit.

— Dans ce cas, pourquoi il ne va pas dégotter un autre brin de fille ?

— Il en a déjà un.

— Justement, mais ce n'est pas sa pointure.

— Du moment qu'il prend son pied.

— À sa place, je prendrais mes jambes à mon cou.

— C'est difficile de tenir droit sur ses fesses.

— C'est moins grave que de se faire enculer.

Je me retourne pour le toiser :

— Qui sait ? Il est peut-être pédé, le lieutenant.

Ma pugnacité le désarçonne. Il n'a pas l'habitude qu'on lui tienne tête, et ça l'agace de manquer de souffle. Le Sphinx, c'est connu. Pour un mot de plus, l'interlocuteur est systématiquement rayé des contrôles. Il a ruiné un tas de foyers et livré à la dépression des dizaines de cadres de valeur qui ont eu le tort de penser qu'il était de leur devoir de citoyens et de professionnels d'insister là où Hocine El-Ouahch faisait fausse route.

Il repose le combiné pour me dévisager. Ses yeux menaçants se remplissent de noirceur.

Il grommelle :

— J'espère que tu sais ce que tu fais.

Je sens ses mâchoires grincer dans sa figure.

Je le fixe pendant trois bonnes secondes et lui dis :

— Je sais surtout ce qu'il me reste à faire : renouveler mon stock de papier hygiénique sans tarder car cette histoire commence à me faire chier.

10.

À Alger, pour aller d'un siècle à l'autre, il suffit de traverser la chaussée. Lorsque, en plus, vous êtes amené à sortir de la ville, ne vous étonnez surtout pas si, par endroits, votre voiture se transforme en machine à remonter le temps. Raison pour laquelle je n'ai pas sauté au plafond quand le professeur Allouche m'a suggéré de me soustraire aux tintamarres de Bab El Oued et de venir faire un tour du côté de chez lui. Je lui ai dit qu'il n'était pas question, pour moi, de remettre les pieds dans son purgatoire. Il a rétorqué que ce n'était pas une obligation et m'a fixé rendez-vous au café Lassifa, dans un patelin antédiluvien, à deux bornes de l'asile.

J'ai dû demander trois fois mon chemin avant de déboucher sur un douar pourri, derrière une colline furonculeuse où vous n'emmèneriez même pas votre beauf pour lui damer le pion. Le coin rappelle le trou du cul du monde. Un sentiment de frustration insondable vous saute à la gorge dès que vous y échouez. C'est vraiment du n'importe quoi. Des taudis raboutés aux enclos, des ruelles retorses, la fétidité des rigoles et un vaste sentiment de décomposition mentale. Ici, si les gens n'ont pas pris le train révolutionnaire en marche, c'est parce qu'il n'est jamais passé dans les parages. Le colon parti, plus personne n'a daigné se charger du destin des autochtones. Le monde se fait ailleurs, et l'exode rural a considérablement contribué à maintenir la bourgade dans le dénuement et la stagnation. Les quelques entêtés qui ont exclu de mettre les voiles continuent de consumer leurs ultimes convictions dans un attentisme sans lendemain. Prenant les promesses pour argent comptant, ils survivent d'illusions et d'eau suspecte. Cela s'appelle l'ingénuité ; sa longévité ne résulte pas de l'inefficacité des traitements, mais d'une farouche propension à l'assistance providentielle. Certes, les discours officiels sont percutants ; cependant, malgré la démagogie criarde et l'enseignement des déceptions, le petit peuple refuse d'admettre que ses élus puissent se payer sa tronche.

Il est des mentalités ainsi conçues, navrantes à vous jeter du haut de la falaise ; l'autre problème, votre sacrifice n'y changerait rien.

Superstitieux, je crache sous ma chemise avant de pousser mon tacot dans le ghetto. De part et d'autre, amoncelés sur le seuil des gourbis, des vieillards finissants me regardent passer comme une incongruité leur traversant l'esprit. Je leur adresse un petit salut ; mon geste les intrigue davantage.

La place est lugubre, juste une langue argileuse délimitée par des trottoirs à moitié ensevelis sous des coulées de boue. Hormis une vieille fourgonnette désossée et un châssis de tracteur semblables à des épaves déposées là par on ne sait quel cataclysme itinérant, on jurerait que la civilisation s'est fait un point d'honneur à ne pas traîner ses guêtres par ici.

Le café Lassifa se trouve à proximité d'une épicerie que veille une bande de chats faméliques. Le mouflet, qui remplace son père derrière le tiroir à sous, s'emmerde à fendre l'âme. Pas un client en vue. Quant à l'estaminet, il est assiégé par un impressionnant cheptel d'ados croulant d'oisiveté. Ils sont là, depuis la nuit des temps, à fixer l'édifice de l'autre côté de la chaussée et à guetter ce Mehdi dont parle les prophéties et qui viendrait foutre en l'air le bordel des prévaricateurs.

Je mets pied à terre.

Toise les alentours.

Sur le mur, une affiche miraculeusement intacte propose une gueule d'escroc pour le poste communal. Il n'y a pas d'autres candidats potentiels, ou bien leurs affiches ont été détruites. Je comprends un peu pourquoi le village est si mal barré. Mais ce n'est pas la misère d'un peuple brave et vaillant, trahi par ses saints patrons, qui me chagrine. Cette fois, aucun doute, mon psychiatre révéré me prouve bel et bien qu'il n'a pas grand-chose à envier à ses pensionnaires. Il faut être niqué de la tête pour se choisir, en guise de point de rencontre, un patelin aussi traumatisant.

Le professeur est accoudé au comptoir, absorbé par les histoires du cafetier. Il porte toujours son tablier sauf qu'il a gardé les pantoufles avec. Les joues dans le creux des mains, il écoute le pauvre type raconter ses chienneries. À côté, deux paysans enturbannés compatissent, priant en silence que l'on se souvienne de leurs commandes.

Le cafetier lève la tête et me surprend au milieu de la salle. Tout de suite, il devine le flic derrière ma placidité de bon père de famille et se met à astiquer autour de lui.

Le professeur me voit à son tour et fait ah ! comme s'il ne s'attendait pas à me trouver là. Ensuite, il jette un coup d'œil sur sa montre pour vérifier si je suis à l'heure :

— Pour une fois, tu tombes pile.

— Ça dépend sur quoi.

— Tu as le temps de prendre une tasse de café ?

— Je viens à peine de me relever d'une dysenterie.

— Ça veut dire quoi, ton insinuation ? tonne une voix dans mon dos.

Je me retourne.

Un vieux paysan trône sur une chaise en osier, sous un trou dentelé qui se fait passer pour une lucarne. Il est drapé dans une robe étincelante, les joues rosâtres et la barbe soignée. Un gourdin repose sur ses genoux, pareil à un sceptre. Ça doit être le maître de céans.

Voyant que je me tais, il relance le débat :

— Tu as goûté à mon café ?

— J'suis fauché, fais-je pour sauver la mise, car je vois bien que j'ai devant moi un authentique Bédouin ancien modèle, fier et susceptible, le poing en alerte, prêt à vous défoncer la gueule pour un mot de trop.

— Alors, va t'engranger ailleurs.

Je le calme d'une main, attrape de l'autre le professeur et me dépêche de débarrasser le plancher.

Dans la rue, la voix du vieux me traque :

— Parce qu'ils viennent de la ville, ils se prennent pour des colons. Est-ce qu'il a seulement goûté à mon café ?

— Non, Haj, répond en chœur la clientèle.

Et le vieux, sentencieux :

— De mon temps, on te zigouillait une tribu entière pour moins que ça.

— Tout à fait, Haj...

Une fois dans ma guimbarde, je me hâte vers la sortie du village.

— Tu aurais pu nous trouver mieux comme point de chute, dis-je à mon passager.

Le professeur regarde un jeune berger courir après une brebis égarée puis, les commissures des lèvres pincées, il me confie :

— Ça fait quatre ans que j'ai pas mis les pieds dans une ville.

— C'était peut-être l'occasion, aujourd'hui.

Il soupire, et sa main transparente se crispe.

— De votre ville infecte et chaotique, vous ne voyez rien venir. Trop de bruit, trop de bousculade. Vous êtes happés par la déferlante des jours et des soucis et vous vous évertuez à trouver un sens à ce qui vous dépasse. Ici, dans la campagne, pas besoin d'un parchemin pour deviner où mènent les sentiers battus. Ce que je découvre, chaque jour que Dieu fait, me froisse le cœur. Il me suffit de lever les yeux sur un adolescent assis à même le trottoir, de jeter un coup d'œil dans le couffin d'une ménagère, d'observer deux secondes un bougre s'oubliant au fond d'un café pour comprendre ce qu'ils ont tous derrière la tête. Je suis inquiet, Brahim.

— Tu devrais consulter un collègue.

Il se mouche dans du papier pelure. Ses yeux sont gonflés de larmes.

— De hauts responsables le pensent aussi. Ils m'enferment dans l'asile et croient l'affaire close... Ça ne se passe pas de cette façon. Ce n'est pas en ignorant le drame qu'on a des chances de le tenir à distance. Toi-même aimais à répéter que lorsqu'on tourne longtemps le dos au malheur, le malheur finit par vous emmancher.

Devant moi, une crevasse gorgée d'eau me barre le passage et me contraint de me déporter sur la droite. Je remonte le talus, heurte une grosse pierre et me rabats sur la piste, soulevant une gerbe d'eau fangeuse autour du capot.

— Les gens que tu as vus au douar ne sont ni des mendiants ni des damnés, poursuit-il. Ce sont des hommes normaux, qui rêvaient d'une vie décente. Depuis des années, ils font contre mauvaise fortune bon cœur, persuadés de retrouver un éclat de leur soleil confisqué. Il y a une décennie, j'y venais les fins de semaine les voir se dépenser sans réserve. Ils étaient contents, et leurs rires retentissaient à des lieues à la ronde. Je n'avais même pas besoin de me présenter. Ils m'appelaient *hakim** et avaient pour moi un respect religieux. Ils n'étaient pas riches, et ça ne les empêchait pas de me convier à des festins mémorables. À l'époque, c'était honteux de voir passer un étranger dans la rue sans lui offrir l'hospitalité. Eh bien, aujourd'hui, le regard qui suit l'étranger a changé. Et les gens aussi. À cause de la misère. Toute intrusion dans leur intimité est perçue comme une profanation. Aussi s'enferment-ils derrière leur silence et leur hostilité. Pour préserver les quelques miettes de pudeur qui leur reste. Et là, reclus dans leur mal-vivre, ils se posent des questions effarantes. Qu'ont-ils fait pour mériter de tomber si bas ? Où ont-ils failli, quel saint ont-ils offensé ? Plus ils manquent de réponses, moins ils gardent la tête sur les épaules. Ils sont en train de perdre leur sang-froid. Très prochainement, ils iront chercher une explication en enfer. Une fois ce pas franchi, je ne vois pas qui pourrait les assagir. L'Algérie connaîtra alors le cauchemar dans son horreur absolue.

— Il n'y a pas le feu, professeur. Nous sommes en train de négocier un passage à vide, c'est tout.

— Tu sais très bien que ce n'est pas vrai.

Je rattrape enfin la route bitumée. Ma voiture recouvre sa hardiesse et se met à avaler les kilomètres tel un affamé la soupe populaire.

Je dis à mon rabat-joie :

— J'suis né dans une bourgade pire que ton

------

* Sage, titre que les autochtones donnent aux médecins de campagne.

douar et j'en ai gardé des séquelles. Ce sont elles qui m'aident à tenir droit.

— Suis-je obligé de prendre tes propos pour argent comptant ?

— Je n'ai plus de chèques.

— Dans ce cas, je ne retire rien de ce que j'ai dit.

— Si ça t'amuse. Maintenant, est-ce que je peux savoir pourquoi tu m'as soustrait à ma ville *infecte* et *chaotique* ?

— Tu prends à gauche à la prochaine bretelle.

Un liseré d'asphalte nous promène à travers un sous-bois. Le soleil joue à cache-cache parmi les feuillages. La fraîcheur des arbres se veut un hymne à la quiétude. Très loin, par-dessus les mamelons, un contingent d'oiseaux fait ses adieux au site avant le grand voyage. Le professeur se laisse aller au gré de ses rêveries. Son visage est subitement reposé et dans ses yeux, débarrassés de leur peine, une lueur lointaine refait surface.

Le chemin glisse au milieu d'un champ en jachère, contourne une petite colline et se redresse pour filer ventre à terre droit sur une ferme encadrée de cyprès. Une meute de chiens hurlants surgit de derrière une haie et nous escorte jusqu'au portail, où un vieillard déguenillé finit de bricoler une brouette.

Je range ma voiture sous un arbre.

Le professeur descend le premier pour nous annoncer et revient me chercher.

Un solide gaillard nous attend sur le seuil d'un jardin. Il nous invite à le suivre puis s'éclipse, nous laissant seuls au milieu de la végétation.

— N'est-ce pas une belle journée ? dit un homme que je n'ai pas remarqué, enfoui dans une forêt de roses.

Il est accroupi, quasiment embusqué derrière ses fleurs, un chapeau de paille enfoncé jusqu'aux orcilles. Sa salopette en jean est flambant neuve et ses bottes, bien qu'éclaboussées de boue, luisent outrageusement. J'en déduis que j'ai affaire à un apprenti jardinier qui ferait mieux de retourner dans son plumard de nabab au lieu de s'obstiner à s'écorcher les doigts sur les épines des roses. Un clin d'œil sur le col de sa chemise, d'une blancheur immaculée, l'éclat de sa nuque et la coupe de ses cheveux confirment ce sentiment. Vraisemblablement, le gars cherche à m'en mettre plein la vue, mais n'y arrive pas. Son attitude et sa façon de soigner les plantes trahissent le mammifère peinard, élevé dans le dégoût de l'effort physique et des travaux manuels ; le genre de rentier comblé incapable de se déplacer dans son palais sans une chaise roulante ou de vouloir une chose sans actionner le carillon à portée de sa main ; bref, le petit seigneur entouré de courtisans et de valetaille, pour qui ramasser un mouchoir ou essuyer les verres de ses lunettes est un geste subalterne et dévalorisant.

Il range sa cisaille dans une trousse, ôte son gant et se lève pour nous serrer la main.

— Le *hakim* m'a souvent parlé de vous, commissaire Llob.

Je fronce les sourcils. La physionomie du bonhomme me dit quelque chose, sauf que je n'arrive pas à la situer. C'est un petit gars aux traits taillés au burin et aux tempes chenues. Il doit avoir une soixantaine d'années et quelques bonnes raisons de garder un regard alerte et foudroyant. La main qu'il me tend est à peine plus large que celle d'un marmot, mais son étreinte est aussi sévère qu'une morsure de poinçon.

Il nous indique des chaises en osier sous un eucalyptus. Avec obséquiosité. Sur une table, une machine à écrire tient compagnie à un panier débordant de feuillets dactylographiés. On se croirait chez un poète et j'ai presque honte de le déranger.

— Alors, ces Mémoires ? lance le professeur en s'installant à l'ombre.

— Ça avance à petits pas. Vous prenez quelque chose ?

— Une orange pressée pour moi.

— Et vous, commissaire ?

— Un jus de fruits.

Notre hôte se retourne vers une cabane :

— Apporte-nous du jus de fruits, Joe.

Le solide gaillard de tout à l'heure rapplique, un plateau chargé de verres et de fruits secs. Il nous sert et se retire.

— Il s'appelle Joe ? s'enquiert le professeur.

— Il adore qu'on l'appelle ainsi. Il a été une fois à Chicago et ne s'en est plus remis. Dans le temps, il boxait comme un dieu et ambitionnait de devenir champion du monde. Il est tombé sur plus fort que lui. Son manager le suppliait de jeter l'éponge. Joe refusait. Il a tenu jusqu'au bout. En quittant le ring, il a laissé une bonne partie de sa lucidité sur le tapis. Parfois, le soir, il renfile son jogging et s'enfonce dans les bois des jours entiers. Puis, un matin, il est de retour, incapable de se rappeler où il a été. Il n'a plus toute sa tête, mais c'est un garçon bien. Quand la toiture de ma baraque menace de foutre le camp, c'est lui qui la retape. Il ne me dérange pas. Je ne vois pas pourquoi je devrais me passer de lui.

Puis, s'adressant à moi :

— Ça fait longtemps que vous êtes dans la police, commissaire ?

— Depuis l'indépendance.

— Vous n'en avez pas un peu marre ?

— J'ai vu pire ailleurs.

Il hoche la tête.

Le professeur porte son verre à ses lèvres, le vide d'une traite puis se rue sur les amandes grillées. Nous l'écoutons mâchouiller avec voracité pendant trois longues minutes, ensuite je me racle la gorge et tente :

— Le professeur ne m'a pas encore parlé de vous, monsieur... ?

— Quoi ? sursaute Allouche. Tu ne le reconnais pas ?

C'est à cet instant précis que ça me revient. Bon sang, où avais-je la tête ? C'est vrai qu'il a pris un coup de vieux – à son âge, c'est permis –, de là à ne pas le reconnaître, c'est moi qui devrais m'inquiéter.

— Monsieur Chérif Wadah, le Che africain ?

— Pour Chérif, c'est bon. En ce qui concerne le Che, je ne pense pas en être digne. Asseyez-vous, commissaire. Ici, il n'y a ni protocole ni salamalek. On est entre amis, et c'est beaucoup mieux ainsi.

— Je suis un peu confus.

— Ce n'est pas grave. Tout à fait entre nous, je ne m'en plains pas. Si j'ai choisi de m'isoler, c'est pour avoir le temps et la force de me regarder en face, sans escorte et sans alliés. Rien que moi face à ce que je crois être. On ne réintègre son élément que lorsqu'on parvient à se soustraire au regard des autres. Les flatteries sont aussi dangereuses que les inimitiés. Ici, dans mon coin, j'échappe aux interprétations. Je suis devant ma personne et je l'affronte sans réserve. Il est impératif, pour quelqu'un comme moi qui a bénéficié d'égards exagérés avant de subir des vacheries inimaginables, de se poser un tas de questions et d'y répondre seul. Le monde n'est plus ce qu'il a été. Les hommes, en particulier, ont dévié de pas mal de trucs. Y compris moi-même. Suis-je encore le personnage d'antan ? Si oui, dans quelle mesure et pour quelle nécessité ? Les doutes sont là, nous cernant, semblables à des contingents de fantômes. Qu'avons-nous tenu de nos engagements, où avons-nous mené la nation ? Pourquoi les clairons de l'aube nous font-ils sursauter au lieu de nous jeter à la conquête du jour, comme ils le faisaient jadis ? Où a-t-on failli ? Car, de toute évidence, nous avons failli. Aujourd'hui, c'est presque honteux d'avoir été un *zaïm*. Il n'y a qu'à voir comment se conduisent nos héros. Ils ont tourné la page révolutionnaire pour mieux retourner la veste. Chaque matin, ils se dressent comme des insultes à la mémoire des Absents ; chaque soir, ils se couchent comme des chiens sur le paillasson des serments. J'en dégueule chaque fois que j'y pense.

— C'est d'ailleurs l'objet de l'ouvrage qu'il est en train d'écrire, croit nécessaire de me signaler Allouche. Il va leur régler leur compte, à ces macaques privilégiés.

— Lorsqu'il s'agit de régler des comptes, le révolutionnaire n'écrit pas, il tire.

Le ton du Che est serein, mais assez ferme pour remettre le professeur à sa place. Tout de suite, une chape de plomb s'abat sur les lieux. Allouche déglutit, incapable de se défaire du morceau d'amande qui s'est coincé en travers de sa gorge.

Le vieux maquisard est en colère, sans le montrer. Longuement, il examine ses ongles, les lèvres réduites à leur stricte configuration, le regard opaque.

Puis, comme si de rien n'était, il se tourne de nouveau vers moi :

— Vous disiez, commissaire ?

— Je vous écoutais, monsieur.

Il fronce les sourcils. L'ongle de son pouce gratte une tache sur la table, méthodiquement, laborieusement.

Après une interminable méditation, il redresse le menton et avoue :

— J'ai perdu le fil. C'était à propos de quoi ?

— D'engagements, monsieur.

Sa lèvre inférieure remue. Il n'est pas plus avancé.

Il se lève, me tend la main :

— J'ai été ravi de vous connaître, commissaire Brahim Llob.

— Moi aussi, monsieur.

— J'apprécie votre droiture.

— Merci, monsieur.

Il recule d'un pas et, sans un regard pour le professeur, il retourne parmi ses roses et nous oublie.

Joe est déjà là pour nous raccompagner.

Dans la voiture, tandis que nous nous éloignons de la ferme, je m'aperçois que mon passager est livide.

— J'ai pas compris, lui dis-je.

Il se trémousse sur le siège du mort, embarrassé.

— Il est imprévisible, tu sais, me confie-t-il. Des fois, il est exquis. Des fois, il se retranche derrière ses ambiguïtés et tout lui devient hostile.

J'attends de contourner un nid-de-poule avant de grogner :

— Pourquoi tu m'as emmené chez lui ?

— J'ai appris que tu étais dans le cirage, que ton enquête sur SNP n'avançait pas. L'autre jour, au cours d'une discussion banale, j'ai raconté l'histoire de notre bonhomme à Chérif. On parlait des maladresses du Raïs, et on a débouché sur la grâce présidentielle qui a jeté des milliers de voyous à la rue. J'ai dit que je désapprouvais totalement cette démarche et, en guise d'argument, j'ai cité SNP, et la menace qu'il représente. Sy Chérif m'a écouté avec attention avant de me confier que l'histoire de ce garçon ne lui était pas étrangère.

— Dans quelle mesure ?

— Je l'ignore. Il devait nous en dire plus aujourd'hui.

— Et tu as gaffé.

— Je suis désolé.

Je remonte la vitre, allume la radio et ne lui adresse plus la parole.

11.

— J'ai une excellente nouvelle pour toi, Llob, m'annonce l'inspecteur Bliss au bout du fil.

— Tu ne vas pas me dire que tu m'appelles de l'au-delà ?

— Pour ça, tu peux toujours courir. C'est moi qui creuserai ta tombe. Gratis. Pour mon bon plaisir.

— Je présume que le dirlo est à côté de toi.

— Exact. Tu sais très bien que sans sa protection rapprochée, tu m'aurais bouffé les couilles.

Son insolence m'estomaque. Mais je surmonte le coup, convaincu qu'un de ces quatre il tombera dans le panneau. Ce jour-là, ça va être sa fête, et je ne lui ferai pas de cadeau. Les petits lèche-bottes de son acabit sont légion. Ils croient bénéficier de la baraka de leurs patrons jusqu'à la fin des temps et poussent l'abus plus loin que l'entendement. Puis, un soir, ils s'aperçoivent que rien ne dure vraiment pour le commun des mortels. Ce qu'ils reçoivent alors sur la tronche ferait basculer la terre d'un côté.

— Tu es toujours là, Llob ?

— Comme tous les esprits, Médor. Qu'est-ce que tu veux ?

— Il y a de la casse au Sultanat bleu.

— Et tu appelles ça une excellente nouvelle ?

— Ben, depuis le temps que tu nous emmerdes avec ta déprime. N'est-ce pas ce que tu attendais pour remuer ta grosse caisse ?

Je raccroche. Bliss est en forme, et moi pas. Lui tenir tête ne ferait que le réconforter dans son statut de salopard. Je le connais ; au moindre fléchissement, il s'enhardit et se jette sur sa victime avec la vaillance d'une hyène sur un vieux lion mourant.

Je m'arrache de mon fauteuil et vais dans ma chambre me changer.

Mina me rejoint, intriguée.

— Qu'est-ce qui se passe ?

— Le devoir m'appelle.

— À 23 heures ?

— Le devoir est un sans-gêne, chérie. Y a pas pire que lui pour te gâcher la vie. Le problème est qu'aucun imbécile ne peut s'en passer. Apporte-moi mon paletot, veux-tu ?

Un éclair zèbre le ciel au moment où je sors ma voiture du garage. En quelques minutes, de gros nuages arrivent sur la ville, le derrière botté par des coups de vent. Sur mon pare-brise, les premières gouttes de pluie rappellent des constellations en train d'éclore dans le miroitement des réverbères. Il n'y a pas beaucoup de monde dans les rues. Les boutiques ont baissé le rideau, les gargotes et les cafés aussi. Les trottoirs sont livrés à des bandes de désœuvrés à la dérive. Je roule vite sur les boulevards, grillant les feux rouges à tout bout de champ.

Je débouche sur Le Sultanat bleu. Deux voitures de police sont déjà sur les lieux pendant qu'un petit attroupement gesticule sur la chaussée. Je reconnais le brigadier Lazhar au milieu de la cohue. Il prend des notes sur son calepin, exagérément attentif aux témoignages qui fusent çà et là. Je le rejoins, les mains dans les poches pour que l'on devine que le boss, c'est moi.

— Ne restons pas dehors, s'il vous plaît, dis-je, histoire de prendre les choses en main. Hormis le directeur de l'établissement, je ne veux voir personne.

Le directeur feint d'être soulagé en apprenant qui je suis. Avec déférence, il disperse l'attroupement et me conduit dans son bureau.

— On a frôlé la catastrophe, raconte-t-il d'emblée en s'épongeant délicatement dans un mouchoir soyeux. Il a sorti son arme, monsieur le commissaire. À la vue du pistolet, les femmes se sont mises à hurler et les tables à se renverser. Y en a qui se sont jetés à plat ventre et d'autres qui ont sauté dans la piscine. Indescriptible. Ça courait dans tous les sens. Vous rendez-vous compte, monsieur le commissaire ? Des gens convenables étaient venus passer un bon moment parmi nous et, sans crier gare, c'est l'horreur... Cet officier est allé trop loin. Il n'imagine pas les tuiles qui vont s'abattre sur lui. Ici, on ne reçoit que les cadres de renom, les hommes d'affaires et les dignitaires du régime ; des gens aux antipodes des agressions et qui ne pardonneront pas que l'on vienne troubler leur quiétude. C'est un peu leur microcosme, Le Sultanat. Très sélectif et très cher pour éloigner les indésirables. Et bang ! au beau milieu du spectacle, un officier de police nous sort son cinéma. J'ai honte, me confie-t-il en se déhanchant. Si vous aviez vu dans quel embarras j'étais. La terre se serait ouverte que je n'aurais pas hésité à sauter dedans. Mon Dieu ! quel scandale. Plus personne ne voudra de mon établissement, désormais. Je me sens mourir...

Il est effondré, M. le directeur. Une vraie douairière qui découvre une mie de pain noir sur sa brioche. J'ai presque envie de lui proposer mon épaule pour qu'il sanglote dessus.

— Prenez un siège et essayez de vous calmer, lui conseillé-je.

Il s'écroule dans un fauteuil, son mouchoir tamponnant les commissures de ses lèvres.

— Je vous prie d'excuser mon émotion, monsieur le commissaire. C'est la première fois que j'assiste à une conduite aussi déplorable dans un lieu considéré comme le plus prestigieux du pays. Il y a des endroits pour les voyous et des endroits pour la crème de la société. Je trouve impardonnable que l'on puisse fréquenter un milieu autre que celui qui sied à son rang social.

— Vous avez raison, tente le brigadier Lazhar pour se mettre en évidence.

Je l'arrête d'une main et le prie de débarrasser le plancher. Le brigadier s'estime offensé. Il grommelle son mécontentement et sort protester dans le couloir. Je referme la porte derrière lui et invite le directeur à déballer son linge sale.

— Et si vous me racontiez depuis le début ?...

Le directeur déglutit, ne sachant par quoi commencer, puis, en continuant de s'essuyer les coins de la bouche, qu'il a tranchante comme celle d'une murène, il glapit :

— Dès que je l'ai vu, la première fois, j'ai décelé chez lui un manque de classe évident. Il était habillé propre, sans plus. De la friperie, un mélange d'imitation et d'ingénuité. Le genre de beau garçon issu de la frange sociale la plus défavorisée et qui s'évertue à remonter l'échelle en comptant sur sa seule petite frimousse, si vous voyez ce que je veux dire. Je m'étais opposé à son adhésion au club. Nous sommes très regardants, au Sultanat. Notre clientèle est triée avec un soin immodéré. Même les parvenus ne sont pas retenus. La fortune, à elle seule, ne suffit pas. Notre vocation, ici, est de protéger les grandes familles contre les dangers de la promiscuité et l'irrévérence des arrivistes. Hélas ! notre bonhomme était officier de police. Et nous avons un respect religieux pour nos institutions, monsieur le commissaire.

Je porte la main à ma bouche pour réprimer un bâillement qui menace de me déchirer la figure en deux. Le directeur est outré par ma muflerie, cependant, son respect des institutions s'avère plus fort que celui qu'il nourrit pour la correction.

— Excusez-moi, lui dis-je, à partir de minuit, j'ai tendance à me prendre pour un hippopotame. Si vous alliez directement au fait : qui c'est, cet officier ? Pourquoi il a sorti son flingue ? Où est-il maintenant ?

De l'index, il me prie de patienter et appuie sur un bouton. Un larbin en smoking se présente, le nœud papillon décroché, le col de sa chemise souillé et la figure enfouie dans un torchon ensanglanté.

— M. Tahar est notre majordome. Il vous racontera mieux que moi ce qui s'est passé.

— Je vous écoute, monsieur Tahar.

Le majordome comprend que je ne compatirai pas à sa douleur. Il retire son nez meurtri du torchon, constate que sa blessure me laisse de glace et passe aux choses sérieuses :

— Le lieutenant est arrivé vers 20 heures, avec sa fiancée. Ils avaient réservé la table 69. Que j'avais ordonnée en personne. Le lieutenant voulait fêter l'anniversaire de sa compagne comme il se doit. Il était très satisfait de la décoration de sa table. Ils avaient dîné en amoureux, très épris l'un de l'autre. Vers 22 heures, il m'avait fait signe. C'était un signal sur lequel nous étions convenus la veille. Sa fiancée ne devait rien remarquer. Il voulait lui faire la surprise. Nous avons éteint les lumières et nous avons poussé le gâteau jusqu'à leur table, sous les applaudissements du personnel. C'était un superbe gâteau géant, conçu par le pâtissier le plus réputé du Grand-Alger. La fiancée était très émue. Surtout lorsque ses voisins de table se sont mis à les ovationner. Ils ont découpé le gâteau avec beaucoup de solennité. Lorsqu'on a rallumé la salle, le sourire des deux tourtereaux s'est évanoui. M. Haj Thobane était debout à l'entrée du restaurant. Superbe comme une divinité. Légèrement appuyé sur sa canne en acajou. Il regardait la fiancée du lieutenant d'une façon très touchante. Dans la salle, un silence inouï s'était installé. Tous les gestes étaient suspendus. On devinait que quelque chose d'extraordinaire allait se produire. Les deux tourtereaux étaient mal à l'aise. Ils se regardaient comme si la fin du monde frappait à la porte de leur idylle. C'est alors que M. Haj Thobane a écarté ses bras qui, dans la perplexité générale, paraissaient plus larges que l'horizon. J'ignore ce qui a pu se produire. Nous étions dans une sorte d'état second. La fiancée du lieutenant a laissé tomber sa part de gâteau et, comme mue par une force irrésistible, elle s'est arrachée à la main de son fiancé qui tentait de la retenir et a couru se blottir contre Haj Thobane. C'était si incroyable que personne ne savait s'il devait applaudir ou compatir. Haj Thobane a longuement serré la jeune femme contre lui, ensuite ils sont partis, dans les bras l'un de l'autre, vers une grosse cylindrée qui les attendait dans la cour. Après leur départ, nous étions comme médusés. Nos clients n'osaient pas reprendre leur repas. L'ensemble des regards convergeaient vers l'officier de police. Pour tout l'or du monde, personne n'aurait accepté d'être à sa place. Lui-même ne réalisait pas ce qui venait de lui tomber sur la tête. Il était groggy, chavirait presque en fixant tout bêtement la porte par laquelle sa fiancée s'était éclipsée. Une éternité durant, on a guetté sa réaction. Il s'est écroulé sur la chaise et s'est pris les tempes à deux mains. Nous avons choisi cet instant pour relancer l'orchestre ; mais c'était trop pénible pour faire comme si de rien n'était... Le lieutenant n'a plus relevé la tête. Il vidait verre après verre, bouteille après bouteille. Une fois soûl, il s'est mis au beau milieu de la salle et a commencé à traiter la clientèle de sales bourgeois et de péquenots affranchis. Nous avons tenté de le calmer. Chacune de nos tentatives le poussait un peu plus hors de lui. Lorsqu'il m'a cogné, mes hommes l'ont ceinturé pour le conduire dehors. Je ne sais pas comment il a réussi à leur fausser compagnie et à revenir semer la débandade dans la salle avec son pistolet. Une déflagration n'aurait pas occasionné autant d'effroi. C'était la panique, le cauchemar. Puis, le lieutenant a semblé réaliser ce qu'il était en train de déclencher autour de lui. Sans ranger son arme, il nous a traités de rupins de merde et de faux-jetons et il est parti en chancelant je ne sais où.

À mon tour, laminé par ce que je viens d'entendre, je sens mes genoux se dérober et je tombe dans un fauteuil.

Dans quels fichus draps tu viens de te foutre, lieutenant Lino !

Je l'ai cherché toute la nuit, mobilisant l'ensemble des patrouilles à travers la ville. Les commissariats ont été alertés et les bars passés au peigne fin. Lino s'est volatilisé. Mon inquiétude décuple lorsque le lieutenant ne donne pas signe de vie au cours de la journée. Des hypothèses épouvantables assiègent mon esprit. Les jeunes d'Algérie accusant un déficit affectif patent, et le lieutenant, malgré la trentaine, étant resté émotionnellement adolescent, donc fragile et imprévisible, surtout après l'énorme déconvenue essuyée la veille, il était capable de se tirer une balle dans la tête ou de se balancer du haut d'une tour sans parachute.

J'envoie des hommes dans les hôpitaux, dans les morgues, me glaçant les sangs au moindre coup de fil. Vers le soir, mes limiers reviennent, la queue ramollie et les mains vides.

Lino n'est pas rentré chez lui non plus. Personne ne l'a vu dans le quartier.

Je reste au bureau jusque tard dans la nuit, à touiller mes cafés d'une patte tremblante et à prier les saints patrons de la ville ; rien.

Le lendemain, je fais part de sa disparition au dirlo. Ce dernier cogne sur son bureau avant de me balancer un canard sur la figure. L'incident du Sultanat bleu est à la une.

— Ton chien de lieutenant est en une de tous les journaux, ce matin, m'annonce-t-il à bout portant. Je présume que tu en es fier.

— Je ne crois pas, monsieur.

Il s'apprête à s'arracher les cheveux, se ravise, tente de garder son calme. Son effort s'effiloche au bout de quelques grognements. Son corps se décomprime d'un coup et il chavire derrière son bureau :

— Pourquoi, Brahim ? Qu'est-ce qu'il veut prouver ? Où veut-il en venir ? M'attirer les foudres du ciel ?

— Je suis navré, monsieur.

Il est en chemise, la cravate défaite. Son visage blafard est raviné de rides. Mon stoïcisme lui en bouche un coin. Il s'attendait à me voir prendre les choses de haut et s'imaginait en profiter pour déverser sa colère sur moi. Seulement voilà, je me suis gardé de marcher dans sa combine et ça fausse ses projets.

— Je t'avais dit de l'enfermer dans un chenil, Brahim, relance-t-il.

— C'est vrai, monsieur.

— Comment va-t-on gérer cette catastrophe, pour l'amour des tiens, dis-le-moi ? Qu'est-ce qu'il lui a pris d'aller se donner en spectacle au Sultanat ? C'est un coin où moi-même je n'oserais pas me rendre. Il n'y a que des nababs et des Méduses. Que vais-je devenir, maintenant ?

— Je ne sais pas, monsieur.

— La hiérarchie est hors de ses gonds, m'apprend-il en frémissant. J'ai eu le wali, il y a deux minutes. J'ai manqué d'air pendant qu'il me savonnait. La constitution d'un conseil de discipline est ordonnée par le ministre en personne. Ils vont le charcuter, et nous tous avec lui.

— Je comprends, monsieur.

Il hoche la tête, complètement abattu, puis il me tourne le dos et me prie de disparaître de sa vue.

Deux jours de recherche, et pas trace de Lino.
Puis, au matin suivant...

Je range ma bagnole au coin de la rue Baba Arrouj, une venelle constipée, à peine assez large pour laisser passer l'air du temps. De part et d'autre de la chaussée, des immeubles croulants défèquent à même le trottoir. Le coin semble n'avoir pas vu l'ombre d'un éboueur depuis l'époque du volontariat estudiantin des années 1970. Le relent des fondrières est tel qu'on est obligé de travailler à la machette pour avancer. En face, une gargote médiévale s'embusque derrière sa devanture, louche comme un repaire de brigands. Le patron somnole sur une chaise, sur le pas de sa porte. L'hôtel est juste à côté, tassé sous l'invraisemblance de son enseigne. On lit *L'Oasis*, puisqu'on est entre frères, on peut toujours rêver.

Un môme surgit d'entre deux fourgonnettes, gourdin

au poing, brassard décoloré au-dessus du coude. C'est un gamin d'une douzaine d'années, maigre comme ses chances. Il porte un pantalon fripé, un tricot pourri et une bonne partie de la misère nationale sur les épaules. Les garçons comme lui sont légion. Ils hantent les rues à longueur de journée. À défaut de cirer les bottes – pratique jugée dévalorisante et abolie par les apparatchiks –, ils essaient de gagner leur croûte en gardant les véhicules en stationnement, prêts à détaler dès qu'un képi est repéré dans les parages.

— Je surveille votre voiture, monsieur ? me propose-t-il.

— Pas la peine. Elle est piégée.

Le môme n'insiste pas. Il glisse son bâton sous l'aisselle et rejoint son poste de guet.

J'escalade le perron de l'hôtel, me retourne sur la dernière marche :

— Hé ! p'tit...

Le môme revient en trottant à la manière d'un chiot.

Je lui balance une pièce d'argent qu'il attrape au vol.

— T'es un bon prince, me remercie-t-il.

J'entre dans l'hôtel.

Le réceptionniste se tire les vers du nez derrière son guichet. Son box rappelant un aquarium sinistré n'a pas l'air de l'incommoder. Dérangé par mon intrusion, il lève un œil, écarquille démesurément l'autre comme si je sortais d'une lampe merveilleuse.

J'exhibe ma plaque :

— C'est toi qui as appelé ?

— Ça dépend...

— Commissariat central.

— Ah.

Il vérifie ma plaque avec détachement, contourne le guichet et passe devant. C'est un petit bonhomme tordu comme deux pastèques siamoises, la bedaine sur les genoux et le postérieur à ras les mollets. À son accent glapissant, on devine le Berbère des hautes montagnes échoué à Alger, une nuit de grande crue, et qui n'arrive pas à remonter la pente.

La baraque est minable, perdue à travers une enfilade de corridors étroits que départagent des escaliers putréfiés – si les touristes nous boudent, ce n'est pas parce que nous manquons d'hospitalité ; ils s'estiment lésés par les désagréments qui vont avec. Nous atteignons la porte 46, au fond d'un couloir recouvert d'une moquette sur laquelle il ne serait pas étonnant de relever l'empreinte digitale d'un légionnaire classe 58. Le réceptionniste agite son trousseau de clefs dans un tintement lugubre, tripote la serrure et pousse la lourde. À l'intérieur de la chambre, il fait nuit. Je cherche le commutateur. Une lumière agressive s'abat sur la pièce. Un gars est couché en travers du lit, les bras en croix et la bouche ouverte. Quelques bouteilles de whisky, traînant sur la moquette, donnent un aperçu de l'ampleur des dégâts.

— Il est là depuis quand ?

— Trois jours. Il est arrivé un soir et il a exigé qu'on le dérange pas.

— Il est là-dedans depuis trois jours sans donner signe de vie, et ça ne t'a pas préoccupé.

— Je suis un professionnel, monsieur l'agent. Dans mon métier, la discrétion est fondamentale. Quand le client dit *no disturb*, on ne le disturbe pas.

Je me penche sur le dormeur, prends son poignet, tâte son pouls. Lino respire encore. Il a dégueulé sur lui et a fait dans son froc.

— Ce matin, raconte le réceptionniste en mesurant les conséquences de sa négligence, j'ai dit qu'est-ce qu'il fout, le type de la 46 ? Il est pas sorti se restaurer depuis qu'il est arrivé. Il a pas sonné ni téléphoné. C'était pas sunnite. Il s'est peut-être barré à mon insu, que je me suis inquiété ; il arrive souvent qu'un mauvais client profite d'un moment d'inattention pour prendre la tangente sans payer sa facture. J'étais obligé de vérifier et je suis monté voir de quoi il retournait. Le client ne s'était pas barré. Il était exactement au même endroit, dans l'état que vous voyez. Là, j'ai pas cherché midi à quatorze heures. J'ai toujours été réglo avec Dieu et la police, *kho*. J'ai fouillé dans ses poches pour savoir qui il était et je suis tombé sur sa carte professionnelle...

Sa gorge se contracte quand il s'enquiert :

— Vous pensez qu'il est mort, monsieur ?

— Appelle une ambulance.

Le réceptionniste claque des talons et dévale les escaliers dans un bruit de cavalcade.

Une fois seul, je m'accroupis pour réfléchir, le doigt sur la tempe. Je commence par chercher le flingue du lieutenant, le trouve dans le tiroir de la table de chevet et le glisse sous mon ceinturon.

Ensuite, j'enlève mon veston, retrousse les manches de mon chandail et entreprends de changer les couches à mon officier avant l'arrivée des brancardiers.

II

Ouvertes nos plaies
dans l'alibi du temps
la poussière et les fleurs
s'y confondent.

Djamel Amrani

12.

Lino se relève de sa mésaventure amoureuse comme se relève d'entre deux bottes de foin une fermière dont on vient d'abuser ; c'est-à-dire hagard, souillé, humilié.

Depuis son retour de convalescence, il s'embusque derrière son bureau, renfrogné et inabordable, l'air d'en vouloir au monde entier comme s'il nous tenait pour responsables de son malheur. Débarquant au Central beaucoup plus pour chercher noise aux sous-fifres que pour faire acte de présence, il est en passe de nous empoisonner l'existence.

Cent fois j'ai tenté de le raisonner, cent fois son doigt m'a sommé de rester dans mon coin, menaçant de me transpercer de part en part. Je lui ai proposé de rentrer chez lui prendre du recul par rapport à sa déconvenue ; il m'a balancé une rame de papier sur la figure avant de se réfugier dans les chiottes jusque tard dans la nuit.

J'ai été voir un ami psychologue ; en l'apprenant, Lino m'a fait une scène épouvantable devant le personnel du Central et a juré que si je continuais de me mêler de ses affaires, il ne se porterait plus garant de ma bonne étoile.

La manière dont il s'est donné en spectacle m'a consterné.

Lino dérive ; aucune laisse ne semble en mesure de le retenir. Il s'est mis à donner des coups de pied dans chaque grosse cylindrée qu'il rencontre sur son chemin. Lorsque le conducteur rouspète, Lino se jette sur lui dans l'intention manifeste de le démonter. Ça crève les yeux que son cirque va dégénérer. Mais comment éviter le pire ?

Serdj me tire de mon lit pour me signaler que le lieutenant déconne ferme dans un cabaret huppé. En arrivant sur place, je dois demander du renfort pour ramener un soupçon de calme. Parmi les gens agressés figurent des rejetons friqués et des call-girls à ministres. Il me faut me mettre presque à genoux pour les dissuader de porter plainte ou de téléphoner à leurs tuteurs.

J'entraîne Lino sur le front de mer pour le rafraîchir. Il est soûl comme une bourrique. Pendant que j'essaie de le sermonner, il se marre en me montrant du doigt et en me traitant de péquenot pathétique, de lèche-cul et de pauvre crétin. Mon coéquipier est si mal en point qu'on le croirait bon pour la camisole de force. Le voir dans cet état, riant aux éclats pour emmerder la ville entière, se plier en deux par-dessus la rampe et dégueuler sa bile, m'est insupportable. À mon tour, je me surprends à en vouloir aux Haj Thobane, à leurs putes incendiaires et à ce décalage social qui veut que, chez nous, aucun infortuné ne puisse toucher du bout du doigt un simulacre de bonheur sans se faire électrocuter.

Lino s'essouffle ; je l'installe sur un banc, face au port, pour qu'il reprenne ses esprits. Il renverse la tête en arrière et fronce les sourcils en découvrant les millions d'étoiles du ciel. Peut-être cherche-t-il la sienne car un sourire idiot lui creuse les commissures de la bouche. Sa nuque cède et son menton retombe mollement dans le creux de son cou. Une épaule tressaute une fois, deux fois, ensuite un sanglot crépite, me traversant le cœur tel un projectile.

J'évite de porter la main sur lui ; il a rudement besoin de chialer un coup en paix.

Après avoir couiné quelques minutes, il se mouche sur son bras et, sans crier gare, crève l'abcès :

— Elle s'est servie de moi... Tu te rends compte, elle me trimbalait comme un vulgaire balluchon partout où l'on se retournait sur son passage. Tout ce qu'elle cherchait, c'était en mettre plein la vue à son jules, le rendre jaloux comme un sanglier. Et moi, con sur toute la ligne, je fonçais dans ses combines en roulant des mécaniques.

Il lève sur moi des yeux rougeâtres :

— Comment peut-on se jouer des gens de cette façon, Brahim ?

— Tu es le mieux placé pour le savoir.

— Je me suis fait avoir comme le roi des enfoirés, pas vrai ?

— N'importe qui, à ta place, aurait plongé de la même manière.

Il hoche la tête puis, reniflant, il se tourne vers les lumières du port :

— Tu ne peux pas mesurer combien je l'aimais, Brahim ; non, personne ne peut l'imaginer. J'étais prêt à sacrifier ma vie pour elle.

— Ç'aurait été une très mauvaise idée, Lino. Le sacrifice n'est pas de mourir pour quelqu'un ou pour une cause ; je dirai même que c'est, sans aucun doute, la moins raisonnable des initiatives. Le sacrifice, le vrai, est de continuer à aimer la vie *malgré tout.*

Lino n'est pas de cet avis.

De nouveau, il passe son poignet sur ses narines et dit :

— Ils ne nous ont rien laissé, ces fumiers de richards, rien, ni miettes ni illusions. Ils ont volé notre histoire, nos chances, nos aspirations, nos rêves et jusqu'à notre naïveté. On n'a même plus le droit d'échouer avec dignité, Brahim. Ils nous ont tout pris, y compris notre disgrâce.

— Ce n'est pas exact, Lino. La vie est ainsi faite ; il y a des riches et des pauvres, et chaque communauté n'existe qu'en fonction de l'autre.

— Notre malheur vient de ces salauds de riches.

— D'autres pensent qu'il relève de la fatalité.

— Et c'est quoi la fatalité, bordel ?

Je m'assois à côté de lui, sur le banc. Il ne me repousse pas, ne se déporte pas non plus. Je le sens fatigué et stoïque. C'est vrai que son chagrin et sa colère continuent de se livrer un combat titanesque, mais c'est comme s'il les regardait de loin, avec une certaine perplexité. Sa respiration oppressée le maintient dans une sorte d'expectative. De toute évidence, il ignore comment apaiser ses souffrances ; alors il attend.

Un silence bienfaisant nous rapproche.

Nous observons un bateau en rade en train de lancer des signaux.

La mer est noire comme une mauvaise humeur.

— Je hais ces fumiers de richards, grogne-t-il en crispant ses mâchoires.

— Raison de plus pour les ignorer.

— Je ne *veux* pas les ignorer.

— C'est ce que tu crois ; en réalité, tu te trompes de cible. Ce n'est pas leur pognon que tu détestes, mais ton infortune. Il faut apprendre à mettre une cale à sa jalousie.

Il se remet en colère. D'un bond, il quitte le banc et vient se camper devant moi, le doigt aussi mortel qu'un flingue :

— Tes tirades, j'en ai rien à cirer. Je ne blaire pas ces bourgeois de mes deux, et c'est pas ta sagesse de vieillard émasculé qui va atténuer l'aversion que je leur voue. Ils se sont sucrés sur le dos du contribuable pendant que nous chantions *Qassaman* en paradant parmi les scouts. Aujourd'hui, ils se croient malins et tout permis ; je suis flic, et moi non plus, je ne vais pas me gêner. Le premier nabab qui me tombe entre les mains aura droit à son certificat d'inhumer avant même d'avoir le temps de relire sa déposition.

— Ces gens-là ignorent à quoi sert un flic. Pour eux, c'est juste un régulateur de la circulation, un ouistiti pour terroriser les garnements. Ne t'avise surtout pas de leur casser les pieds car ils te passeront sur le corps sans s'en apercevoir. Je ne dis pas ça pour te faire sortir de tes gonds. On n'est pas du même monde, c'est tout. Si je n'ai pas réussi ma carrière, ce n'est pas faute d'avoir essayé. Je ne dois m'en prendre qu'à moi-même. On vient au monde pauvre et nu. Puis chacun fait sa vie comme il peut. Ouvrir les yeux dans un taudis n'interdit pas de les refermer dans un palais. Naître au milieu d'armoiries n'exclut pas de crever sur un dépotoir. À chacun son destin. Traditionnellement, la fierté se veut légitime. Il serait juste que le profil bas le soit aussi. L'erreur, l'erreur fatale est d'essayer de faire porter aux autres le chapeau qu'on s'est taillé pour soi.

Le doigt de Lino vibre. Le visage torturé par un enchaînement de spasmes, il finit par cracher sur le côté, histoire de couper court au débat. En le voyant s'éloigner en titubant, je comprends qu'il est inutile de lui courir après.

Bliss vient voiler le flot de lumière qui se déverse dans mon bureau. Sa carrure de nabot est ridicule dans l'embrasure de la porte, mais elle suffit à interdire l'accès au jour. Les mains dans les poches, il pose une épaule sur la paroi, me considère un instant.

— Tu es sûr que ça va, Brahim ?

— J'ai l'air de me plaindre ?

— Je t'ai vu garer ta voiture tout à l'heure. Ta manœuvre laissait à désirer.

— J'avais la tête ailleurs, reconnais-je.

Il se donne un coup de reins pour se remettre droit puis, sans retirer ses mains, il hasarde un pas à l'intérieur de mon repaire. Bizarrement, il paraît embarrassé.

— J'ai jeté un coup d'œil sur le courrier, ce matin. Je suis membre de la commission de discipline chargée de traiter le dossier de ton lieutenant.

— N'est-ce pas ce que tu voulais ?

— Dis pas de conneries. Je suis très inquiet. Lino est dépressif. Il ne pourra pas faire face à cette épreuve supplémentaire. C'est comme si on mettait une grenade entre les pattes d'une chatte.

— Vous l'entendrez quand ?

— Début de la semaine prochaine.

— Effectivement, il n'aura pas repris ses esprits d'ici là.

Bliss est maintenant à un jet de crachat de mon bureau. Il feint de s'intéresser au portrait du Raïs accroché au mur. Mine de rien, il se laisse choir sur une chaise et croise les genoux.

— J'ai dit au patron que c'était pas le moment de bousculer Lino. Il est d'accord, sauf qu'il ne voit pas comment ajourner la tenue du conseil de discipline. Je lui ai proposé de renouveler la convalescence du mis en cause, histoire de lui lâcher du lest. Il a promis d'y réfléchir. Ça va être difficile, vu que le plaignant n'est pas n'importe qui. Je t'avais mis en garde. Ton protégé se frottait à un rhinocéros. Résultat, il s'est fait écrabouiller comme une crotte.

— Ce qui est fait est fait.

— Le problème est qu'on n'a encore rien vu.

— Où veux-tu en venir ?

— Moi, nulle part. Je me fais des cheveux pour Lino, c'est tout.

— Arrête, tu vas me fendre l'âme.

Bliss retire les mains de ses poches pour les hisser à hauteur de ses épaules.

— Je vois que tu es aussi borné que lui.

Il se lève.

— Est-ce qu'il t'arrive d'être courtois de temps en temps ?

— Jamais avec les nuques courtes.

Il tire les lèvres, hoche la tête et s'en va.

Je cours fermer la porte derrière lui.

À la cantine, je me rends compte que personne ne vient s'asseoir à ma table ; j'en déduis que la tête que j'affiche révulserait ma propre mère. Je ne touche pas à mon plateau et je décide d'aller changer d'air.

Et ce qui devait arriver arrive. Il est environ 22 heures lorsqu'on m'appelle du Central. Trente minutes plus tard, je débarque au 7, chemin des Lilas. La rue est à moitié plongée dans le noir. Une ambulance, deux fourgons et pas moins de sept voitures de police encombrent la rue. Les curieux, certains en robe de chambre, s'entassent sur les trottoirs et observent en silence le remue-ménage. Un cordon de sécurité a été déployé de part et d'autre de la chaussée. Des flics en civil s'agitent çà et là, en quête d'indices. Par terre, quatre cercles de craie situent l'emplacement de douilles. Agenouillé au pied d'un lampadaire éteint, un bout de branche à la main, Bliss remue consciencieusement une touffe d'herbes sauvages. Il fait signe à un photographe de s'approcher et l'invite à prendre quelques clichés d'une trace de semelle.

Serdj m'aperçoit ; il glisse son calepin dans la poche de sa veste et vient m'accueillir. Son pouce désigne la grosse cylindrée immobilisée devant le portail du palais, le pare-brise éclaté :

— On vient de descendre le chauffeur de Haj Thobane. Trois balles dans la tronche, et deux autres dans la nuque et dans l'épaule. L'agresseur se trouvait derrière l'arbuste. C'est probablement lui qui a bousillé les deux lampadaires pour profiter de l'obscurité.

— C'est arrivé quand ?

— Il y a quarante-cinq minutes environ. M. Thobane rentrait de son bureau.

— On a des témoins ?

— Pas pour l'instant.

— Vous avez interrogé les voisins ?

— C'est-à-dire qu'on vient à peine d'arriver. Si quelqu'un a vu quelque chose, sûr qu'il va se manifester.

— Pas toujours, Serdj, pas toujours. Souvent, on est obligé d'aller le chercher. Je veux que l'on entende tout le voisinage, sans exception.

— Ce sera fait, commissaire.

Je jette un coup d'œil à l'intérieur de la Mercedes. Le bonhomme se trouve sur le siège du mort, le buste penché par-dessus le levier de vitesse. Une bonne partie de son crâne a foutu le camp tandis que son sang inonde l'ensemble de son bras droit et la moitié de sa hanche. Les yeux et la bouche grands ouverts, il paraît ne pas comprendre ce qu'il lui est arrivé.

— Où est M. Thobane ?

— Dans sa villa, avec notre directeur et quelques autorités locales. La nouvelle s'est répandue très vite. On attend le ministre de l'Intérieur d'une minute à l'autre.

Bliss nous rejoint, une douille dans un petit sachet transparent.

usse impression, je ne suis pas sûr de grand-chose,
ais l'espace de quelques secondes, ça m'a bel et bien
aversé l'esprit.

Il se retourne d'un bloc vers le Sphinx, les yeux exor-
tés.

— On est dans quel pays, monsieur Hocine ?

— Nous sommes en Algérie, monsieur Thobane.

— Et depuis quand des armes à feu circulent-elles
us le manteau, chez nous ? À ma connaissance, hor-
s l'affaire Boulefred, qui a défrayé la chronique à la
 des années 1960, jamais on n'a surpris un seul voyou
ec un flingue sur lui. Dois-je comprendre que la
lombie a débarqué chez nous ?

— Il doit certainement y avoir une explication,
nsieur Thobane.

— Vous avez intérêt à me la fournir.

— Vous l'aurez, monsieur.

À cet instant, le ministre de l'Intérieur arrive, si
arçonné que son pied bute contre le tapis, et il
nque de le flanquer par terre.

— Je viens d'apprendre la terrible catastrophe, com-
nce-t-il, la gorge en feu. J'espère que vous n'êtes pas
ssé. Mon Dieu ! ce n'est pas possible. Qui oserait s'en
ndre à Haj Thobane ?

— C'est à vous de me le dire, Réda. À vous, et à per-
ne d'autre. Sinon, je vous fais la promesse qu'on
ntendra plus jamais parler de vous.

Le ministre est freiné net. Le ciel lui tombant sur la
 n'aurait pas occasionné autant de dégâts sur lui. Son
t vire au rouge, puis au gris avant de s'assombrir ; et
ompe d'Adam, après lui avoir raclé plusieurs fois le
ier, se fige au beau milieu de son cou. Un moment, le
ant vaciller, je m'attends à ce qu'il tombe dans les
mes.

— Beretta 9 mm, dit-il.

Je laisse mes hommes rassembler un maximum d'informations pour la suite de l'enquête et entre dans la
villa. M. Thobane est effondré sur son trône, blanc
comme un suaire. En état de choc, il tient un verre de
scotch dans sa main tremblante. Debout à côté de lui, le
dirlo est livide, lui aussi. Les bras croisés sur la poitrine,
il m'attend de pied ferme. Un peu à l'écart, le patron du
bureau Investigation Hocine el-Ouahch s'entretient
avec son secrétaire, Ghali Saad ; tous les deux ne savent
où donner de la tête.

— Ah ! te voilà enfin, m'apostrophe le dirlo. Ça fait
une éternité que je cherche à te joindre.

C'est dans sa nature. À chaque fois qu'il est dépassé
par les événements, il se rabat sur un subalterne. Je
garde mon calme et lui demande des explications.

— On a tiré sur le chauffeur de M. Thobane.

L'abruti !

— C'est M. Thobane qu'on visait, précise Ghali Saad.

Haj Thobane sursaute, comme dégrisé par la remarque
du secrétaire. Il ne se rend pas compte qu'il a renversé
la moitié de son verre de scotch sur son costume.

Ghali Saad se détache de son patron pour venir poser
une main solidaire sur l'épaule du miraculé.

— Puis-je savoir ce qui vous fait supposer ça, monsieur Saad ?

— Ce n'est pas une supposition, commissaire. C'est
l'évidence même.

— C'est exact, confirme le nabab. Maintenant que j'y
pense, c'est bien moi qui devrais être couché sur la
civière à l'heure qu'il est. D'habitude, je ne conduis pas.
Au sous-sol de mes bureaux, nous avons trouvé la voiture avec un pneu à plat. Le malheureux Larbi s'est
esquinté le poignet en changeant la roue et c'est moi qui

ai pris le volant. Le tueur voulait me descendre. Il a tiré sur mon chauffeur par méprise.

— Il était comment ?

— M. Thobane n'a pas encore repris ses esprits, me tance le dirlo.

— Je suis parfaitement lucide, s'insurge le nabab. Ce n'est pas un vulgaire salopard qui va me faire perdre les pédales.

— Ce n'est pas ce que je voulais dire, monsieur Thobane.

— Alors, bouclez-la. Vous semblez oublier que je viens d'échapper à un attentat. Quelqu'un veut ma peau. Vous rendez-vous compte ?

— Tout à fait, monsieur.

— C'est ce que vous croyez.

Haj Thobane retrousse les lèvres sur une grimace vorace, comme s'il allait bouffer cru le dirlo. Ce dernier rentre le cou, ne sachant où se mettre à l'abri. En face de lui, Hocine le Sphinx, de la main, lui enjoint de rester tranquille.

Le nabab découvre avec horreur la main de Ghali Saad sur son épaule.

— Retire ta patte, toi. Ce n'est pas parce qu'un fumier de connard a osé se frotter à moi que tout le monde doit me prendre pour un torchon.

Ghali récupère sa main et retourne auprès de son patron.

— De toutes les façons, connard ou pas, il est foutu, grogne le nabab. Il se cacherait en enfer que je le dénicherais. Où c'qu'il est cet enfoiré de ministre ? hurle-t-il en lançant son verre contre le mur. Sa mère n'a pas encore accouché de lui ou quoi ?

— Il est en route, bredouille Ghali Saad, conciliant. Il ne va pas tarder à se manifester.

— Je veux qu'on mette toutes les polic[e] de ce salaud. Je veux sa peau avant le lever

— J'en fais une affaire personnelle, mo[n] l'assure le Sphinx. Votre agresseur sera heures qui viennent, vous pouvez compte[r]

Une porte s'ouvre au premier. Nedjma du milliardaire, sort sur le palier. Elle [porte] une robe en soie rouge sang, qui met [en évi]dence le galbe parfait de son corps de si[...] qu'elle nous jette nous effleure à peine sur un nuage tant elle donne l'impression

— Elle était avec vous ? je lui deman[de]

Haj Thobane n'apprécie pas le spe[ctacle que] offre sa belle. Il la toise ; elle temporise avant de se retirer dans sa chambre.

— J'étais seul avec mon chauffeu[r] où je m'apprêtais à franchir le portail [l']énergumène a bondi de derrière l'ar[bre et a com]mencé à vider son flingue sur Larbi. J'a[i vu] exploser en premier. Au début, j'ai pe[nsé à] quelque chose ou un ivrogne. Il faisait n[oir,] a dû être saboté. Ma rue est toujours é[clairée,] jamais de coupure d'électricité par ici ; nellement. Ce n'est que lorsque la tê[te de Larbi s'est] affaissée contre mon épaule que j'ai ré[alisé qu'on venait] de nous canarder. En le relevant, j'ai c[ompris que je] ne pouvais plus rien pour lui. Cet enfant d[e...] laissé aucune chance.

— Est-ce que vous pouvez nous déc[rire...]

— Ça s'est passé si vite. Je suis incap[able de dire] s'il était grand ou petit. J'ai à peine en[trevu...] dans l'éclair des coups de feu. J'ai t[...] visage. Il s'est retourné pour s'enfuir [et j'ai pu] distinguer son profil. Sa tête était ron[de...] s'il portait un bas ou une cagoule. C'[...]

Écœuré par la servilité des uns et l'inconsistance des autres, je me hâte de rejoindre mes hommes dans la rue.

Quand je rentre chez moi, tard dans la nuit, Mina m'attend dans le salon, les yeux bouffis. Le manque de sommeil ajouté aux corvées ménagères sont en passe de l'esquinter pour de bon. Mais elle est soulagée de me voir sain et sauf.

— C'est vrai qu'on a tiré sur un ministre ?

— Tu sais l'heure qu'il est ? Pourquoi tu n'es pas au lit ?

— On a parlé de l'attentat à la radio. Même le speaker avait la tremblote. Qu'est-ce que c'est que cette histoire ? Depuis Khémisti, on n'a jamais ciblé un ministre, chez nous.

— C'est beaucoup plus qu'un ministre. Il s'agit quasiment d'une divinité. Il n'est pas mort, c'est son chauffeur qui a été descendu.

Mina se frappe sur la poitrine, effarée.

— Mon Dieu ! Si, en plus des misères qui prolifèrent à toute vitesse, on s'amuse à tirer sur les gens...

— Ce n'est pas la fin du monde, Mina. Maintenant, tu regagnes ton lit et tu te tais. J'ai la tête qui menace d'exploser.

Mina comprend que je ne suis pas d'humeur. Elle se lève en chavirant.

— Je vais réchauffer ton dîner.

— Pas la peine. J'ai seulement envie de prendre un bain.

— Le quartier n'a pas été ravitaillé en eau, cette nuit.

— Encore !

Mina écarte les bras.

J'accroche ma veste au portemanteau, histoire de garder mon sang-froid. Une fois dans mon lit, je fais le vide dans ma tête et tente de récapituler mentalement ce qui s'est passé ce soir. Au bout de quelques pièces, le puzzle commence à me peser. Trop éprouvé par les heures supplémentaires, je passe les mains sa ma nuque et ferme les yeux. Mina remue à côté de moi, arrachant sans arrêt des grincements étouffés à notre vieux plumard ; je sais qu'elle ne s'endormira pas avant moi.

À 6 heures du matin, je suis debout ; pas tout à fait remis de mes insomnies, mais décidé à rentabiliser au maximum ma journée. Après un petit déjeuner bien sucré, je commence d'abord par me rendre au 7, chemin des Lilas. Je tiens à revisiter les lieux de l'attentat à tête reposée, peut-être que la lumière du jour me livrera ce que la noirceur de la nuit m'a caché. J'ai remarqué la veille deux voisins, un jeune homme et une vieille dame, qui n'arrêtaient pas de se lancer des regards appuyés à chaque fois qu'un flic rôdait autour d'eux. À mon avis, ils ont sûrement remarqué quelque chose.

Le jour s'annonce éclatant. Pas un foutu nuage ne fausse la limpidité du ciel. Derrière la colline, le soleil promet de se surpasser. C'est vendredi, et les rues, en ce week-end musulman, sont désertes. Le bruit de ma Zastava ricoche pompeusement sur les immeubles, remplissant le silence matinal d'une certaine vaillance que je ne suis pas près de cautionner. Je traverse plusieurs quartiers sans déceler âme qui vive. Même les feux clignotent à l'orange. J'atteins Hydra en moins de vingt minutes, sans un regard pour les villas cossues qui dégagent un sentiment d'extrême béatitude. Ici, les gens ne baisent pas, ils se font plaisir. Ils sont ce que la bourgeoisie algéroise a réussi de mieux, à l'ombre du mimosa et des impunités. Pour un bon croyant dans mon genre, traverser ces espaces, c'est se faire une idée de l'éden qui l'attend post mortem. Je me surprends à promettre de rester honnête, de m'acquitter de mes cinq prières

— Beretta 9 mm, dit-il.

Je laisse mes hommes rassembler un maximum d'informations pour la suite de l'enquête et entre dans la villa. M. Thobane est effondré sur son trône, blanc comme un suaire. En état de choc, il tient un verre de scotch dans sa main tremblante. Debout à côté de lui, le dirlo est livide, lui aussi. Les bras croisés sur la poitrine, il m'attend de pied ferme. Un peu à l'écart, le patron du bureau Investigation Hocine el-Ouahch s'entretient avec son secrétaire, Ghali Saad ; tous les deux ne savent où donner de la tête.

— Ah ! te voilà enfin, m'apostrophe le dirlo. Ça fait une éternité que je cherche à te joindre.

C'est dans sa nature. À chaque fois qu'il est dépassé par les événements, il se rabat sur un subalterne. Je garde mon calme et lui demande des explications.

— On a tiré sur le chauffeur de M. Thobane.

L'abruti !

— C'est M. Thobane qu'on visait, précise Ghali Saad.

Haj Thobane sursaute, comme dégrisé par la remarque du secrétaire. Il ne se rend pas compte qu'il a renversé la moitié de son verre de scotch sur son costume.

Ghali Saad se détache de son patron pour venir poser une main solidaire sur l'épaule du miraculé.

— Puis-je savoir ce qui vous fait supposer ça, monsieur Saad ?

— Ce n'est pas une supposition, commissaire. C'est l'évidence même.

— C'est exact, confirme le nabab. Maintenant que j'y pense, c'est bien moi qui devrais être couché sur la civière à l'heure qu'il est. D'habitude, je ne conduis pas. Au sous-sol de mes bureaux, nous avons trouvé la voiture avec un pneu à plat. Le malheureux Larbi s'est esquinté le poignet en changeant la roue et c'est moi qui ai pris le volant. Le tueur voulait me descendre. Il a tiré sur mon chauffeur par méprise.

— Il était comment ?

— M. Thobane n'a pas encore repris ses esprits, me tance le dirlo.

— Je suis parfaitement lucide, s'insurge le nabab. Ce n'est pas un vulgaire salopard qui va me faire perdre les pédales.

— Ce n'est pas ce que je voulais dire, monsieur Thobane.

— Alors, bouclez-la. Vous semblez oublier que je viens d'échapper à un attentat. Quelqu'un veut ma peau. Vous rendez-vous compte ?

— Tout à fait, monsieur.

— C'est ce que vous croyez.

Haj Thobane retrousse les lèvres sur une grimace vorace, comme s'il allait bouffer cru le dirlo. Ce dernier rentre le cou, ne sachant où se mettre à l'abri. En face de lui, Hocine le Sphinx, de la main, lui enjoint de rester tranquille.

Le nabab découvre avec horreur la main de Ghali Saad sur son épaule.

— Retire ta patte, toi. Ce n'est pas parce qu'un fumier de connard a osé se frotter à moi que tout le monde doit me prendre pour un torchon.

Ghali récupère sa main et retourne auprès de son patron.

— De toutes les façons, connard ou pas, il est foutu, grogne le nabab. Il se cacherait en enfer que je le dénicherais. Où c'qu'il est cet enfoiré de ministre ? hurle-t-il en lançant son verre contre le mur. Sa mère n'a pas encore accouché de lui ou quoi ?

— Il est en route, bredouille Ghali Saad, conciliant. Il ne va pas tarder à se manifester.

— Je veux qu'on mette toutes les polices aux trousses de ce salaud. Je veux sa peau avant le lever du jour.

— J'en fais une affaire personnelle, monsieur Thobane, l'assure le Sphinx. Votre agresseur sera arrêté dans les heures qui viennent, vous pouvez compter sur moi.

Une porte s'ouvre au premier. Nedjma, la petite amie du milliardaire, sort sur le palier. Elle est drapée dans une robe en soie rouge sang, qui met fortement en évidence le galbe parfait de son corps de sirène. Le regard qu'elle nous jette nous effleure à peine. On la croirait sur un nuage tant elle donne l'impression de flotter.

— Elle était avec vous ? je lui demande.

Haj Thobane n'apprécie pas le spectacle que nous offre sa belle. Il la toise ; elle temporise ostensiblement avant de se retirer dans sa chambre.

— J'étais seul avec mon chauffeur. Au moment où je m'apprêtais à franchir le portail de ma maison, un énergumène a bondi de derrière l'arbuste et a commencé à vider son flingue sur Larbi. J'ai vu le pare-brise exploser en premier. Au début, j'ai pensé avoir heurté quelque chose ou un ivrogne. Il faisait noir. Le réverbère a dû être saboté. Ma rue est toujours éclairée et il n'y a jamais de coupure d'électricité par ici ; j'y veille personnellement. Ce n'est que lorsque la tête de Larbi s'est affaissée contre mon épaule que j'ai réalisé qu'on venait de nous canarder. En le relevant, j'ai constaté que je ne pouvais plus rien pour lui. Cet enfant de pute ne lui avait laissé aucune chance.

— Est-ce que vous pouvez nous décrire l'agresseur ?

— Ça s'est passé si vite. Je suis incapable de vous dire s'il était grand ou petit. J'ai à peine entrevu une ombre dans l'éclair des coups de feu. J'ai tenté de voir son visage. Il s'est retourné pour s'enfuir et je n'ai pas pu distinguer son profil. Sa tête était ronde et lisse comme s'il portait un bas ou une cagoule. C'est peut-être une fausse impression, je ne suis pas sûr de grand-chose, mais l'espace de quelques secondes, ça m'a bel et bien traversé l'esprit.

Il se retourne d'un bloc vers le Sphinx, les yeux exorbités.

— On est dans quel pays, monsieur Hocine ?

— Nous sommes en Algérie, monsieur Thobane.

— Et depuis quand des armes à feu circulent-elles sous le manteau, chez nous ? À ma connaissance, hormis l'affaire Boulefred, qui a défrayé la chronique à la fin des années 1960, jamais on n'a surpris un seul voyou avec un flingue sur lui. Dois-je comprendre que la Colombie a débarqué chez nous ?

— Il doit certainement y avoir une explication, monsieur Thobane.

— Vous avez intérêt à me la fournir.

— Vous l'aurez, monsieur.

À cet instant, le ministre de l'Intérieur arrive, si désarçonné que son pied bute contre le tapis, et il manque de le flanquer par terre.

— Je viens d'apprendre la terrible catastrophe, commence-t-il, la gorge en feu. J'espère que vous n'êtes pas blessé. Mon Dieu ! ce n'est pas possible. Qui oserait s'en prendre à Haj Thobane ?

— C'est à vous de me le dire, Réda. À vous, et à personne d'autre. Sinon, je vous fais la promesse qu'on n'entendra plus jamais parler de vous.

Le ministre est freiné net. Le ciel lui tombant sur la tête n'aurait pas occasionné autant de dégâts sur lui. Son teint vire au rouge, puis au gris avant de s'assombrir ; et sa pompe d'Adam, après lui avoir raclé plusieurs fois le gosier, se fige au beau milieu de son cou. Un moment, le voyant vaciller, je m'attends à ce qu'il tombe dans les pommes.

Écœuré par la servilité des uns et l'inconsistance des autres, je me hâte de rejoindre mes hommes dans la rue.

Quand je rentre chez moi, tard dans la nuit, Mina m'attend dans le salon, les yeux bouffis. Le manque de sommeil ajouté aux corvées ménagères sont en passe de l'esquinter pour de bon. Mais elle est soulagée de me voir sain et sauf.

— C'est vrai qu'on a tiré sur un ministre ?

— Tu sais l'heure qu'il est ? Pourquoi tu n'es pas au lit ?

— On a parlé de l'attentat à la radio. Même le speaker avait la tremblote. Qu'est-ce que c'est que cette histoire ? Depuis Khémisti, on n'a jamais ciblé un ministre, chez nous.

— C'est beaucoup plus qu'un ministre. Il s'agit quasiment d'une divinité. Il n'est pas mort, c'est son chauffeur qui a été descendu.

Mina se frappe sur la poitrine, effarée.

— Mon Dieu ! Si, en plus des misères qui prolifèrent à toute vitesse, on s'amuse à tirer sur les gens...

— Ce n'est pas la fin du monde, Mina. Maintenant, tu regagnes ton lit et tu te tais. J'ai la tête qui menace d'exploser.

Mina comprend que je ne suis pas d'humeur. Elle se lève en chavirant.

— Je vais réchauffer ton dîner.

— Pas la peine. J'ai seulement envie de prendre un bain.

— Le quartier n'a pas été ravitaillé en eau, cette nuit.

— Encore !

Mina écarte les bras.

J'accroche ma veste au portemanteau, histoire de garder mon sang-froid. Une fois dans mon lit, je fais le vide dans ma tête et tente de récapituler mentalement ce qui s'est passé ce soir. Au bout de quelques pièces, le puzzle commence à me peser. Trop éprouvé par les heures supplémentaires, je passe les mains sa ma nuque et ferme les yeux. Mina remue à côté de moi, arrachant sans arrêt des grincements étouffés à notre vieux plumard ; je sais qu'elle ne s'endormira pas avant moi.

À 6 heures du matin, je suis debout ; pas tout à fait remis de mes insomnies, mais décidé à rentabiliser au maximum ma journée. Après un petit déjeuner bien sucré, je commence d'abord par me rendre au 7, chemin des Lilas. Je tiens à revisiter les lieux de l'attentat à tête reposée, peut-être que la lumière du jour me livrera ce que la noirceur de la nuit m'a caché. J'ai remarqué la veille deux voisins, un jeune homme et une vieille dame, qui n'arrêtaient pas de se lancer des regards appuyés à chaque fois qu'un flic rôdait autour d'eux. À mon avis, ils ont sûrement remarqué quelque chose.

Le jour s'annonce éclatant. Pas un foutu nuage ne fausse la limpidité du ciel. Derrière la colline, le soleil promet de se surpasser. C'est vendredi, et les rues, en ce week-end musulman, sont désertes. Le bruit de ma Zastava ricoche pompeusement sur les immeubles, remplissant le silence matinal d'une certaine vaillance que je ne suis pas près de cautionner. Je traverse plusieurs quartiers sans déceler âme qui vive. Même les feux clignotent à l'orange. J'atteins Hydra en moins de vingt minutes, sans un regard pour les villas cossues qui dégagent un sentiment d'extrême béatitude. Ici, les gens ne baisent pas, ils se font plaisir. Ils sont ce que la bourgeoisie algéroise a réussi de mieux, à l'ombre du mimosa et des impunités. Pour un bon croyant dans mon genre, traverser ces espaces, c'est se faire une idée de l'éden qui l'attend post mortem. Je me surprends à promettre de rester honnête, de m'acquitter de mes cinq prières quotidiennes à temps, de ne jamais médire de mon prochain, etc.

Le chemin des Lilas cloue illico presto mes rêveries au poteau. Je n'inspecterai pas les lieux du crime à tête reposée ; il y a un monde fou autour du 7, foulant aux pieds le théâtre du drame, compromettant mes chances de tomber sur un indice intact. Les deux fourgons de la veille sont encore là. D'autres voitures ont rappliqué ; certaines, grandes comme des paquebots, encombrent les trottoirs. Un flic en civil me somme de rebrousser chemin. Je me présente ; rien à faire, il n'y a pas un mouchoir où caser mon tacot. Je décide d'abandonner ma Zastava n'importe comment et de continuer à pied.

C'est le commissaire Dine, de l'Observatoire des bureaux de sécurité – l'équivalent du FBI aux États-Unis – qui m'intercepte. Il était en train de siroter un gobelet de café dans sa voiture lorsqu'il m'a repéré. Il ouvre la portière et me fait signe d'approcher. Je constate qu'il a pris du ventre et que son costume est d'une touche plus sophistiquée que celle que je lui connaissais ; j'en déduis que ses nouveaux galons commencent à porter leurs fruits.

— Qu'est-ce que tu cherches par ici ? me lance-t-il en s'extirpant de son siège.

— J'ai perdu le moral dans le coin, hier soir. Je suis revenu voir s'il y avait moyen d'en retrouver quelques miettes.

Il éclate de son rire de gros farceur et m'engloutit dans ses bras.

— C'est toujours un plaisir de te revoir, Brahim. J'ai croisé ton inspecteur Serdj tout à l'heure et je lui ai demandé de tes nouvelles. Il m'a dit que tu étais rentré chez toi cinq minutes avant que je débarque.

— Tu es là depuis 4 heures du matin ?

— Tout le monde est là depuis la nuit des temps.

C'est Haj Thobane qui a été ciblé, mon gars. Quand on s'attaque à des manitous de son envergure, c'est l'alerte totale au pays. Le ministre vient juste de se tailler. Il a dirigé en personne la mise en place du dispositif. Tous les services sont sur le pied de guerre, et les patrouilles passent la ville au peigne fin. Tout à fait entre nous, c'est un excellent exercice. Depuis le temps qu'on se tourne les pouces, y a pas mieux qu'une grosse frayeur pour nous secouer. Comment tu vas, toi ?

— Au point où vont les choses.

Il m'attrape par le coude et me traîne loin des oreilles indiscrètes.

— C'est quoi, cette histoire, Brahim ?

— Sais pas.

— C'est la première fois qu'une divinité nationale est agressée de la sorte.

— Il y a un début à tout. Puisque l'OBS est sollicité, je présume que l'enquête ne relève plus des compétences du Central.

— Tu crois que Haj Thobane va confier cette affaire au menu fretin ? Non seulement l'OBS est mobilisé mais, pour faire bon poids, le patron de l'Investigation se trouve à l'intérieur de la villa, à lécher les bottes au *zaïm*. Je l'ai vu sortir sermonner ses hommes, il y a une heure ; je ne te raconte pas. Il est en train de passer le plus mauvais quart d'heure de sa putain de carrière.

— Je suppose, au vu de l'armada engagée, que les choses avancent un peu.

— Ce n'est pas encore confirmé, mais il paraîtrait qu'un suspect est sur le point d'être interpellé. Les gars de l'Investigation ont trouvé un bas de femme, pas très loin d'ici. On suppose que c'est le masque que l'assassin portait lors de l'agression. Les douilles récupérées sur les lieux proviennent d'un Beretta 9 mm, identique à celui qu'utilise la police.

— Mes hommes sont toujours là ?

— Ils ont été remerciés. Il s'agit d'une affaire d'État. On n'a pas encore reçu des instructions claires, mais, de toute évidence, c'est l'OBS qui va agir avec les moyens techniques du bureau Investigation.

— Je présume que je ne dois pas traîner par ici trop longtemps.

— Tu n'y es plus obligé.

— Quelle chance ! dis-je, dépité. Je vais pouvoir faire ma prière à la mosquée, cet après-midi.

— Tu vas pouvoir tout aussi bien faire dodo autant que tu voudras.

L'ambiance qui règne au Central est aux antipodes de l'agitation sévissant chemin des Lilas. Un calme déplaisant écrase le bâtiment. Le policier en faction, à l'entrée de l'établissement, a préféré renouer les lacets de ses chaussures plutôt que me saluer. Dans le couloir, aucun va-et-vient ; c'est certes vendredi, mais il ne faut pas abuser. Le bruit de mes pas retentit à travers les corridors comme de lointains coups de feu. Je me demande si on n'a pas évacué les lieux suite à une alerte de contamination.

Je pousse la première porte qui se présente. Les sous-fifres sont toujours là, à glander derrière leurs machines à écrire.

— Ça va ?

— Ben, pourquoi ça n'irait pas, commissaire ? me rétorque-t-on.

Ah bon ! Je referme la porte et me dirige vers mes quartiers, un peu moins stressé.

Baya étant en congé, c'est un jeune stagiaire qui la remplace. Comme il a beaucoup d'ambition, il travaille d'arrache-pied aux mots croisés que lui propose le journal. En me voyant surgir devant lui, il se décomprime tel

La part du mort

un ressort et manque de renverser les étagères derrière lui.

— Mollo, fiston. Tu n'es pas tout à fait arrivé chez nous, et notre budget ne suffit plus à nous garantir le café du matin.

— Je suis désolé, commissaire.

Constatant qu'il est à deux doigts de tourner de l'œil, je lui expédie un sourire censé l'éveiller à lui-même et change de sujet :

— Quelqu'un a téléphoné ?

— Personne, monsieur... L'inspecteur du troisième est venu chercher après vous.

Je le plante là et passe dans mon bureau.

Je n'ai pas le temps de tripoter mes tiroirs que le directeur m'appelle. Je n'ai pas reconnu sa voix. « Monte vite », qu'il a haleté. Il s'y est pris à trois reprises pour raccrocher.

Je le retrouve derrière son tableau de bord, en chemise, les manches par-dessus les coudes, la cravate défaite et la tête dans les mains. Il lui est souvent arrivé de passer des nuits blanches au bureau sans perdre le nord. Ce matin, il paraît absolument perdu. Ses mains fourragent dans ses cheveux, nerveuses, accrocheuses, comme si elles cherchaient à faire table rase de son cuir chevelu. À l'autre bout de la pièce, debout contre la porte-fenêtre, les doigts enchevêtrés dans le dos, Bliss observe la ville. Sa raideur me hérisse la nuque.

— Monsieur le directeur, dis-je.

Le patron semble entendre des voix. Il lève la tête, regarde autour de lui, hébété, puis m'entrevoit à travers un brouillard. Il met du temps pour me reconnaître, remue lourdement.

Ses bras s'affaissent et son menton retombe sur le combiné du téléphone.

— Vous êtes souffrant, monsieur le directeur ?

— Et comment ! grommelle Bliss sans se retourner.

— Peut-on éclairer ma lanterne ?

— Tu n'as qu'à le faire toi-même, Brahim Llob. Car il y a le feu à la maison, un feu qui risque de sinistrer tout ce que nous avons mis de côté depuis des années, et nos beaux projets avec.

Le directeur consent enfin à se ressaisir. Il commence par s'éponger dans sa cravate, respire un bon coup et m'invite à m'asseoir.

— Il est arrivé une chose terrible, Brahim, m'annonce-t-il d'une voix déchiquetée. Terrible, terrible, terrible. Le pire est que ça tombe sur moi. Qu'ai-je fait au bon Dieu pour mériter ça, à mon âge, après une carrière exemplaire ?

Bliss comprend que le patron n'est pas près de cracher le morceau. Il pivote sur les talons et s'approche.

— Un suspect vient d'être arrêté. Il se trouve que c'est un officier du Central.

— Non, fais-je, pris de panique.

— Si... les gars de l'Investigation l'ont coffré, il y a une heure.

— Ce n'est pas possible, il y a sûrement un malentendu. Lino ne ferait jamais une chose pareille ?

— Tu vois ? gémit le directeur. Même toi, tu ne l'as pas épargné. Il a suffi de parler d'un officier de police pour que tu mettes aussitôt un nom dessus. Depuis tout à l'heure, j'essaie de me persuader qu'il s'agit d'un malentendu, que jamais l'un de mes hommes n'oserait traîner l'institution dans la boue de cette façon... et pourtant, et pourtant, monsieur le commissaire, c'est bien le lieutenant Lino, de la section criminelle, qu'on vient d'écrouer. Il est soupçonné d'avoir attenté à la vie de Haj Thobane et assassiné son chauffeur.

Je n'entends presque plus les gémissements du directeur, n'arrive même pas à contenir les vibrations en train de s'en prendre à mes doigts, mes joues, mes entrailles, mon dos. L'espace d'une fraction de seconde, la nuit s'engouffre dans la pièce avant de s'ancrer en moi. La gorge asséchée, les tempes bourdonnantes, je réalise que je suffoque.

Bliss me considère avec mépris.

J'ai l'impression d'avoir rétréci à ses pieds.

13.

Le lendemain, je demande à voir Hocine le Sphinx ; la permanence du bureau Investigation m'apprend qu'il est en rendez-vous à l'extérieur. Je me rabats sur son secrétaire, Ghali Saad ; ce dernier hésite un instant avant de m'inviter à passer dans son cabinet à l'heure qui me conviendra. J'opte pour les alentours de midi. J'ai besoin de savoir l'ensemble du personnel à la cantine pour pouvoir m'entretenir avec Ghali sans que l'on vienne nous déranger.

À 12 h 10, pas un casse-pieds dans les couloirs, pas un traînard dans les bureaux. J'arrive devant la porte du secrétariat, cogne dessus ; on ne me répond pas. Je patiente trente secondes et recommence ; rien. Pourtant, les gars à l'accueil m'ont certifié que M. Saad n'avait pas quitté l'établissement. D'ailleurs, lorsque Hocine El-Ouahch est absent, il est interdit à son secrétaire particulier de se dégourdir les jambes sur le palier. Ne voyant rien venir, je décide d'y aller moi-même. Je tourne la poignée, jette un coup d'œil dans la pièce ; personne. Au moment où je m'apprête à me retirer, un cri guttural fuse derrière une porte dérobée que je pousse lentement. Je vois d'abord une jupe et une culotte dentelée par terre, ensuite une fille à moitié nue couchée à plat ventre sur un bureau, les fesses généreusement écartées tandis que, le phallus érigé en thermomètre, Ghali Saad est en train de lui prendre la température.

Assommé par le spectacle qui vient de foutre en l'air mes ablutions, je me dépêche de retourner dans le couloir et d'attendre qu'on me siffle.

Cinq minutes plus tard, la fille sort du cabinet et disparaît par un couloir. Je juge sage de patienter encore cinq minutes avant de m'annoncer.

Retapé par l'exercice physique auquel il s'est adonné, Ghali me reçoit avec une certaine condescendance.

— Je suis navré pour le Central, dit-il. Cette histoire va longtemps nuire à sa réputation. Des têtes vont sauter, c'est certain ; et c'est qu'un début... On m'apprend que votre directeur se fait perfuser à tout bout de champ depuis qu'on a arrêté le lieutenant. J'ai de la peine pour lui. C'est un gentil garçon, il ne mérite vraiment pas ça.

— Il s'agit d'un regrettable malentendu.

— Ce n'est pas l'avis général.

— C'est du n'importe quoi.

— Fais gaffe, Brahim, l'affaire est menée par nos meilleurs limiers.

— Ça n'a pas de sens.

Ghali me demande de garder mon calme avant de s'asseoir sur le coin de son bureau. Il étire les lèvres, balance le menton un moment pour réfléchir et dit :

— Je ne te cache pas qu'il a été suspecté dès le début.

— Ah oui ?

— L'ensemble des pistes conduit à lui. Ton lieutenant est un mauvais perdant. Il ne s'est pas remis de l'échec amoureux qu'il a essuyé avec Nedjma, la petite amie de Thobane. Tous les témoignages concordent, convergent sur lui et le chargent. Au Sultanat bleu déjà, il a sorti son arme et menacé le personnel du restaurant ainsi que la clientèle. Suite à cet incident scandaleux, il est allé se soûler la gueule pour terminer à l'hôpital. Visiblement, la cure de désintoxication n'a rien donné. À peine sur ses pattes, notre bonhomme se rue sur les tripots. Quand il ne déclenche pas la bagarre, il se fait ramasser comme un clochard dans le caniveau. Les différents rapports qui nous sont parvenus le présentent comme quelqu'un de dépressif et d'imprévisible.

— C'était juste de la colère, une déception mal digérée. Je le connais, c'est une grande gueule, pas plus. Il crie fort parce qu'il ne peut pas aller là où portent ses cris. Et puis, ce n'est pas un voyou...

— Il n'en était pas loin, en tous les cas. À mon avis, il était bien remonté contre Thobane. Ça le travaillait sans arrêt, et ses soûleries trahissaient ses intentions. Il allait finir par gaffer, c'était évident.

— Ne l'enterre pas tout de suite, veux-tu ? À t'entendre, on n'a même pas besoin de procès pour le passer par les armes.

Il se lève, pour me signifier qu'il m'a accordé plus de temps qu'il n'en fallait. Je refuse de baisser les bras :

— Il faut que je m'entretienne avec lui. Où est-il ? Où l'a-t-on enfermé ?

— Je crains que ça ne soit impossible, Brahim. Le lieutenant est entendu au plus haut niveau de la hiérarchie.

— Je ne les laisserai pas le bousiller. Il y a un malentendu. C'est vrai que la façon dont ça se présente ne l'avantage pas, mais Haj Thobane a d'autres ennemis.

— Absolument d'accord, sauf qu'aucun d'eux n'a laissé traîner ses empreintes derrière lui. Ton lieutenant, si.

Je fronce les sourcils.

— C'est-à-dire ?

Ghali me prend par l'épaule et me pousse gentiment vers la porte.

— Sur les cinq douilles récupérées sur les lieux, trois

étaient inexploitables pour différentes raisons, mais deux étaient intactes. On a relevé les empreintes digitales du lieutenant Lino dessus.

Encore une fois, en l'espace de vingt-quatre heures, j'ai le sentiment que le ciel – tout le ciel, avec ses orages, ses prières, ses comètes et ses sondes spatiales – me tombe sur la tête.

Je range ma caisse dans un coin et pars prendre un bain de foule, place des Trois-Horloges. Il fait un temps sympa et les gens assiègent les cafés. Je me suis souvent demandé à quoi ressemblerait le pays si, sur un coup de tête, une fatwa ou un décret présidentiel décidait de mettre les cafés sous scellés. Il fut un temps où l'on rencontrait, par-ci, par-là, des cinoches, un théâtre, un attroupement autour d'un charlatan ou d'un saltimbanque ; ce n'était pas forcément la joie, mais c'était bien. On pouvait glaner une boutade, un petit quart d'heure de détachement et le soir, en regagnant le taudis, on n'avait pas l'impression de rentrer bredouille. Aujourd'hui, à part le café où l'on se regarde en chiens de faïence faute de se regarder en face, c'est partout le même sentiment de nullité qui vous traque. Vous avez beau rectifier vos grimaces au gré des vitrines, beau essayer de croire que ce ne sont pas les mêmes gueules qui défilent sous vos yeux, pas moyen de vous défaire de votre déplaisir. Vous marchez dans la ville et la ville se dérobe autour de vous pour mieux vous isoler ; vous êtes aussi seul dans la foule qu'un moucheron crevé au fond d'une fourmilière.

Incapable de surmonter le désarroi qui me colle aux trousses, je me surprends à rouler à tombeau ouvert le long de la Moutonnière. Je ne me rappelle pas comment j'ai réussi à échapper au tohu-bohu de Bab El Oued ni comment je suis parvenu à m'arracher à la circulation frénétique des heures de pointe. À Alger, à 9 heures du matin, c'est déjà l'heure de pointe. À croire que tout le monde travaille dans sa voiture tant la ville vibre sans répit à coups de klaxon et d'échauffourée.

La vitre baissée m'envoie des rafales de vent sur la figure, m'éveillant progressivement à moi-même. Je commence d'abord par relever mes coordonnées. J'arrive de l'est, comme si je revenais de l'aéroport. Où étais-je passé ? Je n'en sais fichtre rien. La mer est calme et, vautrée sur sa baie, Alger boude ses misères. Je profite d'un ralentissement général pour me déporter sur le bas-côté, trouve un endroit où me garer, descends m'étirer au soleil puis, les souliers à la main, je marche sur le sable humide de la plage en faisant attention à ne pas me couper la plante des pieds sur un tesson. Quelques jeunes désœuvrés essaiment par endroits, les uns volubiles, les autres méditatifs. Le relent des boulevards leur viciant l'esprit, ils viennent par ici cuver leurs aigreurs. À l'ombre d'une épave, deux mômes, à peine plus hauts que leurs hoquets, reniflent toutes sortes de saloperies pour tenir le coup. Déchards à douze ans, ils n'espèrent plus rien de la vie ni des marchands de sable. Comme aucun panier à salade ne s'aventure dans le coin, ils passent leur temps à snifer de la colle et à s'empoisonner de breuvages impensables dans l'espoir d'accélérer l'usure des ultimes amarres qui les empêchent de rejoindre définitivement le nirvana.

Je prends place sur une dune, allume une cigarette et regarde le large. Au loin, des bateaux attendent sagement que le gros poisson prenne leurs ancres pour des hameçons. Des mouettes volettent par-dessus les vagues, semblables à une multitude de grimaces. Je me renverse sur le coude et me laisse aller au gré de mon chagrin.

Le dirlo ne paie toujours pas de mine. Un saule pleureur aurait plus d'allure. Effondré derrière son bureau, des paquets de médicaments à portée de main, il trahit des fuites à tous les niveaux. Il s'est remis à fumer. D'habitude, le temps d'un relâchement postdigestif, il s'offrait occasionnellement de gros cigares, de préférence des havanes pour se conformer à son statut de rentier de la république. Ce soir, il tète des brunes de terrassier. Probablement pour s'initier aux temps difficiles qui se silhouettent à l'horizon. Il se voit déjà limogé, les vannes fermées et ses cartes de crédit confisquées. Difficile de marcher sur terre lorsqu'on a passé sa vie à plastronner sur un nuage. J'ai presque pitié de lui.

En Algérie, quand la trappe s'ouvre sous votre empire, les abysses ne suffisent pas à votre nuit. Le dirlo le sait. Il a vu des collègues dégringoler les échelles, finir en loques cacochymes après tant de privilèges. À son tour, il s'imagine déchu, sans cuirasse et sans amis – car les amis ont cette tendance désastreuse à s'évanouir comme flocons de neige dès la descente aux enfers annoncée. Ça le travaille, lui bouffe les boyaux, l'engrosse de nausée. Il ne supporte plus le regard des autres ni leur silence ; il ne se supporte plus.

Il a enlevé sa chemise, ne porte qu'un tricot de peau trempé de sueurs froides. Des poils grisonnants se dressent sur ses épaules. Ses yeux sont pochés, sa bouche s'est froissée ; son faciès rappelle un masque mortuaire.

D'autres chefs de service sont là pour l'assister dans sa déveine. Bachir, de la cellule scientifique, une éminence grise qui passe le clair de son temps au sous-sol du Central à bosser comme un nègre. C'est la première fois que je le rencontre au troisième étage. Lui-même ne comprend pas ce qu'il fabrique à ce niveau de l'établissement. Dépaysé, il se recroqueville dans son fauteuil et fait celui qui n'est pas là. À côté de lui, le lieutenant Chater, chef de la section d'intervention spéciale, contemple un tableau signé Denis Martinez. Il m'a juste adressé un petit signe de la main avant de se replier derrière sa moustache. En face, visiblement ennuyé, Ghaouti l'informaticien marine dans ses interrogations. Puis, un peu à l'écart, Bliss scrute ses ongles.

— La veillée funèbre va durer jusqu'à quand ? m'enquiers-je, dégoûté.

Le dirlo écrase sa cigarette dans le cendrier. Il ne donne pas l'impression de m'avoir entendu.

— Vous m'avez obtenu l'autorisation de rendre visite à Lino ?

— Assieds-toi, Brahim.

— Vous l'avez obtenue, oui ou non ?

— Pour quoi faire ?

— Je veux lui parler. Il n'y a que lui pour tirer cette affaire au clair.

Bliss remue les sourcils.

Le dirlo pêche une nouvelle cigarette, la tourne plusieurs fois entre ses doigts d'un air absent avant de la visser entre ses lèvres. Ghaouti se lève pour lui tendre son briquet. Le dirlo avale une bouffée interminable, rejette la fumée par les narines ; ses yeux s'écroulent sur moi.

— Tu perds ton temps, Brahim. Notre lieutenant est dans une chiasse telle qu'elle ne va pas tarder à déferler sur nous tous. Après vérification, on a la confirmation : ce sont bel et bien ses empreintes qu'on a relevées sur les douilles.

— Que dit la balistique ?

Bliss se donne un coup de reins pour se mettre debout. Les mains dans les poches, il me contourne et va se camper auprès du directeur. Il dit :

— La balistique attend de mettre la main sur l'arme du crime pour se prononcer. Or, notre lieutenant déclare avoir égaré son flingue. Il ne se souvient pas où il l'a perdu ou oublié. On a perquisitionné chez lui ; sans résultat.

Il profite de mon état de choc pour me porter l'estocade :

— Trop de coïncidences nuisent au hasard, Llob. Lino ne nous laisse aucune marge de manœuvre pour le sortir du trou qu'il s'est creusé. Il ne lui reste qu'à passer aux aveux et nous laisser rentrer chez nous. Il n'a même pas d'alibi. C'est vraiment pas de chance. Le soir de l'attentat, notre lieutenant est dans les vapes. Il dit qu'il était en train de se soûler la gueule en ville. Où ? Chez qui ? Il ne se rappelle pas. Il dit qu'il a perdu son flingue. Où ? Quand ? Il donne sa langue au chat. Je suis allé personnellement à Bab El Oued dans l'espoir de trouver un seul insomniaque l'ayant aperçu dans les parages la nuit de l'attentat. Pas un chat de gouttière ne s'est porté garant de lui. Cette affaire est trop floue pour laver Lino des soupçons qui pèsent sur lui. Son dossier est assez consistant pour l'envoyer au poteau.

Avec Serdj, je me rends à Soustara, chez Sid Ali, un ancien flic reconverti en gargotier. Des collègues viennent parfois chez lui picoler tranquilles dans son arrière-boutique, à l'abri des délateurs. Comme Lino connaît l'endroit, je me suis dit qu'il fallait commencer par là, peut-être lui trouverions-nous un alibi.

Sid Ali écarte larges ses nageoires de cachalot pour nous accueillir.

Ses grosses lèvres salivantes claquent sur mes joues.

— Quel effet ça fait à un flic d'être devant une cuisse de poulet ? me lance-t-il.

— Je ne sais pas.

— Il a les larmes à la bouche !

Constatant que sa devinette me laisse de glace, il ramasse ses sourcils autour d'une expression consternée.

— Si tu as perdu ton humour, Brahim, c'est que ça va mal.

— Je suis dans le cirage, si tu veux la vérité, lui avoué-je. Tu n'as pas vu Lino, ces derniers jours ?

Sid Ali se prend les tempes entre le pouce et l'index pour se souvenir. Sa moustache de balai s'agite sous son nez bosselé pendant cinq secondes. Je m'accroche à ses lèvres tel un naufragé à son épave, priant pour que son regard s'illumine ; à mon grand chagrin, Sid Ali fait non de la tête, m'enfonçant d'un cran dans mon désespoir.

— C'est très important, l'encouragé-je.

— Ça fait des semaines que je l'ai pas vu. Qu'est-ce qu'il y a ? Il a disparu de la circulation ?

— Il est dans la merde, et il faut que je sache exactement où il a traîné ces derniers jours, avec qui il était et, surtout, ce qu'il a fabriqué dans la nuit du jeudi au vendredi.

— Je n'aime pas le ton sur lequel tu me balances ça, Brahim. J'espère que c'est juste d'une fugue qu'il s'agit.

— C'est plus qu'une désertion, mais je ne suis pas là pour m'étendre sur le sujet. Il faut que je sache où il a été ces derniers jours. Tu n'as pas une petite idée ? Il venait des fois s'envoyer une rasade chez toi.

— Seulement quand il était fauché. Son ardoise est saturée. Depuis que je lui ai rappelé qu'il me doit du blé, il ne s'aventure plus par ici. Mais je connais un tripot où il se rendait de temps en temps. Le vin, là-bas, est moins frelaté et les filles autorisées, ce qui n'est pas le cas chez moi.

Serdj extirpe son calepin pour prendre note.

— C'est loin ?

— À une dizaine d'encablures, en face de la vieille limonaderie. Vous prenez à gauche, à la sortie du rond-point, suivez l'ancienne avenue puis, arrivés devant l'usine, vous tournez à droite. La rue s'appelle les Frères-Mourad.

L'impasse des Frères-Mourad ressemble à son histoire, ordurière sur toute la ligne. La chaussée est large, recouverte de pavés séculaires, avec des trottoirs hauts et des façades lézardées. Ses maisonnettes datent de l'ère ottomane, trapues et sombres sous leurs toits croulants. Le bar se trouve dans un angle fermé, retranché derrière une enseigne délavée sur laquelle, avec un peu d'effort, on peut déchiffrer *Le Chat noir*. Sous le règne du dey, c'était un hammam où les dignitaires turcs venaient s'amincir. Au lendemain de l'invasion de juillet 1830, les soldats français, grisés par leur conquête, le réquisitionnèrent pour le transformer en bordel de campagne. Il connut une longue carrière de maison close, riche en fêtes orgiaques, en crimes passionnels et en dérapages syphilitiques avant que le FLN l'interdise à coups de mitraillette, lors de la bataille d'Alger. Il resta ainsi jusqu'à la fin des années 1960 lorsqu'une vieille prostituée le reprit en main. Suite à une série de meurtres, l'endroit fut de nouveau cloué. Aujourd'hui, c'est un tripot interlope, lugubre comme la mine de sa clientèle, avec un comptoir aux allures de tranchée et des encoignures chargées de noirceur.

Fermé le jour, j'ai attendu le soir pour y faire un saut. Par mesure de sécurité, Serdj m'accompagne. Se risquer seul dans un cul-de-sac, après la tombée de la nuit, c'est donner un tas d'idées scabreuses aux poivrots éconduits.

Le costaud qui monte la garde à l'entrée arbore une rogne en gestation permanente ; au moindre lapsus, son poing partirait. Mon insigne de flic ne l'impressionne aucunement. Il s'écarte à contrecœur pour nous laisser passer.

Serdj ne cache pas son malaise. Le coin lui inspire une réserve extrême. Une dizaine de bonshommes sont dispersés à travers la salle, certains en compagnie de filles louches, d'autres se contentant de tenir la conversation à leurs propres hallucinations. Un vieillard en salopette rigole tout seul en jouant avec ses mains. En nous voyant entrer, il ouvre grande sa bouche édentée et nous montre du doigt. Au comptoir, un énorme Noir se tient penché sur son verre, les épaules pareilles à des remparts.

Le barman astique autour de lui, un bâton de réglisse entre les dents.

— La maison ne fait pas de crédit, m'avertit-il dès qu'il reconnaît mon insigne.

— Ça tombe bien, j'essaie de me ranger.

Serdj intervient pour éviter que les choses ne s'empuantissent trop vite :

— Un collègue à nous, le lieutenant Lino, est un habitué de votre établissement. Nous voulons savoir s'il est venu boire un coup ici, ces derniers jours.

Le barman accroche son torchon quelque part et, nous ignorant superbement, il va s'entretenir avec un client à l'autre bout du comptoir. Serdj le rejoint, calme et courtois :

— Il est grand, brun, plutôt beau garçon, et il s'habille très à la mode.

Le barman continue de discuter avec son client. Sa désinvolture m'enrage. Au moment où il revient chercher une bouteille, je l'agrippe au cou et l'attire vers moi.

— On te cause, enfoiré.

Nullement affecté par ma charge, il me fixe avec mépris et dit :

— Il y a pénurie de fers à repasser au pays, *kho*.

— Et alors ?

— Et alors, tes sales grosses pattes sont en train de froisser le col de ma plus belle chemise.

À son regard, je comprends que je ne tirerai rien de lui. Je le repousse contre ses étagères. À cet instant, le

grand Noir soulève sa carcasse et se retourne dangereusement vers moi.

— À quoi tu joues, l'enflure ?

— Laisse tomber, Moussa, lui dit le barman. C'est
qu'un fumier de flic.

Et Moussa, de plus en plus envahissant :

— Un fumier de flic ? J'suis où, là ? Dans un commissariat ?

— T'es chez toi, lui signale le vieillard édenté, au
Chat noir. C'est ce fumier de flic qui n'est pas chez lui.

Moussa me surplombe de sa carrure d'ogre. Son
haleine nauséabonde se déverse sur moi à me submerger.

— T'as rien à foutre, ici, hey ! le flic de merde. Est-
ce qu'on est en train d'écrire notre ras-le-bol sur les murs
de la république ? Est-ce qu'on est en train de manifester
dans les rues, ou d'observer une grève de la faim, ou de
médire du système pourri qui nous gouverne ?

— On est juste en train de boire un coup sans
emmerder le monde, dit le vieillard. On fait de mal à
personne.

— Alors, pourquoi il vient nous emmerder chez nous,
ce flic de merde ? Pourquoi il nous laisse pas picoler en
paix ?

— Laisse tomber, Moussa, dit le barman sans vraiment insister.

Moussa chavire. Son bras se tend vers la porte :

— Du vent !

De son autre bras, il me saisit par le col et s'apprête à
me catapulter à travers la salle. Là, je pivote sur les
talons, le déséquilibrant un tantinet, recule d'un pas et
lui shoote de toutes mes forces dans l'entrejambe.
D'abord surpris par l'efficacité de ma procédure, le
colosse d'ébène écarquille ses yeux globuleux, plonge
les bras sous son bas-ventre et s'écroule à genoux, la
bouche grimaçante d'une douleur insoutenable :

— Le salaud, râle-t-il, il m'a pété les couilles.

— Désolé, lui dis-je, je croyais que tu les avais en bronze.

Nous avons cherché dans plusieurs bars sans tomber sur un bout de piste. Vers minuit, Serdj hisse pavillon blanc.

— On est mal barrés, commissaire. Le mieux serait de frapper à d'autres portes. Sans Lino, on ne fera que tourner en rond.

— Tu proposes ?

— Vous avez bien quelqu'un à l'OBS. Il pourrait nous donner un coup de main.

— Tu penses au commissaire Dine ?

— Pourquoi pas ?

Le commissaire Dine s'est inscrit aux abonnés absents. Il n'est pas encore rentré, me répète sa secrétaire d'une voix monocorde. Il est à son travail, me certifie son épouse. Bref, il m'évite. Mais je ne suis pas de ceux qui lâchent prise facilement. Je connais le bonhomme ; il a ses habitudes, et c'est grâce à elles que je parviens à le coincer. Dine est porté sur la bouteille. Le soir, avant de rejoindre sa petite famille, il va au Lotus vider deux ou trois bières. Je le surprends au comptoir en train de lécher la mousse de son breuvage. Il est contrarié de me découvrir par-dessus son épaule.

— Tu as le feu aux trousses ou quoi ?

— C'est le boulot qui veut ça, Brahim. Ma secrétaire m'a fait part de tes messages.

— Tu aurais pu me rappeler.

— Je n'ai pas osé.

Il ramasse son verre et m'emmène au fond de la salle, dans un coin discret.

— Tu n'as pas osé pourquoi ?

— Pas besoin de topo. En ce moment, personne n'est joignable. On se terre, quoi. Si tu veux mon avis, laisse les choses se dérouler comme elles l'entendent. Je sais combien Lino compte pour toi, mais là, il ne pèse pas lourd. Ceux qui tentent de prouver le contraire non plus. Cette histoire est vilaine. Si on ignore par quel bout la prendre, c'est parce qu'elle est aussi redoutable qu'un nid de vipères. Tu laisses traîner un doigt, et c'est tout le bras qui ne répond plus à l'appel. Nous sommes de vieux amis ; nous avons partagé des vertes et des pas mûres, touché le fond ensemble et connu quelques rares satisfactions. Cette fois, c'est pas pareil. On a affaire à Haj Thobane, et c'est pas de la tarte.

— Il n'est pas le bon Dieu.

— Le bon Dieu est clément et miséricordieux, Brahim. Haj Thobane n'a jamais rien pardonné.

Je le fixe droit dans les yeux.

Il se débine et cherche à se noyer dans son verre tant il ne rame pas large.

— Pour moi, ce n'est qu'un tocard culotté.

— Je regrette de ne pas avoir ton inconscience. Je chie dans mon froc rien que d'y penser, si tu veux mon avis.

— Le mien me suffit.

Dine cesse de tripoter son verre pour me faire face.

— Qu'est-ce que tu veux, Brahim ?

— Récupérer mon lieutenant.

— Comment ?

— Il a été transféré dans les locaux de l'OBS.

Sa pommette tressaute, lui refermant presque l'œil.

— Tu veux ma mort ?

— Je veux parler à mon coéquipier. Débrouille-toi pour m'emmener jusqu'à lui. Je te promets que je ne serai pas long.

Il déglutit, regarde autour de nous pour s'assurer que

personne ne m'a entendu et revient, les narines palpitantes :

— Ce que tu me demandes là est pure folie. D'abord, Lino n'est pas dans nos locaux ; ensuite, même s'il y était, je ne te conduirais pas jusqu'à lui. Ce n'est bon ni pour toi ni pour moi. Je te rappelle que ton lieutenant s'est attaqué...

— Il est innocent, l'interromps-je.

— Haj Thobane est persuadé avoir mis le grappin sur son « fumier ».

— Je l'emmerde.

— T'es bien le seul.

— C'est qu'un tocard culotté, je te dis. Il y a une loi, dans ce pays. Et des procédures réglementaires aussi.

Dine est éberlué.

Il respire un coup, histoire de récupérer ses sens, puis il se penche sur moi et hurle :

— De quelle loi tu parles, et de quelles procédures ?

Son cri se fracasse contre les murs, installant un immense silence dans la salle. Les clients se retournent d'un bloc vers nous.

Dine rajuste sa cravate, passe une main tremblante dans sa tignasse et attend de voir le brouhaha revenir progressivement dans le bar avant de me confier :

— On n'apprend pas au bourreau à se voiler la face, Brahim ; ce n'est pas à toi que je vais faire la leçon. Tu sais très bien comment fonctionne le pays. Un clin d'œil foutrait en l'air nos carrières mirobolantes ; la vie elle-même ne tient qu'à un *coup de fil*. Qu'es-tu en train de raconter ? Il n'y a ni charte ni Constitution, ni loi ni équité ; si notre justice à nous porte un bandeau, c'est parce qu'elle n'a pas le courage de se regarder dans les yeux. Ce n'est pas un pays que nous servons, mais des hommes. Nous dépendons de leurs sautes d'humeur et nous nous conformons à leur bon vouloir. Je suis aussi paniqué que toi, je m'inquiète ferme pour Lino. Mais, bordel ! il ne se défend même pas. Je connais des types plus coriaces qui n'ont pas résisté aux reproches des manitous. Ils n'avaient pas tué ni attenté à la vie d'une grosse patate ; ils avaient juste essayé de s'acquitter correctement de leurs tâches. Parce qu'ils ont fait montre d'un zèle jugé offensant par la hiérarchie, ils se sont fait baiser recto verso. Lino, lui, a commis un sacrilège. Il s'éprend de la petite pute d'une divinité, ensuite, il joue au cow-boy dans le fief des sommités et refuse de collaborer. Résultat : il est damné. Quant à toi, Brahim, ce n'est pas en te gonflant comme une baudruche que tu as des chances de te mesurer à Haj Thobane. C'est un *zaïm* ; que ça te plaise ou non, c'est quelqu'un qui fait la pluie et le beau temps à sa guise. S'il nous raconte des bobards, à propos de son passé de Grand Révolutionnaire, en soutenant notre regard, ça ne fait pas de lui un tocard culotté ; cela signifie que beaucoup d'entre nous n'ont pas grand-chose à lui envier ès moralité.

Dine dit vrai. Un jour, peut-être, Haj Thobane chopera une hernie cérébrale ou bien avalera un os de travers, il se trouvera un tas de gens pour crier sur sa tombe que l'Histoire ne doit pas s'essouffler avec les héros. On les verra se convertir soit en biographes assermentés, soit en embaumeurs de momie, quitte à se faire enfermer vivants dans le même sarcophage que notre entité pharaonique. Et là, une fois la trappe rabattue, l'on comprendra enfin pourquoi une patrie aussi prestigieuse que l'Algérie n'est pas près de sortir de l'auberge.

J'essaie de puiser une lueur d'espoir dans le regard de Dine. Il détourne les yeux. Je comprends que ma présence à ses côtés l'embarrasse fortement et, par conséquent, que je ne peux pas compter sur lui.

14.

Le rouquin raconte que le suspect a extirpé un flingue et s'est rué sur Thobane. Sauf que ce dernier n'était pas Thobane, mais un sous-officier de l'OBS déguisé. Le suspect n'a pas fait dix mètres que des projecteurs se sont abattus sur lui. « Police ! a-t-on crié dans un haut-parleur. Tu es cerné. Pose ton arme par terre et couche-toi à plat ventre. » Pris de court, le suspect a d'abord tiré dans la direction d'un projecteur avant d'être touché à la jambe par le faux Thobane. En tentant de se tailler, il est tombé nez à nez avec le rouquin. « C'était lui ou moi, a dit le rouquin. Lorsque je l'ai vu pointer son arme sur moi, j'ai tiré. »

Quand je suis arrivé sur les lieux, les fins limiers de l'OBS se tapaient encore sur les épaules, très fiers de leur coup. J'ai trouvé ça curieux. J'ai mis dix, quinze minutes pour rappliquer. Je croyais être le premier badaud à se manifester, après les gens qui étaient dans le restaurant et qui, maintenant, effrayés par la fusillade, s'agitaient sur les marches, à une distance respectable. Un coup d'œil circulaire autour du théâtre des opérations suffit à me persuader de la légèreté de la mise en scène : ça pue le traquenard bâclé, genre simple question de formalités ; d'ailleurs l'ambulance est sur les lieux, ce qui prouve qu'elle était là bien avant. Je me suis approché du cadavre. Il a effectivement la tête éclatée et un Beretta 9 mm coincé dans le poing.

Il est minuit passé, et je me demande ce qu'on attend pour îloter le parking et procéder aux premiers examens. Le commando n'a pas l'air pressé de passer aux choses sérieuses ; quant aux brancardiers, ils fument tranquillement à l'intérieur de leur ambulance, les portières grandes ouvertes.

Je demeure debout devant le macchabée, les mains dans les poches. Un second coup d'œil circulaire me confirme que notre suspect a vraiment choisi le plus mauvais endroit pour se donner en spectacle. Le panneau derrière lequel il s'est tapi est à peine assez haut pour cacher un môme. Quant aux projecteurs disposés autour du parking, même un myope les aurait remarqués. Je ne sais pas pourquoi cette histoire ne parvient pas à me mettre en transe. C'est vrai que j'ai toujours été jaloux des succès retentissants de l'OBS, mais, cette fois, je suis certain que ça n'a rien à voir.

— Salut, Llob, me souffle dans la nuque le capitaine Youcef.

— Belle prise, je lui dis.

— C'est vrai. Tu étais dans le resto ?

— J'étais dans les parages.

— Et tu es venu nous féliciter ?

— C'est du bon boulot. Presque comme à l'exercice.

Le capitaine Youcef soulève un sourcil, à l'affût d'une quelconque insinuation. C'est un gars efficace, redoutable même. Il a bossé au bureau Investigation au cours des années froides avec le Maroc avant de gaffer en France en liquidant un opposant. Son nom a été cité dans un journal parisien, ce qui l'a contraint à se mettre au vert quelque part en Orient. Lorsque les choses se sont tassées, il est revenu hanter les sous-sols de l'OBS.

Il s'occupe des affaires délicates qui, de temps à autre, embêtent les hautes sphères.

On se connaît depuis l'affaire des trois espions français qui avaient essayé de faire sauter le journal du parti, dans les années 1970. J'étais encore inspecteur, à l'époque, et lui jeune officier aux yeux vifs et à l'esprit tordu, à l'image de ses coups. Moi, je menais l'enquête sur la mort d'une tenancière. Les trois espions, deux Algériens et un pied-noir, avaient élu domicile chez elle. C'est ainsi qu'à une bretelle de mes investigations, j'ai dû passer les rennes à l'officier. L'affaire échappait à la criminelle et virait carrément à la crise diplomatique. Youcef a réussi à piéger les ennemis de la révolution. Vu que, chez nous, on ne distribue pas de médailles, on l'a expédié en Europe pour le récompenser. D'abord expulsé d'Allemagne pour flirt avec un groupe terroriste occidental, il a atterri à Paris deux années plus tard. Là, un opposant cherchait noise au régime, allant sur les plateaux de télé et dans les rédactions de l'Hexagone remuer la merde de la nomenklatura FLN. Comme il braillait très fort et empêchait nos *zaïm* de sauter leurs putains en paix, on a chargé Youcef de le réduire au silence. La gaffe à Youcef a été de solliciter un voyou de banlieue pour accomplir le sale boulot : le tueur à gages n'a pas su tenir sa gueule loin des oreilles indiscrètes ; il s'est confié à sa petite amie qui n'a pas apprécié et qui l'a balancé, suite à une banale histoire de cul contractée avec une rivale. Depuis, Youcef n'a plus remis les pieds chez son ancienne mère patrie.

— Je peux savoir qui c'est, le type qui roupille sur le bitume ?

— Tu n'es pas le bienvenu, Llob. Non seulement on n'a rien à déclarer mais en plus, ça ne te regarde pas. Seuls les gars de l'OBS et du BI ont le droit d'être ici. Tu vas me faire le plaisir de sauter dans ta guimbarde et de filer en décrochant ton rétroviseur. Le Sphinx est sur le point de s'amener. Il était aux anges quand on lui a annoncé la nouvelle. S'il te trouve dans le coin, ça va gâcher sa soirée et, à cause de toi, nous serons privés de notre morceau de sucre.

Je me dandine sur place pour me réchauffer.

— T'as vu le flingue qu'il a ? je lui demande. C'est pas un Beretta 9 mm ?

— On ne peut rien te cacher.

— Il porte un jogging et un K-Way sans poches.

— Et alors ?

— C'est pas pratique pour trimbaler un flingue.

— Il le tenait caché par ici, peut-être.

— Peut-être... Mais je ne vois pas sa torche, non plus. Le rouquin dit qu'il l'a vu braquer sa torche sur la Mercedes.

— On n'a pas fini le boulot.

— Je m'en doutais un peu. Apparemment, vous étiez à ses trousses. Le piège a été déployé au millimètre près, on dirait.

— C'est la preuve que vous devriez refaire vos stages, au Central.

— Je suis trop vieux pour me remettre à renverser mon encrier sur mes buvards.

— Tu devrais rendre ton tablier, Llob. Les choses ne se passent plus comme avant. On n'habite plus dans les arbres ni dans les grottes.

Je souris, histoire de lui montrer combien je suis fair play puis, mine de rien, je reviens au galop :

— Tu ne veux vraiment pas me dire qui c'est ?

Je crois que je l'ai attendri car il laisse tomber sa lèvre supérieure et me confie :

— On ne sait pas encore. Depuis cinq jours, on nous signale régulièrement un curieux personnage là où M. Thobane se manifeste. Mais le dispositif de sécurité articulé autour de notre protégé tenait le prédateur hors de portée de nos interventions. À chaque fois qu'on s'intéressait à lui, il se volatilisait. On a donc imaginé un petit scénario pour l'appâter. L'adjudant Kader a accepté de jouer le rôle de M. Thobane. On est venus trois fois au resto Marhaba pour voir ce que ça donnait, en allégeant sensiblement la garde. Le poisson a fini par mordre à l'hameçon cette nuit. Maintenant qu'on a le corps, nous n'allons pas tarder à mettre un nom dessus. Après, ce sera du gâteau.

— Passionnant. Un coup de filet aussi magistral doit peser, au bas mot, un tas de morceaux de sucre, je parie. Tu penses que ça a quelque chose à voir avec l'attentat de jeudi ? Parce que, figure-toi, j'ai un officier qui doit sentir mauvais dans vos locaux, et ça me botterait d'apprendre qu'il n'y est pour rien.

Youcef croise les bras sur sa poitrine, l'air d'un serrurier qui ne s'explique pas comment aucune de ses clefs n'arrive à ouvrir la porte. Ses lèvres s'articulent autour d'une moue affligée.

— Tu es désespérant, Llob, comme tous les cons qui refusent d'admettre qu'ils le sont. Ramasse tes balluchons et tire-toi de là avant que le Sphinx n'arrive. Il a passé une semaine à dégueuler de trouille ; il risquerait de cracher ses intestins s'il butait sur la gueule que tu arbores.

Je lève les bras en signe de reddition et rejoins mon tacot.

À un pâté de maisons du Central, il y a un café où il m'arrive parfois de me réfugier pour décompresser. La clientèle est à base de pépères finissants et le serveur si lent à la détente que souvent il ne se rappelle les commandes de la matinée qu'en fin de soirée. Le coin est déprimant, avec son mobilier putrescent et ses chiottes bouchées, mais sa terrasse donne un très intéressant aperçu sur la régression qui s'opère parmi les franges défavorisées de la société. Il y a deux décennies, la rue était florissante ; les boutiquiers se donnaient du coude, les boucheries étaient assiégées et les ménagères ployaient sous le poids de leurs couffins. Aujourd'hui, hormis une épicerie à la devanture craquelée et un laitier insalubre, reconnaissable aux tentacules crémeux qui se ramifient sur la chaussée, le commerce est en perte de vitesse, et les petites bourses ne suivent plus. Les quelques passants, qui défilent par-ci par-là, ont les yeux plus affamés que le ventre ; leur monde s'appauvrit plus vite que leurs attentes et leurs lendemains s'en sont allés ailleurs se refaire un lifting. J'ai beaucoup fréquenté le coin, au début de ma carrière. À l'époque, au Central, on ne servait le café qu'au directeur et à ses invités ; quant au menu fretin, il n'avait même pas droit à un verre d'eau. À la cantine, on bouffait des dégueulasseries, et souvent on se demandait si on n'était pas au pénitencier, ce qui fait que dès que le chef de service tournait le dos, on se ruait sur le gargotier d'à côté. Je n'aimais pas les gargotiers. J'estimais que je méritais mieux. Les fesses bien moulées dans mon jean, ma chemise cow-boy écartée sur mon blond duvet, je sautais le déjeuner et venais par ici rouler des mécaniques en quête de pucelles à inverser. Les gens voyaient bien que j'en rajoutais et ne m'en tenaient guère rigueur. L'exubérance, à l'époque, était à elle seule une fête ; tout le monde, vieux et petits, s'en régalait. Mais je connaissais mes limites. Quand je constatais que mon manège virait à l'exhibitionnisme primaire, je me retirais dans le premier café qui se présentait et commandais un noir bien dosé que jamais je ne payais. À chaque fois que je portais la main à ma poche en demandant l'addition, le cafetier me faisait non de la main, m'expli-

quant qu'un anonyme s'en était déjà acquitté. Ah !
Dzaïr mon bled, c'est fou comme tu as changé. On était
une vraie tribu et on n'avait pas besoin d'alliance pour
se rapprocher. Les gens se respectaient, je dirai même
qu'ils s'affectionnaient, et souvent leur générosité
devançait leurs pensées. C'était si...

— Commissaire.

L'inspecteur Serdj est debout devant moi, me déro-
bant mon rayon de soleil et gâchant mes rares instants
de répit.

Sa mine ne me revient pas.

— Qu'est-ce qu'il y a encore ?

— On a du nouveau.

— T'écoute.

— Pas ici, commissaire. On va se dégourdir les
jambes, si vous voulez.

Je balance deux pièces de monnaie sur la table et le
suis. Nous marchons en silence jusqu'à l'avenue et, là, il
m'annonce :

— Les gars de l'OBS ont descendu un suspect, hier.

— Je suis au courant.

Ses sourcils s'effacent presque.

— J'étais dans les parages quand j'ai entendu tirer,
lui expliqué-je. Je me suis dirigé sur le stand sans trop
me poser de questions.

— Est-ce qu'on vous a dit qui c'était, le flingué ?

— J'espère que tu vas m'éclairer là-dessus.

Serdj se gratte la tempe avant de me foudroyer :

— SNP...

— Quoi ?

— On l'a identifié ce matin.

J'ignore ce qui m'a pris subitement. J'ai planté là
l'inspecteur et j'ai couru comme un dingue vers ma voiture.

— M. El-Ouahch ne reçoit personne en ce moment, me dit Ghali Saad, agacé de me voir atterrir dans son royaume sans visa d'entrée. Haj Thobane est avec lui. Tous les deux ne sont pas d'humeur. Hier soir, un suspect a été descendu par nos gars. Figure-toi qu'il s'agit d'un condamné à perpétuité qui vient de bénéficier de la grâce présidentielle, il y a moins d'un mois. Ce qui se joue, dans le bureau d'à côté, relève du cauchemar. Thobane est venu exiger des explications du patron, vu que ce dernier a chapeauté la commission nationale chargée des récentes levées d'écrou.

Je regarde la porte capitonnée comme si j'essayais de la transpercer. Dans mes tempes, une dizaine de tambours battent leur plein.

Ghali Saad observe ma colère sans que ça le tarabuste outre mesure. Il est assis derrière son bureau, les doigts croisés sur le sous-main, tout à fait maître de ses nerfs. Ses yeux bleus soutiennent les miens avec désinvolture.

— C'est vrai que ça n'en finit pas de se gâter, reconnaît-il. Cela ne nous autorise pas à dérailler, non plus. Au contraire, il faut garder la tête froide si on tient à la maintenir sur ses épaules. Je t'assure que cette histoire m'empêche de dormir. Hier, j'ai été tiré de mon lit à 2 heures du matin et j'ai passé la nuit à poireauter sur ce siège. Je suis claqué. Et ce matin, dès l'identification du bonhomme, le ciel a dégringolé sur le BI. D'abord, le ministre. Il était là avant le planton. Je ne te raconte pas. Ensuite, le boss, qui s'est arraché les cheveux. Lorsque Thobane s'est amené, j'ai cru assister à la fin du monde. Si tu veux un conseil, Llob, rejoins ton poste et prie avec toute la ferveur dont tu disposes. Car tu ne vas pas tarder à passer à la casserole, toi aussi. Un rapport avance que tu as installé un dispositif de surveillance autour du criminel en question dès sa sortie de prison. Sans permission ni instruction particulière. Sans même en référer à ta hiérarchie. Pourquoi ? Je suppose que tu as une réponse consistante pour justifier cette initiative stupide. Si ce n'est pas le cas, tu seras logé à la même enseigne que ton lieutenant : au box des accusés. Et personne ne t'appellera au parloir. Ni tes gosses ni tes copains. Avec la schizophrénie ambiante, toute protestation sera considérée comme une insubordination caractérisée, et l'épée de Damoclès n'attendra que ça pour trancher les débats. En résumé, commissaire, tu es dans la merde jusqu'au cou.

Une sueur glacée se déclare dans mon dos. Je n'avais pas envisagé cette éventualité, pas un instant, pas une fraction de seconde. Occupé à fantasmer sur le calvaire que devait subir Lino, j'avais complètement perdu de vue la possibilité d'un tel revirement de situation. Un début de panique s'installe dans le creux de mon ventre. Ma main part d'elle-même s'accrocher au fauteuil.

— C'est quoi ce bordel ? m'entends-je bredouiller.

— L'étau se resserre, Llob. Le Beretta trouvé sur l'assassin est bien celui de ton lieutenant. Pour te mettre tout à fait dans le bain, voilà où l'on en est : Lino n'avait pas gobé son échec amoureux avec Nedjma et cherchait à laver son honneur avec le sang de Thobane. Il lui fallait un tueur. Il en avait un à l'œil : SNP, un assassin psychopathe. Il a dû le connaître un peu plus en lui collant au train, avec ta bénédiction, et lui aurait proposé un marché. SNP ne demandait que ça pour se remettre dans son élément. Lino lui prête son arme pour la sale besogne. Les choses tournent mal, et bonjour les dégâts.

Cette fois, ma main ne suffit pas à me porter. Je tombe dans le fauteuil et farfouille fébrilement dans mes poches à la recherche de mes cigarettes. Ghali se donne la peine de se soulever pour me présenter son briquet.

Il me confie :

— Pour l'histoire du dispositif crétin autour de la

résidence du suspect, le boss n'est pas encore au courant, pas plus que Thobane ou le ministre. Le rapport est dans mon tiroir.

Je lève sur lui des yeux de chien battu :

— Je ne te suis pas.

— J'ai beaucoup d'estime pour toi, Brahim. Je sais que tu n'es pour rien dans cette saloperie. Pour ton lieutenant, il n'a qu'à se démerder.

— Qu'est-ce que tu entends par « le rapport est dans mon tiroir » ?

— Que je ne tiens pas à le présenter au boss. Pas dans l'immédiat, en tout cas. Ça ne ferait qu'envenimer une situation déjà assez explosive. J'ai décidé de temporiser, de t'offrir une marge de manœuvre et une bouffée d'oxygène.

— Tu ferais ça pour moi ?

— Tu me prends pour qui ?

Ma gorge s'est asséchée, et le goût infect de ma cigarette me ravage le palais.

— Je te revaudrai ça, Ghali.

— Je ne pense pas que tu en aies les moyens, commissaire. Contente-toi de rentabiliser le sursis que je t'accorde. Pour être tout à fait honnête, ce ne sont pas tes beaux yeux qui m'inspirent. J'agis de la sorte pour préserver l'excellente réputation de ton directeur. J'ai appris qu'il a été transféré à l'hôpital, ce matin. Les derniers rebondissements de l'affaire ont eu raison de son endurance. C'est surtout pour lui que je prends le risque de mettre le rapport aux oubliettes. Maintenant, fous le camp. Nos deux ogres ne vont pas tarder à prendre congé l'un de l'autre. S'ils te surprennent dans ce fauteuil, ils te boufferont cru, et moi avec.

J'acquiesce de la tête et me lève.

Malgré le lest que me lâche Ghali Saad, j'ai de la peine à recouvrer mes esprits.

— Ghali, je lui dis, si tu veux que je rentabilise le sursis que tu m'accordes, il faut que tu me fasses une autre faveur.

— Laquelle ?

— Me décrocher une entrevue avec mon lieutenant.

Les doigts toujours croisés, il secoue imperceptiblement le menton :

— Pas question de me mêler de tes oignons, Brahim.

— Juste cinq minutes.

— Je tiens à mes privilèges.

— Sans sa version des choses, je suis inutile.

— N'insiste pas.

Vers 1 heure du matin, Mina me secoue pour me signaler que le téléphone menace d'ameuter le voisinage. Ma main renverse deux ou trois bricoles sur la table de chevet avant de dénicher le combiné.

— Allô ? je dis.

— C'est Ghali. Est-ce que je te dérange ?

— Ça dépend de ce que tu vas m'annoncer.

Un silence au bout de la ligne, puis la voix du secrétaire du BI s'enhardit :

— J'ignore où ça va m'entraîner, mais, pour l'entrevue avec ton lieutenant, je vais voir ce que je peux faire.

Ça me dégrise d'emblée.

Ghali raccroche avant que j'aie le temps de le remercier.

Quelqu'un a pris ma place dans le parking du Central ; j'ai d'abord pensé me ranger derrière lui de façon à le bloquer, mais comme la bagnole est haut de gamme, je n'ai pas tenu à m'attirer des ennuis supplémentaires avec quelque nabab influent. J'ai tourné en rond à la recherche d'un espace vacant puis, furieux, je suis revenu bloquer la grosse cylindrée, prêt à en découdre avec Azraïn en personne. Au beau milieu de l'aire, une voiture de police s'est embourbée dans une fondrière. La vareuse ouverte sur sa panse de glouton, le conducteur shoote dans la roue piégée, visiblement à court d'improvisations. Autour de lui, des collègues l'observent ; aucun d'eux ne daigne se porter à son secours, ce qui l'énerve plutôt deux fois qu'une. Il est en sueur, de la salive battue en neige aux commissures des lèvres, et le regarder se défoncer de la sorte me donne envie de rendre mon tablier.

Je me dépêche de rejoindre mes quartiers.

La traditionnelle frénésie dans le hall du commissariat a cédé la place à une drôle d'accalmie. Les agents se taisent sur mon passage.

J'entre d'abord chez Serdj m'enquérir de la santé du dirlo. Serdj m'informe que le directeur a piqué une crise d'angoisse et qu'il est en observation à l'hôpital militaire d'Aïn Naadja. Je lui suggère de lui envoyer des fleurs et une boîte de sucreries d'importation ; ce serait toujours ça de gagné.

Ma secrétaire, Baya, repose en catastrophe le téléphone en m'entendant arriver. Après avoir lissé son jupon, elle esquisse un sourire difficile à définir.

— Le commissaire Dine a appelé trois fois.

— Il t'a dit pourquoi ?

— Non, mais il a promis de rappeler.

— Tu me le passes sur la 2.

— Tout de suite, monsieur.

La sonnerie bêle au moment où j'accroche ma veste sur le dossier de ma chaise. Dine s'enflamme en reconnaissant ma voix. Il commence par me demander où j'étais, comme si j'avais raté la chance de ma vie, ensuite il s'apaise et me prie de le rejoindre au 66, rue des Soviets. Seul, insiste-t-il.

Effectivement, il m'attend à l'endroit indiqué, assis

sur le capot de sa voiture, les bras croisés sur la poitrine. Il est seul, lui aussi. À la jubilation qui illumine son visage, je devine qu'il a des choses bandantes à me balancer.

— Tu laisses ton tacot ici, me dit-il. C'est moi qui conduis.

Il m'ouvre la portière, m'aide à m'installer sur le siège avec une délicatesse exagérée puis saute derrière son volant et démarre.

— On va où ?

— J'ai réussi à sensibiliser une autorité hiérarchique. Ça n'a pas été facile, mais le résultat est impec : nous sommes autorisés à aller voir notre ami Lino.

Menteur !

Dine est un type formidable ; de là à s'impliquer dans des affaires vénéneuses, ce n'est pas son fort. Cette histoire de sensibilisation ne lui ressemble guère. Il a seulement reçu des ordres. Ghali Saad a tenu parole. Comment a-t-il actionné le manège ? c'est son rayon, pas le mien. Si Dine se complaît à en tirer quelque satisfaction personnelle, je n'y vois pas d'inconvénient. Trop heureux de pouvoir enfin approcher mon lieutenant, je feins le redevable.

— Je savais que je pouvais compter sur toi.

— Faut bien se serrer les coudes. Les temps sont félons.

— Tu as raison.

Nous traversons la moitié de la ville, en empruntant des ruelles aussi tortueuses les unes que les autres. Un moment, j'ai le sentiment que mon guide cherche à brouiller les pistes pour que je ne puisse pas les retrouver. Il pourrait tout aussi bien me mettre un bandeau sur la figure, tant qu'on y est. Ce n'est pas grave. Je suis si excité à l'idée de dénicher Lino que j'évite de gâcher mon plaisir. Une demi-heure plus tard, nous nous engouffrons dans un quartier boisé, hérissé de palissades gigantesques dont certaines sont couronnées de fils barbelés. Pas un randonneur sur les sentiers. Un silence chargé d'interrogations écrase le coin. Dine prend par une rue ombragée, roule jusqu'à un portail qui coulisse au fur et à mesure que nous approchons. Une cour nous accueille dans un choral de gazouillis. On serait presque tenté de se croire dans une clairière édénique s'il n'y avait pas ce malabar qui nous attend, à côté d'un jet d'eau délabré, les bras ballants et le faciès barricadé derrière des lunettes opaques, semblable à un bourreau guettant de pied ferme sa proie.

— Terminus, m'avertit Dine. Tout le monde descend.

Le malabar ne vient pas à notre rencontre. Il ne bronche même pas, bien que je sente son regard me radiographier de long et large, passant au peigne fin et mes arrière-pensées et mes idées fixes. Son costume noir, taillé sur mesure, est flambant neuf, mais le rictus carnassier, arc-bouté contre des crocs salivants, évoque le molosse en rogne se consumant au bout de sa laisse.

Un malaise m'envahit ; j'extirpe un mouchoir et m'éponge les tempes.

Le gardien du temple se contente d'écarter la porte derrière lui. Sans salamalecs ni grognements. Il nous laisse passer, referme la lourde et nous devance à travers un corridor sinistre. De part et d'autre, des cellules basses, plongées dans l'obscurité. Pas de locataires, juste des trous à rats grillagés qui font froid dans le dos. Plus loin, des escaliers sordides plongent dans un sous-sol terrifiant où d'autres cellules moisissent sous d'épaisses couches de salpêtre. Une puanteur agressive m'irrite les yeux et la gorge. Il n'y a ni lucarne ni bouche d'aération, seulement des murs en pierre suintants de sécrétions moisissantes, avec cette impression d'errer quelque part dans la brume malfaisante du purgatoire sans la moindre chance de s'en sortir indemne.

Le verglas sur mon dos s'élargit, relançant mes rhumatismes.

Le malabar tripote la serrure d'une sorte de débarras, fait claquer deux verrous et allume un plafonnier. Quelque chose remue à l'intérieur du trou ; une forme humaine recroquevillée à ras le sol. C'est mon Lino. Ou bien ce qu'il en reste. Il a la figure complètement esquintée, les yeux bouffés par d'énormes boursouflures violacées et les lèvres éclatées ; une horreur.

— On nous l'a amené dans cet état, dit le gorille. Personne, ici, ne l'a approché depuis son admission.

La colère me gagne de toutes parts, mais je garde mon sang-froid. Pas question de me donner en spectacle ni de trahir mes intentions ; je suis en terre ennemie.

Je m'agenouille auprès de mon coéquipier, retire lentement la mince couverture crasseuse dans laquelle il s'enveloppe en quête d'un soupçon de chaleur. On lui a retiré sa chemise et son tricot, ne lui laissant qu'un pantalon de taulard d'où s'échappent des pieds nus et sales, tristes à pierre fendre. Son corps famélique est bigarré de zébrures noirâtres – dues à des coups de gourdin ou de cravache – avec, par endroits, de larges écorchures purulentes. On dirait qu'il a été avalé puis recraché par un concasseur.

Lino ne me reconnaît pas. Il essaie d'ouvrir les yeux, sans succès. Ses narines sont bouchées par des grumeaux de sang. Il lève une main laminée, ne parvient pas à la pousser jusqu'à moi ; je la saisis et la serre contre ma poitrine.

— C'est moi. Tu vois ? j'ai fini par te retrouver.

Je sens une onde de choc déferler de la tête aux pieds du lieutenant. Il tente de remuer un peu plus ; sa respiration s'essouffle et il s'abandonne à ses souffrances.

Un moment, il a essayé de me sourire pour me dire combien il était content de me revoir, mais les blessures de sa bouche se sont mises tout de suite à saigner.

— Tu es trop amoché, mon gars. Ménage tes forces.

Dine est médusé. Il s'attendait sûrement à un spectacle de ce genre, sauf que ce qu'il découvre dépasse l'entendement.

De la tête, je le prie de me laisser seul avec mon officier.

— Je suis au bout du couloir, bredouille-t-il en s'éloignant.

Le macaque, lui, ne bouge pas.

— Je ne vais pas le voler, lui dis-je.

Il médite trois secondes, accentue son rictus puis, certainement encouragé par Dine, il consent à disparaître de ma vue.

— Ils m'ont bien arrangé, pas vrai, commy ? couine Lino.

— Ils ne t'ont pas raté.

Ses galons d'officier de police n'ont servi à rien. En Algérie, ministre ou portefaix, éminence grise ou éminence obscure, celui qui échoue dans les geôles des barbouzes est réduit systématiquement à une vulgaire serpillière. On lui confisque sa dignité pour mieux le préparer au pire et on le traîne dans la boue jusqu'à ce que mort s'ensuive. Si, par on ne sait quel miracle, il arrive à s'en tirer, il ne retournera à l'air libre que pour donner à réfléchir à ceux qui sont tentés de jouer aux petits malins avec le régime.

— On est quel jour ? chevrote le martyr.

— Pas loin du jour du Seigneur.

Il se trémousse pour se mettre sur son séant, se fatigue vite et se ramasse sur la paillasse. Je glisse mon bras autour de sa taille et le soulève précautionneusement ; son souffle bataille pour se frayer une échappa-

toire au milieu des gémissements et ses grimaces de supplicié ajoutent à ses difformités faciales une laideur
biblique.

— J'aurais dû leur claquer entre les pattes comme un
furoncle.

— Reste tranquille.

La rage fait vibrer ses blessures. Il rentre le cou dans
les épaules et se met à sangloter. En cet instant précis, si
le macaque était revenu voir de quoi il retournait, je lui
aurais arraché les yeux avec un cure-dents. Mais personne ne vient nous déranger.

— Je te sortirai de là, Lino.

— Je ne tiendrai pas le coup longtemps.

— Si, tu ne me décevras pas.

Une quinte de toux l'ébranle.

Sa main me cherche avant de s'agripper à mon poignet.

— Je suis dans le cirage, lui avoué-je. Il faut que tu
m'aides. Je veux savoir ce qu'il t'est arrivé, cette nuit-
là. Où tu étais, qu'est-ce que tu as foutu de ta soirée et
comment tu as perdu ton arme ? Tu dois te rappeler
un détail, aussi négligeable soit-il, quelque chose susceptible de nous conduire quelque part. Tu as bien été
dans un bar, la nuit de jeudi à vendredi ? Tu étais
bourré comme une pipe lorsqu'on t'a arrêté.

— C'est vrai qu'on a descendu le suspect ?

— C'est vrai.

— C'est peut-être un bluff.

— J'étais là et je l'ai vu, flingué à bout portant. Je ne
l'ai pas reconnu sur-le-champ car il n'avait plus sa barbe
et s'était coupé les cheveux, mais son identification est
catégorique. C'est bien SNP.

— Je n'ai jamais rencontré ce type. À chaque fois
que j'étais désigné pour mon quart de surveillance, je

m'arrangeais avec le collègue et courais rejoindre Nedjma.

— C'est ton arme de service qu'on a retrouvée sur lui, la même qui a servi dans l'attentat contre Thobane et tué son chauffeur. Il faut que tu te rappelles dans quelle circonstance tu l'as perdue.

Ses doigts remontent le long de mon bras, cherchent un point d'appui. Il veut se donner du temps, je l'en dissuade.

— On ne m'autorisera pas à revenir te voir, Lino. Nous n'aurons donc pas l'occasion de réfléchir à tête reposée sur ce qu'il est advenu de toi ce soir-là. C'est le moment ou jamais de te rafraîchir la mémoire.

Lino hoche la tête. Un filament sanguinolent crève un abcès sur sa tempe et coule sur sa joue.

— Je n'ai pas arrêté de penser à cette journée, Brahim. Depuis qu'on m'a jeté au cachot, je ne m'exerce qu'à ça. Je sais qu'une étincelle pourrait faire toute la lumière sur cette affaire.

Il secoue désespérément le menton :

— Je suis désolé : c'est le trou noir.

Le macaque rapplique, l'œil ostensiblement sur le cadran de sa montre. Je me relève. Lino comprend que c'est la fin de la visite. Il s'accroche à mon bras. Ce que je lis dans son regard me transperce comme un poignard. Sa bouche frémit au milieu de ses craquelures, cherche à me dire quelque chose puis, conscient de l'ampleur de mon désarroi, il se ravise et s'enfonce dans son coin, les yeux par terre.

15.

— Je pense qu'il a été drogué, dit Serdj en tirant sur son mégot. Comment veux-tu qu'il se souvienne de quoi que ce soit après ce qu'il a enduré ? Il était groggy lorsqu'on l'a livré à ses tortionnaires. Je suis certain qu'on ne lui a même pas laissé le temps de comprendre ce qu'il lui arrivait. Avec tous les coups qu'il a reçus sur la tête et les humiliations qu'il a subies, pas étonnant qu'il ne se rappelle même plus son nom.

Je considère ma tasse sans mot dire.

Nous sommes sur la terrasse d'un café de Belcourt, loin des collègues et des proches, à dresser et redresser l'hypothétique bilan de nos recherches autour d'un jus de chaussette.

Serdj écrase sa cigarette dans le cendrier.

Il est épuisé.

Depuis six jours, nous courons, chacun de notre côté, après un témoin providentiel en mesure de redonner un sursaut d'espoir à nos investigations ; que dalle. Serdj a écumé une centaine de tripots, la photo de Lino en exergue ; pas un barman, pas un ivrogne, pas une prostituée n'a froncé les sourcils. De mon côté, je suis revenu à la case départ pour reconstituer la chronologie des faits. Deux voisins de Haj Thobane, une vieille dame et un jeune crooner, m'ont attesté que le type qui guettait le retour du *zaïm*, embusqué à proximité du 7, chemin des Lilas, portait un talkie-walkie sur lui. Cinq minutes avant l'arrivée de la victime, ils ont entendu le crachotement de l'émetteur-récepteur suivi d'une bribe d'instructions inintelligibles, ce qui suppose que le sniper avait au moins un complice. Loin de me ragaillardir, cette probabilité me tarabuste. Jusque-là, mon affection pour Lino et la peur de ne pouvoir le soustraire au merdier dans lequel il s'est embourbé ne m'ont pas été d'un grand secours. Mes sentiments prenaient le pas sur mon impartialité et altéraient l'ensemble de mes approches. Puis, une nuit, je me suis repris en main. Pour avancer, il me fallait ranger mes peines dans une oubliette et regarder les choses avec plus de rigueur. Je suis flic, et un flic obéit à la logique : et si Lino y était pour beaucoup dans cette saloperie d'affaire ? S'il avait réellement cédé à sa haine et à sa jalousie ? Après tout, pourquoi pas ? Il ne coopère pas, s'emmurant dans une amnésie discutable ; connaissait l'existence de SNP ; son arme constitue la principale pièce à conviction ; il avait un mobile et pas d'alibi... C'est triste d'en arriver à cette hypothèse mais, vu sous un angle professionnel, le puzzle devient moins chaotique. Lino n'était pas sobre lors des faits. Il a peut-être fini par prendre ses menaces pour argent comptant. Abordée par ce bout, l'histoire cesse de se débattre et se prête aux appréciations. Si l'on s'en éloigne, le flou revient, et on ne sait plus où l'on va. Le seul truc qui m'embête est cette mise en scène bâclée dans le parking du Marhaba. Pourquoi a-t-on liquidé SNP ? Fait comme un rat, on aurait pu le menotter. Était-ce pour mettre un terme à un scandale dont personne ne voulait, en particulier Haj Thobane qui, aux dernières nouvelles, poursuit en justice les journaux qui ont ébruité l'affaire ? Ce genre de procédure est courant au bled. Tout ragot susceptible de porter préjudice à la bonne marche de la révolution est étouffé dans l'œuf. Dans la déréliction politique ambiante, une rumeur a vite pris la dimension d'un cataclysme. Or, le régime ne doit sa longévité qu'au maintien du petit peuple dans la léthargie...

Je suis retourné à deux reprises chez le professeur Allouche. J'avais besoin d'étudier de plus près SNP. Le professeur Allouche m'a fait écouter d'autres bandes magnétiques sans pour autant m'aider à cerner le personnage. Son identité s'étiolait à travers mille délires. Son dossier était aussi pauvre qu'une copie de cancre. Sans filiation ni passé, il demeurait une énigme.

— Vous prenez autre chose ? s'enquiert le garçon, son plateau à la main.

Je consulte Serdj :

— Pas moi, me dit-il.

— Rien pour moi non plus.

Le garçon ne bouge pas, une moue ennuyée sur les lèvres.

— Oui ? je lui demande.

— Ben, vous êtes là depuis des heures et vous n'avez consommé qu'une seule fois.

— Et alors ?

— Et alors, si tous nos clients en faisaient autant, nous déposerions le bilan.

Serdj repousse sa chaise.

— Tu as raison. On s'arrache.

À mon tour, je paie et me lève. Auparavant, ce genre de discourtoisie m'éjectait hors de mes gonds. Si je me suis assagi entre-temps, c'est la preuve que je dépéris.

Serdj se propose de me déposer chez moi. Ma montre indiquant 15 h 38 et ne voyant pas ce que je vais fiche à la maison, je le prie de me reconduire au bureau.

Je trouve Baya en train de se poudrer le museau der-

rière une pile de dossiers en instance. Elle est contrariée
car elle se préparait à déguerpir avant l'heure. Elle
repose son sac par terre et remet à plus tard l'organisa-
tion de sa soirée. Il m'arrive de la garder au bureau très
tard. Avant, ça faussait ses perspectives orgiaques et la
mettait mal à l'aise plusieurs jours d'affilée. Mais depuis
que Lino s'amenuise dans les geôles souterraines du BI
et de l'OBS, elle est capable de renoncer au rendez-vous
de sa vie pour se rendre utile.

— Tu peux t'en aller, si tu veux.

— Je ne suis pas pressée.

— C'est l'albinos que j'ai entrevu l'autre soir ?

Elle se trémousse de timidité :

— Il n'est pas albinos, il est rouquin.

— Tu as de la veine. Paraît que ce sont d'ardents éta-
lons, les rouquins. C'est pour ça qu'ils ont la trogne en
flammes.

Son sourire se dilue dans le feu de ses pommettes et
ses yeux se couchent à ras le carrelage :

— On en est juste aux premiers contacts, commissaire. On ne se connaît pas encore. Je ne vais pas m'embarquer dans une histoire comme ça, voyons ; je ne suce
pas mon pouce.

— Il n'y a pas que le pouce.

Baya s'embrase tout à fait. Bien qu'elle joue la sainte-
nitouche effarouchée par mes propos, je sais qu'elle
adore que je lui tienne un tel langage de temps à autre ;
ses fantasmes ne s'en portent que mieux.

— Il n'y a rien à signaler ?

Sans relever la tête, elle m'apprend que le professeur
Allouche cherche à me joindre.

— Tu me le passes, et puis tu files. Je n'ai pas besoin
de toi, ce soir.

Elle opine du chef.

Le professeur est surexcité.

Un moment, je me suis attendu à le voir surgir du combiné.

— Attention, me prévient-il. Ce n'est pas assez pour crier au festin ; toutefois, on a au moins de quoi tromper la faim.

— J'en ai déjà l'eau à la bouche. C'est quoi, le menu ?

— Pas au téléphone, Brahim. Est-ce que tu peux passer chez moi vers 18 heures ? J'ai une personne qui pourrait t'intéresser.

— Pourquoi pas tout de suite ?

— Elle n'est pas disponible pour l'instant.

— D'accord. On ne peut pas se retrouver dans un endroit moins affligeant ? Ton fief de taré m'empêche de me concentrer.

— Je t'assure qu'on y sera mieux qu'ailleurs. C'est très, très important.

J'arrive à l'asile en même temps que la nuit. De gros nuages cafardeux s'empoignent par-dessus les baraquements. Les allées sont désertes et le parking vide. Un vent bizarre s'emballe par intermittence, vient tirer l'oreille aux arbustes puis, sans crier gare, s'évanouit dans l'obscurité. De rares lumières situent les chambrées occupées, jaunâtres et tristes comme des faces de carême. Plus loin, un long cri se déchaîne, vite réprimé par des sommations obscènes ; aussitôt le calme reprend les choses en main.

Le professeur Allouche n'est pas seul dans son bureau. Une dame s'impatiente sur une chaise, une chemise cartonnée serrée contre la poitrine. C'est une brune aux yeux immenses, belle et coquette, la bouche charnue et la pommette ornée d'un magnifique grain de beauté. Ses trente-cinq, quarante ans ajoutent à son look peaufiné une maturité qui donnerait plus à saliver qu'à réfléchir.

— Bon, dit le professeur, je te présente Soria Karadach. Elle enseigne l'histoire à l'université de Ben Aknoun et collabore à plusieurs revues spécialisées au pays et à l'étranger.

Elle me tend une main ferme, qui contraste avec la douceur de son sourire :

— Je suis ravie de vous rencontrer, commissaire Llob. J'ai souvent entendu parler de vous.

Le professeur pousse un siège dans ma direction.

— Je connais Soria depuis quelques semaines, raconte-t-il. Je t'avais parlé d'une journaliste qui s'intéressait à SNP, la première fois que tu es venu me voir à propos de la grâce présidentielle. C'est elle. Elle s'est manifestée aussitôt que j'ai commencé à attirer l'attention des autorités et de la presse sur la menace que représentait mon patient. Puis, elle a disparu et j'ai pensé qu'elle s'était dégonflée. Eh bien, je me trompais. Mme Karadach est tenace. Elle a poursuivi ses investigations. Je crois qu'elle a des révélations à nous communiquer.

— Pas des révélations, corrige la dame, mais un certain nombre de détails, à mon sens, assez pertinents. En réalité, je m'intéresse depuis plusieurs années aux personnalités charismatiques de notre révolution. Je leur ai consacré la majorité de mes études et je prépare actuellement un document sur leurs faits d'armes que je compte publier. Le cas SNP s'est trouvé par hasard sur mon chemin. J'enquêtais sur la période post-62 lorsque l'histoire d'un *serial killer* m'a un peu chamboulée. La presse de l'époque l'avait affublé d'un surnom pompeux, le *Dermato*, et l'avait condamné d'office avant même l'ouverture de son procès. La procédure judiciaire a été expéditive. De cette façon, on a refermé un dossier avant de le constituer. Lorsque le professeur Allouche a écrit à notre rédaction pour protester contre la mise en liberté d'un détenu potentiellement dangereux, j'ai immédiatement pris contact avec lui. SNP figurait déjà sur mes petites notes. J'ai cru saisir une opportunité supplémentaire pour enrichir le peu de données que j'avais réussi à ramasser çà et là ; ça n'a pas été le cas. Hormis le côté psychanalytique de l'individu, rien de bien tangible. Puis, il y a eu cette histoire d'attentat contre M. Thobane et l'entrée en scène de SNP. Et là, tout a changé.

— Qu'est-ce qui a changé, madame ? lui demandé-je en allumant une cigarette.

— Je crois qu'il y a un lien. Infime, certes, mais bien réel.

— Savez-vous que mon principal coéquipier est impliqué dans cette affaire, madame ?

— Bien sûr.

— Comment pouvez-vous le savoir ? Aucun organe de presse n'a été autorisé à le mentionner.

La dame est interloquée par la brutalité de ma question. Pendant deux secondes, son regard se déporte sur celui du professeur avant de se stabiliser. Ses yeux soudain incandescents semblent me mettre en garde :

— Monsieur Brahim Llob, je suis historienne et journaliste d'investigation. J'ai des amis à différents niveaux du Grand-Alger. Mes sources d'information sont plus crédibles que les comptes rendus de presse que la censure et la langue de bois fignolent au gré de la propagande en vigueur. Je suis ici pour conclure un marché avec vous, pas pour m'adonner à la délation ni pour perdre mon temps. J'aurais pu continuer mes recherches seule, malheureusement, dans notre société, une femme est souvent disqualifiée d'avance. Avant de poursuivre cet entretien, je tiens à vous préciser ceci : je suis partie prenante dans cette affaire. Ou vous m'acceptez dans votre équipe ou je rentre chez moi, et ni vu ni connu.

— Je demande à voir d'abord.

Elle agite sa chemise cartonnée :

— J'ai là-dedans une liste de noms susceptible de faire aboutir mon travail d'historienne et le vôtre. Sur mes fiches, SNP a un nom, un prénom et un lieu de naissance. Il se trouve que M. Thobane est, lui aussi, natif du même patelin. J'ai des témoins qui ne demandent qu'à coopérer. Si vous êtes d'accord, arrêtons sur-le-champ la conduite à tenir et nos engagements réciproques pour enquêter ensemble, la main dans la main, sans tricher. Sinon...

Le professeur est pétrifié.

Je suppose que je cache mal mes émotions, moi aussi.

— Vous avez réussi à identifier SNP ? s'étrangle le professeur.

— Possible. Maintenant, il faut confirmer ou infirmer. Je sais que j'y arriverai, mais seule, ça va me prendre des mois, peut-être des années, ce qui risquerait de rendre l'importance du moment obsolète et sans attraits. Avec M. Brahim Llob et son expérience, nous pouvons battre le fer tant qu'il est chaud. Il a un officier à réhabiliter, j'ai une histoire à redresser.

Je contemple l'énorme braise au bout de ma cigarette.

— Naître au même endroit ne condamne pas obligatoirement à partager un destin commun, je lui signale.

— Il n'y a pas que ça, commissaire.

Le professeur me considère d'un œil intense, scandalisé par mes tergiversations.

— Qui ne tente rien n'a rien, me dit-il.

Je fais semblant de réfléchir. En vérité, j'ignore quelle décision prendre. La dame paraît sûre d'elle. Sa façon d'étreindre sa chemise cartonnée dénote une conviction implacable. C'est peut-être ça qui me désarçonne ; je me sens si diminué par rapport à ses certitudes, en retard d'une guerre et trop patraque pour la rattraper. J'ai aussi l'impression de m'être dépensé inutilement, sur trop de fronts, à traquer des pistes qui n'en étaient pas. Mes échecs m'ont plongé dans une espèce de peine perdue qui m'enlève toute envie de reprendre les choses depuis le début.

La dame guette ma réaction. Elle voit bien qu'elle tarde à venir, pourtant elle ne renonce pas. Elle devine que je n'ai pas d'autre alternative et que ma curiosité maladive va l'emporter sur les autres considérations.

Longtemps après que ma cigarette a rendu l'âme dans une ultime rognure de fumée, je l'écrase sous ma chaussure et dis :

— Jusque-là, je n'ai entendu que ce que vous vouliez que j'entende.

— J'ai deux témoins prêts à nous recevoir. Un ancien détenu, qui a partagé sa cellule avec SNP dans les années 1970 ; et un brigadier qui se souvient de ce garçon venu se constituer prisonnier après une série de meurtres qu'il dit avoir commis et que personne n'a vérifié.

D'emblée, je n'ai pas aimé le témoin numéro un de Soria Karadach. Ratatiné, bras trop longs et oreilles poilues, avec sa gueule d'escroc surmontée d'un regard oblique qui ne dit rien qui vaille, il est le genre à marcher sur le corps de sa mère pour atteindre le pot de confiture.

Il s'appelle Ramdane Cheikh et tient une épicerie dans l'un des quartiers le plus insalubres de Blida. Pour choisir de vivre dans un trou pareil, il faut avoir une sacrée dent contre soi-même.

Le bonhomme somnole derrière un comptoir surréaliste avec ses étagères encombrées de boîtes de conserve, de sachets de lentilles, de serpillières, de bidons d'huile, de détergents, de biscuits, de savates, de bonbonnes poussiéreuses, de mort-aux-rats, de baguettes de pain et autres saloperies, sans date de péremption ni mode d'emploi, rachetées deux sous pièce chez des vendeurs à la sauvette et qui, faute de mieux, s'entremêlent dangereusement sans susciter d'inquiétude auprès des clients, encore moins chez le service communal chargé de l'hygiène alimentaire et de la santé publique.

— Tiens, madame est revenue, glousse-t-il en se redressant paresseusement.

Soria me présente :

— C'est l'ami dont je vous ai parlé.

Le boutiquier me dévisage. Ses grosses lèvres dévoilent une bouche d'égout à asphyxier un scaphandrier.

— Il a une gueule de poulet, ton ami, madame.

— Dans le mille, je lui avoue. Y a un problème ?

Le boutiquier hausse les épaules :

— J'en vois aucun. Pour moi, flic ou livreur de pizzas, c'est du pareil au même. Qu'est-ce qu'il y a à votre service, msieu-dame ?

Je le fixe droit dans les yeux :

— Madame dit que vous connaissez SNP ?

— C'est exact. J'ai passé sept ans en taule, dont trois avec cet enfoiré.

— On peut savoir pourquoi vous avez été condamné ?

Il ramasse ses sourcils autour d'une expression outrée :

— Et puis quoi encore ? Vous ne voulez pas que je vous narre comment j'ai épousé ma femme tant qu'on y est ? J'ai fauté et casqué ; le reste, c'est pas vos oignons. Vous êtes là pour moi ou pour quelqu'un d'autre ?

— Pour SNP.

Il tend la patte vers Soria.

— Même tarif, madame.

— J'ai déjà payé.

— Un seul ticket ne vous autorise pas à voir plusieurs fois le même film.

— Il y a des cinémas permanents, je lui signale.

Il tique, car il ne s'attendait pas à la spontanéité de ma pertinence.

— Pas le mien, bonhomme, se ressaisit-il.

— C'est imprudent de racketter un flic.

Il écarquille ses grands yeux de batracien et, rejetant la tête en arrière, il part d'un rire surfait.

— Écoute bien, le poulet. Moi, les flics, les balances et les lois de la république, je les nique de long en large. Quand je crève la dalle, c'est pas ce gras fumier de maire qui s'en préoccupe. Et quand je suis en retard sur le loyer, pas un salopard ne me tend la perche. Chacun traite ses affaires comme il veut ou se démerde comme il peut. Pas la peine de la jouer croque-mitaine. Ou l'on cause, et tu craches cash ; ou l'on s'amuse, et j'suis pas d'humeur. Pour être franc, si la dame m'avait averti que tu étais flic, j'aurais pas accepté de te rencontrer. Non pas que j'aie peur ou des trucs dans ce genre ; c'est juste pour le principe : les flics, je les supporte pas. Dès que j'en aperçois un, j'ai le mal de mer pendant plusieurs jours.

Il se tourne vers Soria :

— Le fric, madame.

Elle extirpe deux billets de son sac.

— Pour le poulet aussi. La maison ne fait pas d'exception.

J'ai envie de lui écrabouiller la gueule, mais je crains de me fouler le poignet dessus tant elle paraît blindée.

Soria s'exécute.

Le bonhomme étale les billets face au soleil pour contrôler leur authenticité, les plie en quatre et les glisse dans sa poche. Son sourire s'élargit et ses yeux s'allument d'une satisfaction malsaine :

— Qu'est-ce que vous voulez savoir ?

— Ce que tu sais sur SNP. Je te préviens, si on n'en a pas pour notre argent, on se fera rembourser.

Il me montre ses dents pourries dans une grimace et aboule :

— Comme je l'ai dit à la dame, j'ai connu SNP en prison. À l'époque, il venait d'écoper d'une perpète. Il avait vingt, vingt-deux ans. Un peu moins, un peu plus. On savait pourquoi il était là. Les gardiens nous rapportaient ce que racontaient les canards. Comme il était répertorié très venimeux, on l'a isolé. Le temps de se faire une petite idée sur sa dangerosité. Apparemment, il n'a pas convaincu. Après, on l'a amené dans ma cellule. Le directeur était après moi. Il a probablement cherché à me liquider dans la pure tradition pénitentiaire. Les premières nuits, je me tenais sur mes gardes. Faut avouer qu'on lui avait taillé une sacrée réputation. Dès qu'il se levait pour pisser, j'étais debout, dos au mur. À l'usure, ne voyant rien venir, j'ai commencé à relâcher mes crampes d'estomac. Deux mois plus tard, je me suis rendu compte que mon camarade de chambre n'avait rien d'une calamité. Bien sûr, je n'avais pas intérêt à le crier sur les toits. Tant que les autres chiaient dans leur froc, j'étais peinard sur mon plumard. J'ai même contribué à consolider sa légende, confiant aux gars qui commençaient à douter que le bonhomme était hyperimprévisible et que le jour où quelqu'un se mettrait sur son chemin, ce serait le cauchemar total. Pendant ce temps, SNP s'enfermait dans son silence. Il ne disait jamais rien. Ni merde ni merci. C'était un cinglé pur et carré, y avait pas de doute là-dessus. Il ruminait ses desseins et les cuvait jalousement. Une fois, dans les douches, je lui ai passé mon savon. Contre toute attente, il ne l'a pas repoussé. Il a pas dit merci, mais, pour moi, c'était comme si on me retirait un rocher de sur la poitrine. Puis une nuit, comme ça, sans raison particulière, il m'a dit comment il s'appelait, d'où il venait et m'a vaguement parlé d'une tuerie à laquelle il avait assisté. Je n'en revenais pas. Le lendemain, pendant qu'on bouffait au réfectoire, il est arrivé dans mon dos et m'a planté un morceau de vitre de dix centimètres dans le flanc. Je n'ai jamais compris pourquoi. J'ai été transféré à l'infirmerie dans un état comateux. À mon retour, SNP n'était plus là. Il a été isolé quelque temps avant d'être dirigé sur un asile pour dégénérés.

Soria ouvre un calepin et lit dedans :

— Il s'appelait Belkacem Talbi, n'est-ce pas ?

— Ouais, c'est bien ça. Même qu'il est né à Sidi Ba et qu'il avait perdu l'ensemble de sa famille dans une tuerie.

— Comment se fait-il que tu te rappelles encore son nom après tant d'années ? je le bouscule.

— La seule fois où j'ai flirté avec la mort, ç'a été grâce au coup qu'il m'a porté. S'il y a une gueule que je ne risque pas d'oublier de sitôt, c'est bien la sienne.

— C'est lui qui t'a sommé de garder le silence sur son secret ?

— Je n'ai d'ordre à recevoir de personne. Si à mon retour, cet enfoiré avait encore traîné dans mes quartiers, je lui aurais fait la peau dans la minute. J'ai jamais pardonné ce qu'il m'a foutu... Si jusque-là j'avais rien dit, c'est parce que je ne voyais pas l'utilité. Ce n'est que lorsque madame est venue remuer les souvenirs que je leur ai découvert de l'intérêt.

— Et à propos de la tuerie ?

— Ça s'est passé la nuit. Des énergumènes armés ont débarqué chez lui. Ils ont dit qu'ils voulaient les mettre à l'abri, lui et sa famille. Ils les ont emmenés dans la

forêt et on les a égorgés les uns après les autres. SNP a
profité de la confusion qui s'était déclarée pour se
tailler. Deux hommes lui ont couru après sans le rattraper.

— Il a expliqué les raisons de cette tuerie ?

— Non, c'était comme s'il délirait. Je n'avais pas l'impression qu'il s'adressait à moi en particulier. Il parlait,
et c'est tout.

— Il n'a pas cité de noms, ou fait allusion à quelque
chose, un événement à même de situer la tuerie ?

Le boutiquier réfléchit.

— Qui étaient ces gens armés ? lui demande Soria.

— Je ne lui ai pas posé la question. À mon avis, ça
s'est produit durant la guerre de libération. Ce n'est
qu'à cette époque que les gens étaient armés jusqu'aux
dents.

— Est-ce qu'il recevait des visites ?

— Lui ? Pas une fois. C'était un extraterrestre.

Soria me regarde pour voir si j'ai d'autres questions.
Il ne m'en reste plus, mais le bonhomme a ravivé ma
verve ; je lui promets de revenir.

— Ce sera toujours le même tarif, poulet, dit-il. Si
vous comptez vous abonner, je pourrai, avec un peu de
chance, vous faire un prix.

Le deuxième témoin s'appelle Habib Gad et réside à
Mouzaïa, une minuscule ville coloniale à l'ouest de
Blida, où il gère une entreprise de sous-traitance immo-
bilière.

Il ne saute pas au plafond en nous voyant envahir ses
petites combines.

C'est un vieillard assez bien conservé, haut et maigre
comme un mât, avec un visage en lame de couteau et
deux yeux d'épervier. Il nous invite – beaucoup plus
pour se mettre à l'abri des indiscrétions que par charité

musulmane – à le suivre dans une sorte de grande boîte en contreplaqué qu'il fait passer pour son bureau.

De la tête, il envoie balader une secrétaire qui débarrasse le plancher plus vite qu'une souris puis, respirant un grand coup pour se retenir, il ferme la porte et s'adosse dessus.

— Ça va pas, madame ? Je vous rends service une fois, et vous rappliquez le lendemain pour me dire merde.

Prise au dépourvu, Soria est déstabilisée par l'attitude du brigadier. Elle ne comprend pas et cherche où elle a gaffé.

Le vieillard se mouche nerveusement sur son poignet, renifle et dodeline de la tête.

— Si ça continue, madame, je vais avoir bientôt un régiment de gratte-papier sur le dos, et, pourquoi pas ? la radio et la télé aussi tant qu'on y est, proteste-t-il... Je croyais que vous travailliez sur un bouquin.

— C'est la vérité, dit Soria.

Son bras décrit un arc fulgurant et s'immobilise dans ma direction :

— Alors, pourquoi ce type ? Je le connais, c'est un flic d'Alger.

— Vous êtes brigadier, non ? je lui signale.

— Ex... ex-brigadier, s'il vous plaît. J'ai pris ma retraite, il y a dix ans. Maintenant, je bosse à mon propre compte et je ne tiens pas à avoir d'ennuis.

— Qu'est-ce qui se passe ? lui demande Soria. La dernière fois, vous étiez aimable et pleinement coopératif.

— La dernière fois, je pensais aider une historienne. Or, vous m'avez menti. (Il se rue sur une armoire métallique, s'empare d'un journal et le claque sur la table.) C'était pas après un bouquin que vous étiez, madame, mais après un scoop. (Son doigt balaie un gros titre en

première page : *Haj Thobane victime d'un attentat.*) Je
parie que c'est vous qui avez signé ce papier.

— Je vous assure que non.

— M'en fous. Jamais je n'avais soupçonné SNP derrière cet attentat. Autrement, je ne vous aurais pas permis de franchir le seuil de ma société. Les tracasseries,
j'en ai jusque-là avec les impôts, la commune, les clients,
les créanciers et mes propres rejetons.

Il est hors de lui.

Seule ma présence l'empêche de saisir Soria par les
cheveux et de la traîner par terre. Son regard lui en
veut, et sa bouche remue ciel et terre pour ne pas
mordre.

Soria tente de l'apaiser, il la stoppe d'un geste
péremptoire :

— Vous allez fiche le camp d'ici ! Et pour de bon. Je
ne veux plus vous revoir, compris ?

— Vous avez reçu des menaces ?

Ma question l'irrite férocement, déclenchant une multitude de tics sur la pointe de son menton.

— Des menaces ? On est où, là ? Je vous dis que je
ne tiens pas à être mêlé à cette histoire. Haj Thobane, le
dernier des mioches sait qui il est. C'est pas bon pour
mon commerce.

— Personne ne vous demande de vous mesurer à lui.

— Que Dieu m'en préserve. J'en ai rien à cirer de cet
attentat. Qu'il se fasse démolir par un ancien détenu ou
par un chauffard, c'est mon problème ? Par contre, je
refuse que mon nom soit mentionné d'une manière ou
d'une autre là où celui de Haj Thobane est tête d'affiche. Ça porte malheur. Ce gars est un mauvais présage.
Que ça soit pour un gala ou une circoncision, pour les
honneurs ou pour la vitrine, je ne veux pas que mon
nom figure à côté du sien. C'est pas plus compliqué que
ça. J'ai trimé comme un bœuf pour monter de toutes

pièces mon entreprise, je ne vais pas m'amuser à la foutre en l'air maintenant que je suis à deux doigts de rafler la mise. Vous allez déguerpir d'ici, et tout de suite. Quant à vous, madame, je ne vous ai jamais rencontrée de toute ma putain de vie.

— Nous vous promettons que...

Il ouvre la porte d'une main hargneuse et grogne :

— Je vous en supplie, partez.

Nous n'insistons pas et retournons dans la cour où un camion décharge une cargaison de ciment de contrebande. Soria saute dans sa voiture, m'ouvre de l'intérieur et met en marche le moteur. Sa façon d'esquinter les soupapes donne un aperçu de la colère qui gronde en elle. Elle récupère ses lunettes de soleil dans la boîte à gants et les plaque contre sa figure.

Je jette un œil par-dessus l'épaule et surprends l'ex-brigadier en train de nous surveiller depuis sa cabine, les bras croisés sur la poitrine, le regard venimeux.

— Je vous assure que je suis effarée par sa volte-face, commissaire, m'avoue Soria en démarrant. Il a été d'une correction et d'une prévenance exemplaires, la première fois qu'on s'est vus.

— Ça remonte à quand ?

— Une huitaine de jours.

— Il n'était pas au courant.

— Apparemment non. Il se disait disposé à m'aider et m'a laissé ses deux numéros de téléphone pour que je puisse le joindre à n'importe quel moment. Il était très flatté car je lui avais promis de le citer dans mon livre. Vous pensez qu'il a reçu des menaces ?

— J'ai dit ça comme ça... Au fait, comment l'avez-vous déniché ?

Elle attend de doubler une fourgonnette et dit :

— Élémentaire. SNP a été jugé et condamné, non ? Les archives, ça existe. J'ai cherché la date et le lieu de son arrestation ; le reste a suivi automatiquement. Le brigadier Gad a exercé comme agent, de 1969 à 1973, à El Afroun. Il a été le premier à entendre SNP. Il était de permanence, ce soir-là. Au début, il l'avait pris pour un dérangé. Mais SNP a refusé de quitter le commissariat et insisté pour qu'on l'enferme dans une cellule. Le brigadier a dû en référer à son chef.

— Que vous a-t-il raconté d'intéressant ?

— Qu'il ne croyait pas du tout à cette histoire de tueur en série. C'est vrai, à l'époque, quelques assassinats avaient endeuillé la région. Selon Gad, c'étaient des règlements de compte entre familles rivales. Une certaine psychose s'est installée et les autorités locales, plutôt agacées que préoccupées, ont été sommées par Alger de mettre un terme à cette effusion de sang qui portait préjudice à la bonne marche de la révolution. La presse s'est jetée sur le sujet, en concoctant un feuilleton rocambolesque dans le but de divertir un lectorat assommé à coups de langue de bois et de discours démagogiques. *Dermato* ne tarda pas à être baptisé loup-garou du triangle Tipaza-El Afroun-Cherchell. Le chef de Gad était devenu le chasseur officiel de la Bête et, par extension, la coqueluche du feuilleton. Lorsque SNP s'est présenté au commissariat pour se constituer prisonnier, c'était comme si le ciel l'envoyait. Le commissaire tenait entre ses mains la chance de sa vie ; pour brûler les étapes, il n'a pas lésiné sur les moyens. D'après Gad, c'est lui qui a forcé SNP à avouer des meurtres dont certains n'ont jamais été vérifiés ni même enregistrés dans le secteur. Gad jurerait que SNP était prêt à reconnaître n'importe quoi pour se faire coffrer. Il avait une frousse bleue d'être relâché. Il se cachait à chaque fois que quelqu'un entrait dans le commissariat, comme s'il était traqué. Le commissaire n'y voyait pas d'inconvénient, bien au contraire, il a mené l'enquête dans le sens qui lui convenait le mieux. Trop heureuse de museler une rumeur qui prenait des dimensions abracadabrantes, Alger a cautionné les déclarations du policier et l'affaire fut classée sur un simple coup de fil.

— Un peu simpliste comme version, vous ne trouvez pas ?

— Je ne suis pas de votre avis, commissaire. Nous sommes dans un pays où tout se décide sur un coup de tête ou un coup de fil, les grands projets comme les purges. Personnellement, j'ai accédé à des dossiers tellement invraisemblables qu'ils en devenaient hilarants. Pourtant, ils étaient aussi officiels que ma carte d'identité. Quelque chose me dit que SNP ne s'est pas trouvé par hasard sur la route de Haj Thobane. Ramdane Cheikh n'a rien inventé, lui non plus. Je suis allée à la mairie de Sidi Ba, deux jours après l'avoir entendu, et j'ai cherché, sur le registre communal, Belkacem Talbi. Je l'ai trouvé. Né le 27 octobre 1950, porté disparu en août 1962, avec l'ensemble de sa famille : son père, sa mère, ses quatre frères et sa sœur.

— Et Haj Thobane, dans tout ça ?

Elle ralentit, pousse sa voiture sur le bas-côté et s'arrête à hauteur d'un arbre. Longuement, elle fixe un marabout au haut d'une colline. Après avoir pesé le pour et le contre, elle éteint le moteur et me fait face.

— Commissaire, si je n'étais pas convaincue de tenir là une piste sérieuse, j'aurais décroché. Je ne suis pas le genre à barboter dans un verre d'eau. Je suis pleinement consciente des retombées de cette affaire ; on ne s'en tire pas entier lorsqu'on s'attaque à un *zaïm*. Aussi, je n'ai pas droit à l'erreur. Mais j'ai confiance en vous. Je vous mentirais si je vous disais que je n'ai pas fouiné dans votre dossier. Vous êtes l'homme de la situation. Seulement, il n'est pas question, pour moi, de vous mettre sur les rails pour me retrouver abandonnée sur le

ballast. Cette affaire m'excite à mort. Si vous êtes partant, je veux vous coller au train. Je vous communique-
rai l'ensemble des informations dont je dispose. De
votre côté, vous n'occulterez aucun détail susceptible de
consolider mon travail d'historienne et de journaliste...
Vous voulez prêter serment maintenant ou vous faut-il
quelques jours de réflexion ?

— Lino m'en voudrait de temporiser.

Elle me tend sa main rosâtre :

— Je suis soulagée, commissaire, et très heureuse
surtout.

— Oui, mais vous ne répondez toujours pas à ma
question.

Elle plonge son regard dans le mien, profondément,
comme si elle cherchait à lever le voile sur ce que j'ai
derrière la tête. Je ne cille pas ; elle opine du chef et dit :

— Haj Thobane a été le chef militaire de la région de
Sidi Ba pendant la guerre de libération. On raconte que
ce qu'il a fait subir aux populations civiles et aux harkis
est inimaginable. SNP n'a pas attenté à sa vie par hasard,
j'en mettrais ma main au feu. La façon avec laquelle il a
été empêché de nuire laisse pantois. Il y a anguille sous
roche, commissaire, et mon intuition ne repose pas seulement sur mon flair de journaliste d'investigation. Un
petit tour du côté de Sidi Ba apporterait sans aucun
doute un peu d'eau à nos moulins. On m'a suggéré
quelques adresses, à nous de voir où elles mènent.

— Et on peut savoir qui se cache derrière ce « on » ?

Elle me décoche son plus beau sourire, remet en
marche le moteur et, enclenchant la première, elle me
susurre :

— Des personnes crédibles et intègres, qui préfèrent
garder l'anonymat pour donner un maximum de chance
à la vérité de refaire surface. J'ai autant confiance en
eux qu'en vous, et vous devez croire en moi aussi.

16.

Le panneau annonçant le village a été rectifié. Quelqu'un a rayé le mot *welcome* et l'a remplacé par « *wilkoum** à Sidi Ba », un lieu-dit devenu, en l'espace de quelques années, un énorme bourg informe piégé par des montagnes en dents de scie, entre Alger et Médéa.

Pour y accéder, il faut négocier un millier de virages périlleux, gravir des centaines de collines aussi tordues les unes que les autres et maudire toutes les cinq secondes les nids-de-poule qui minent la route, esquintant les amortisseurs de votre véhicule et le cartilage de vos vertèbres. Le pire est qu'en fin de compte vous constatez, à vos dépens, que la randonnée n'en valait pas le détour. Car Sidi Ba est un coin à tuer en vous toute envie de voir du pays. C'est moche, c'est bête, et quand vous y échouez, une seule idée fixe vous persécute : déguerpir !

J'ai vu un tas de foutaises dans ma vie, mais celle qu'incarne Sidi Ba mériterait une mention spéciale : elle est la preuve que les hommes ont atteint le summum de leur génie et que, à court d'imagination, ils entament,

---

* « Malheur à vous ».

avec le même enthousiasme que les premiers troglo-
dytes, le sens inverse de l'aventure humaine, c'est-à-dire
le retour à l'âge de la pierre. Sauf qu'à Sidi Ba, la pose
de la première pierre inaugurant l'ère du déclin s'est
prolongée dans une anarchie urbaine outrepassant les
limites de l'entendement. Des immeubles, conçus dans
l'urgence pour résorber une démographie galopante,
ont mobilisé toute la crapule régionale qui, stimulée par
une administration fondamentalement scélérate, s'est
jetée corps et âme dans des magouilles que le diable
n'aurait pas imaginées. Des entreprises bidons se sont
constituées du jour au lendemain, sous la houlette de
prédateurs mandatés, secondés par des architectes aux
diplômes contestables, et bonjour les chantiers à la
pousse-toi que je te pousse plus loin.

En ouvrant la fenêtre de ma chambre d'hôtel, je
reçois de plein fouet un torrent de dissonances, puis le
spectacle traumatisant d'un vaste ghetto aux chaussées
lépreuses, aux trottoirs teigneux et aux ruelles hideuses
qui donnent le tournis à force de s'entortiller dans
d'épouvantables cafouillis. Pas un empan d'espace vert,
pas un édifice raisonnable ; rien que des maisons
rudimentaires, des palissades gondolées et des taudis
superposés au mépris des règles élémentaires de la
maçonnerie. Au milieu du chaos en béton, une fourmilière tentaculaire déferle de long en large, exacerbant
l'agitation démentielle des charrettes et des tacots.

— C'est pas ici que je choisirais d'écrire mon prochain bouquin, dis-je.

— Vous êtes écrivain, monsieur Llob ?

— Vous n'allez pas me dire que vous l'ignoriez ?

— Je l'ignorais. Et vous écrivez quoi ?

— Des romans policiers.

— Ce n'est pas tout à fait mon rayon, mais pour vous,
je ferai une exception.

— C'est très gentil à vous, madame.

Soria s'approche de la fenêtre et contemple le chari-vari sur la place.

— Je suis navrée, c'est le seul hôtel de la ville.

— Encore une chance qu'il y en ait un.

Je referme la fenêtre.

La chambre est exiguë, tapissée de papier peint déco-loré, sans édredon ni rideaux aux volets. Le lit est à peine assez large pour un gréviste de la faim, recouvert d'un matelas pourri sur lequel on a plié des draps d'une teinte douteuse. En face, une armoire métallique flan-quée d'une table mutilée, et un lavabo d'une laideur inouïe.

— J'espère qu'il y a l'eau courante ?

Soria esquisse une moue embarrassée. Arrivée la veille pour réserver les chambres et préparer le terrain, elle se sent coupable de ne rien trouver de mieux à m'offrir.

— C'est pas grave, je la rassure ; j'ai apporté avec moi quelques galets pour mes ablutions.

— Il y a un bain maure à deux pas.

— Heureux de l'apprendre. C'est comment, votre suite royale ?

— Même topo, sauf que la fenêtre donne sur une menuiserie très active.

— À quel étage ?

— On est sur le même palier. La chambre d'à côté.

J'allume une cigarette et lui dis :

— Je vous trouve bien imprudente. Je suis somnam-bule, vous savez ?

— Et moi, insomniaque.

Difficile de savoir par quel bout saisir la réplique. Le regard droit de Soria ne m'aide pas ; je laisse tomber.

— J'ai droit à un petit somme ?

— Tout à fait, monsieur Llob. Je vous laisse vous

reposer. Le voyage a été dur ; celui qui nous attend ne sera pas une sinécure.

Elle me salue de la main et s'éclipse.

La première adresse nous propose une escale dans le vieux quartier de Sidi Ba. Inaccessible aux voitures, nous nous y rendons à pied. De prime abord, la populace n'est pas habituée aux déhanchements de ces dames aux fesses outrageusement prises dans des pantalons étriqués. Les galopins interrompent leurs jeux, éberlués. Certains, nous prenant pour des touristes occidentaux, haussent les épaules et reprennent leur chahut ; d'autres, moins émancipés, s'écartent de notre chemin pour éviter les sortilèges qu'ils *voient* graviter autour de nos ombres cornues. Des têtes scandalisées se montrent aux fenêtres, dans les embrasures, par-dessus les épaules ; l'agitation s'atténue au fur et à mesure que nous nous approchons d'une échoppe, s'estompe tout à fait lorsque l'ensemble des regards convergent vers les vieillards attablés sur la terrasse. Ces derniers, graves sous leurs turbans, se détournent sur notre passage en crachant, à tour de rôle, sur la chaussée.

Soria a conscience du trouble qu'elle suscite ; son pas a perdu de sa grâce, mais il est trop tard pour rebrousser chemin.

Elle s'abrite derrière ses lunettes.

Un mécanicien est en train d'étriper une vieille guimbarde rouillée. Plié sous le capot, il sacre après une durit calcifiée qui refuse de céder. Son gros postérieur s'agite dans tous les sens, horripilé par la ténacité de la pièce récalcitrante. Je toussote dans mon poing. Il se relève promptement ; sa tête heurte la lèvre du capot. Sa douleur est vite dissipée par sa surprise de se trouver nez à nez avec une femme de la ville.

— On ne vend pas de hidjab, chez vous ? me

reproche-t-il en tournant significativement le dos à Soria.

— On est bien chez les Omari ?

— Ouais, qu'est-ce que vous leur voulez ? Vous venez des impôts, c'est ça ?

— On vient d'Alger. On souhaiterait parler à Hamou, Hamou Omari.

Il fronce les sourcils, essuie ses mains noirâtres de rinçure dans un torchon accroché à la poche arrière de sa combinaison.

— Vous êtes médium ? me demande-t-il.

— Pas forcément.

Son regard torve m'écrase.

Il se mouche sur son poignet et grommelle :

— Mon père est mort, ça fait trois ans.

Sur ce, il replonge dans la gueule du tacot s'acharner sur la durit.

— Voilà pourquoi il est difficile, pour une femme, de mener ses recherches à bout, soupire Soria une fois revenus à l'hôtel. Ici, on ne cause qu'aux hommes et qu'entre hommes. Hier, aucun gargotier n'a accepté de me recevoir. Même accompagnée, on ne veut pas de femme dans les endroits publics. Il a fallu que le réceptionniste aille en personne me chercher de quoi bouffer.

Exténué, je garde mes commentaires pour moi. Les pieds me brûlent dans mes souliers. Nous avons marché tout l'après-midi, en vain. Hamou Omari est mort, Haj Ghaouti aussi. Le troisième témoin avait déménagé et le quatrième, un certain Rabah Ali, est en voyage à Médéa et ne doit pas rentrer avant la fin de la semaine.

— Vos sources auraient dû réactualiser leurs informations, dis-je avec une pointe d'amertume.

— Elles n'ont pas remis les pieds à Sidi Ba depuis longtemps.

— C'est malin.

Je m'écroule sur mon lit et me déchausse.

Soria réfléchit sur le seuil de la porte.

— Vous pensez qu'on n'aurait pas dû venir ?

— Il fallait en débattre avant.

Elle croise les bras sur sa poitrine, qu'elle a plantureuse, et rejette ses cheveux en arrière d'un mouvement brusque de la nuque. Elle est très belle, Soria. Elle a des yeux splendides.

— Qu'est-ce qu'on fait ? minaude-t-elle.

— On y est, on y reste. Je ne rentrerai pas à Alger les mains vides.

Elle acquiesce, danse légèrement sur la pointe des pieds.

— Bon, dit-elle. Je suis dans ma chambre. Si vous avez besoin de moi, vous savez au moins où me joindre.

Le lendemain, je retourne seul dans le vieux quartier. L'expérience de la veille m'est restée en travers de la gorge. Soria n'a pas rouspété. Sa présence, à mes côtés, diminue nos possibilités d'avancer, et elle le sait. À Sidi Ba, les mentalités ont encore pas mal de cataclysmes à subir avant d'évoluer ; ici, lorsqu'on évoque la femme, on dit « sauf votre respect ».

L'ancien maquisard, de son nom de guerre En-Nems, me reçoit avec empressement dans son atelier. Dès qu'il a appris que ses récits de bataille avaient des chances de m'emballer, il a libéré ses deux ouvriers, refermé la porte et tiré les rideaux pour m'avoir à lui tout seul. C'est un tisserand usé, presque vieux, les yeux grossis par des lunettes de myope. Son visage émacié est parcheminé de rides sévères mais ses dents, étonnamment blanches, tiennent bon. À l'instar de ceux qui, longtemps ignorés, attirent soudain les feux de la rampe, il

commence par se tailler une solennité à sa juste déme-
sure.

Le menton droit, la lèvre lourde, il se veut digne.

— Si c'est pour un film, je suis d'accord. Si c'est pour
un bouquin, c'est non, m'avertit-il tout de go.

— Le cinéma s'inspire largement des livres, l'appâté-je.

— Pas au bled. D'ailleurs, le cinéma ne me titille
guère. Il n'y en a pas à Sidi Ba. La salle la plus proche se
trouve à quatre-vingts kilomètres. Et encore, on n'y projette que des films débiles. Ce qui m'intéresse, c'est la
télé. Tout le monde a la télé...

Il plonge deux doigts dans sa bouche, rajuste sa prothèse dentaire.

— Je n'oublierai jamais le film *Le Miraculé de Jenien
Bourezg*, argumente-t-il. Ça, c'est un documentaire. Le
brave moudjahid est arrêté par l'armée française,
tabassé puis conduit dans une décharge pour être exécuté d'une balle dans la nuque. Il est déclaré mort par
l'administration, et les frères l'inscrivent sur le registre
des martyrs. Quinze ans après, c'est le miraculé en
personne qui raconte son extraordinaire histoire à des
millions de téléspectateurs ébahis. Il est devenu une
vénération en une soirée... Si c'est pour un documentaire télévisé de cette audience, je suis partant, et tout
de suite ; si c'est pour un bouquin, c'est non.

— Ça dépendra de ce que vous avez à proposer
comme témoignage.

Il bombe le poitrail à la manière d'un coq ; son bras
décrit un vaste cercle :

— Vous n'en trouverez pas mieux à des centaines de
kilomètres à la ronde. J'ai été le plus proche collaborateur du commandant Le Gaucher. C'est pas de la
blague, Le Gaucher ; une légende vivante, une épopée.
La France entière tremblait à la seule évocation de son
surnom. Putain ! Quand il se manifestait quelque part,

avec son mauser en bandoulière, c'était le signe que ça
allait barder. Il s'engouffrait dans les troupes ennemies
comme un ouragan. Il n'avait pas encore dégainé que les
paras prenaient leurs jambes à leur cou et traversaient la
Méditerranée à la nage pour se réfugier dans les jupons
de leurs mères... *Moi*, j'ai rejoint l'ALN en 55. Presque
en même temps que le Gaucher. C'est lui qui m'a
recruté. J'ai pas fait de chichis. Je savais qu'avec des
hommes comme lui, on était condamnés à vaincre. On
n'était pas plus de quinze combattants dans les maquis
de Sidi Ba, à l'époque. Et on n'était pas tous armés.
Lorsqu'on descendait se ravitailler dans les hameaux, on
trimbalait de jeunes troncs d'arbres qu'on enveloppait
dans des bâches pour les faire passer pour des bazookas.
Le bluff fonctionnait au quart de tour puisque des
volontaires nous rejoignaient. Moi, j'avais un pistolet
grippé au ceinturon, et pas une cartouche dans le
barillet. Ça m'empêchait pas de chercher noise aux
colons. Je ne craignais personne, ne reculais devant rien.
Ce n'est qu'après l'embuscade de février 56, au cours de
laquelle on a tué une vingtaine de militaires français,
qu'on a pu acquérir un équipement approprié...

Il s'élance à travers une épopée que j'imagine dysen-
térique. Des histoires de cette nature, rocambolesques
parce que invérifiables, il n'y a qu'à prêter l'oreille pour
en recueillir des vertes et des pas mûres à tout bout de
champ. La cocarde et la propagande en vigueur encou-
ragent leur prolifération et exhortent les tocards assermentés à en inventer en quantité industrielle pour
garantir la longévité de la légitimité historique.

Je juge sage de ne pas laisser l'entretien se dissoudre
dans de stériles élucubrations et vais droit au but :

— C'est l'après-5 juillet 62 qui m'intéresse, monsieur
En-Nems.

Il sursaute, incrédule, offensé par le manque d'intérêt

que je montre à l'égard de l'étape fondatrice non seulement de la nation algérienne mais aussi, et surtout, de la
notion de liberté chez les peuples opprimés d'Afrique et
d'ailleurs.

— Quoi ?... Y a rien, après le 5 juillet, mon ami. La
révolution s'est arrêtée à cette date. La preuve, on
régresse à toute allure depuis.

— Est-ce que vous avez connu un certain Talbi ?

Cette fois, il se fige ; un masque mortuaire se substi-
tue à ses traits.

— Quel Talbi ? s'écrie-t-il, la voix lézardée.

— Il vivait à Sidi Ba jusqu'en août 62. Puis, il a été
porté disparu, avec l'ensemble de sa famille.

En-Nems déglutit. Il devient livide. Dans le silence de
l'atelier, sa respiration rappelle le chuintement d'une
chaudière.

Il braque un doigt sur la porte et hurle :

— Sortez !

Ma question sur les Talbi provoque la même réaction
chez deux autres témoins. D'abord enthousiastes à
l'idée de *fourbir* leurs faits d'armes, ils ont complètement changé de tête quand j'ai prononcé le nom de
Tabli ; comme si, d'un coup de pied, j'avais foutu en l'air
leur château de sable. L'un m'a prié de ne plus remettre
les pieds chez lui ; l'autre m'a juré de me fracasser le
crâne avec sa pioche si je répétais encore une fois le
nom « de ce salaud de chien de traître ».

De retour à l'hôtel, je trouve Soria aux prises avec ses
notes et ses dossiers. Elle devait rencontrer une moudja-
hida ; cette dernière s'est décommandée dès que le nom
des Talbi a été avancé.

— En trois jours, on n'a pas progressé d'un centi-
mètre, je lui dis.

— On a au moins levé le gibier, rétorque-t-elle.

— J'admire votre optimisme, mais je ne vois aucun lièvre détaler.

— Moi, si. Nous savons au moins que les Talbi chiffonnent pas mal de personnes.

Le soir, on m'annonce de la visite à l'accueil. Je prie Soria de se mettre en veilleuse dans sa chambre et dévale les marches de l'escalier.

La cinquantaine fraîche, les cheveux sel et poivre ramassés sur le front, le visiteur qui m'attend au salon de l'hôtel paraît tarabusté. C'est un homme de belle trempe, bien sapé et cravaté, les chaussures cirées comme des bottes d'officier. Une moustache fine souligne son regard qu'il a, malgré des sourcils en accent circonflexe, doux et franc.

Il se lève promptement en voyant le réceptionniste m'orienter sur lui :

— Je suis Rabah Ali, se présente-t-il, la voix torturée. Mes fils m'ont dit que vous me cherchiez. J'espère qu'il n'y a rien de grave.

La manière avec laquelle il s'accroche à mes lèvres trahit la grande angoisse qui le travaille depuis que ses enfants lui ont fait part de mon passage. Je parie qu'à peine rentré, il s'est dirigé droit sur mon hôtel pour tirer les choses au clair. Ça doit être un écorché vif, sempiternellement sur le qui-vive telle une bête traquée, un maniaco-dépressif comme nous sommes légion au pays.

Ses doigts frétillent dans ma main, moites et grelottants.

— Il n'y a pas le feu, m'empressé-je de le rassurer, nous ne sommes là ni pour la justice ni pour le fisc. Ma collègue et moi recueillons les témoignages d'anciens moudjahidin pour élaborer un ouvrage historique.

Il se détend. En un tournemain, sa pomme d'Adam se remet en place et son teint recouvre ses couleurs.

— Je croyais que vous ne rentreriez pas avant la fin de la semaine, monsieur Ali.

— Mon voyage d'affaires a tourné court.

De nouveau, il s'embrouille ; un chapelet de tics se déclare sur la pointe de sa pommette. Il respire fortement pour se reprendre en main, agacé par l'acuité de mon regard.

— Excusez-moi, bredouille-t-il, c'est ridicule de perdre les pédales sans raison, mais je traverse actuellement des zones de turbulence et je n'ai pas assez de force pour garder la tête froide.

— Vous n'êtes pas le seul à vous stresser pour un oui ou pour un non, monsieur Ali. Nul n'est vraiment tranquille, chez nous, ni dans sa tête ni dans la rue.

Il acquiesce en se mordillant les lèvres, me dévisage trois secondes, l'air d'attendre et de voir venir.

— On avance que vous êtes un homme de vérité, c'est pourquoi nous vous sollicitons.

— Il ne faut pas croire tout ce qu'on raconte, monsieur... ?

— Llob, Brahim Llob.

— Que puis-je pour vous, monsieur Llob ?

— Ce que vous pouvez.

D'une main encore fébrile, il s'empare d'un mouchoir et s'éponge le front.

— C'est un peu vague.

Je l'invite à prendre place sur le canapé crevé de la maison. Il accepte volontiers, non sans jeter un œil sur sa montre.

— Ce ne sera pas long, monsieur Ali.

— Je vous écoute.

— C'est à propos de ce qui s'est passé par ici entre juillet et août 62.

Il médite un instant, en grignotant son ongle. L'intérêt que je porte à cette époque ne le trouble pas outre mesure. Il est juste incommodé. Son regard revient affronter le mien.

— Je crains de ne pouvoir vous être d'une quelconque utilité, monsieur... ?

— Llob, répété-je, Brahim Llob.

— Je ne vous cache pas que le sujet me gêne. Personnellement, je n'ai pas grand-chose sur la conscience. J'ai fait la guerre d'un bout à l'autre, sans excès et sans tricher. J'ai assisté à des choses horribles, aussi. Mais je ne tiens pas à retourner le couteau dans la plaie, monsieur Llob. Les gens d'ici en portent des séquelles irréversibles. De nos jours, il arrive que les échos de ces événements dramatiques réveillent certaines rancunes et, parfois, le sang coule de nouveau. J'ai la réputation d'être un type sans histoires. En réalité, je ne me sens pas la force de les assumer. C'est peut-être de la couardise ; pour moi, c'est de la sobriété. Il est des attitudes, comme ça, qui, tout en choquant les autres, apaisent ceux qui les adoptent.

Il se lève.

— Navré de vous décevoir, monsieur Llob.

— Je respecte votre choix. Mais nous sommes très embêtés. Nous n'avons pas l'intention d'exhumer les morts ou de rouvrir les cicatrices. Notre travail est d'une grande importance, je vous prie de le croire.

— Je n'en doute pas.

Il me tend la main pour prendre congé. Je m'en empare et la retiens dans la mienne. Rabah Ali tente de la retirer, je ne lâche pas prise.

— Pouvez-vous, au moins, nous indiquer des personnes susceptibles de faire avancer nos recherches ?

Il essaie de se dépêtrer de mon étreinte ; je ne cède pas.

Il dit :

— Il y a un tas de rescapés qui ne demandent qu'à se

jeter sur des micros et se donner en spectacle. Mais combien, parmi eux, sont sincères ? Des témoignages sur le baroud et l'honneur, vous n'avez qu'à lâcher le mot pour déclencher les délires. Notre malheur vient sûrement de l'orgueil que nous y puisons. C'est la raison qui m'a poussé à tourner cette page à jamais.

Nos regards s'empoignent ; c'est lui qui jette l'éponge :

— Si vous me promettez de ne pas me citer, je connais quelqu'un qui en paie encore les frais. Il habite dans la forêt.

— La forêt est dense, monsieur Ali, dis-je en accentuant mon étreinte.

— Première bifurcation à droite, après le pont romain à la sortie nord de Sidi Ba. Vous suivez la piste jusqu'au bout. Sur sept à huit kilomètres. C'est une ferme, plus précisément un grand hangar où l'on élève de la volaille.

— Il y a quelqu'un, dans la ferme ?

— Il s'appelle Jelloul Labras. Vous ne pouvez pas le manquer. Un gars correct, très bien, même.

— Vous pensez qu'il a des choses consistantes à raconter...

Sa pomme d'Adam lui racle le cou :

— Je le pense, monsieur Llob.

Je décontracte mes doigts ; il récupère les siens, pivote sur lui-même pour s'en aller, se ravise, revient vers moi et insiste :

— Ne lui dites pas que vous venez de ma part.

— Croix de bois, croix de fer, je lui promets.

La Lada de Soria tangue sur la piste, s'enfonce dans une jeune forêt, slalome parmi les obstacles pendant des kilomètres avant d'atteindre tant bien que mal une route cabossée. Nous surplombons la vallée, belle comme un morceau de féerie. Au loin, une retenue d'eau étincelle dans le miroitement du jour. Quelques troupeaux de moutons paissent sur de verts pâturages tandis qu'un cavalier galope ventre à terre après sa propre ivresse.

Soria baisse la vitre et laisse le vent lui taquiner les cheveux. Ses lunettes de soleil reposent sur son profil avec grâce, et son sourire s'émerveille aux talents du paysage.

Nous gravissons plusieurs collines pour finalement aboutir à une ferme perdue au fin fond des bois. Un grand gaillard en salopette s'affaire dans la cour, les jambes dans des bottes en caoutchouc ; il donne à manger à une armée de volailles.

Il suspend ses gestes en nous entendant arriver ; notre voiture ne lui étant pas familière, il se remet à distribuer le grain par larges poignées.

Soria se range sous un arbre et m'attend dans la voiture.

Les mains dans les poches, je m'approche de la basse-cour.

— *Salam !* lancé-je.

— Bonjour, dit le fermier.

Assez haut de taille, la barbe bien soignée, il donne l'impression d'user de sa soixantaine avec application. Les filaments blancs qui strient ses tempes et son menton ne l'indisposent pas ; ses mouvements sont lestes et son visage respire la santé.

— Ils sont robustes, vos poulets.

— Merci... Le vétérinaire ne donnait pourtant pas cher de leur peau.

— C'était probablement un charlatan.

— Je ne me permettrais pas d'aller jusque-là.

Il chasse d'une feinte un coq trop gourmand et déverse un flot de millet au milieu d'un peloton de poussins attendrissants de pugnacité.

— C'est pour une livraison ? s'enquiert-il.

— Pas spécialement. Ma collègue et moi sommes de passage dans la région. Nous faisons un travail de recherche au profit de l'université.

— Archéologues ?

— Historiens.

Il me montre son pouce :

— Chapeau ! On voit de moins en moins d'intellectuels dans les parages. C'est un plaisir de constater que le clinquant illusoire n'a pas aveuglé tout le monde.

— Il y a des choses plus sérieuses dans la vie.

Il acquiesce avant d'éventrer un nouveau sac de millet.

— Vous habitez dans le coin ? je lui demande.

— J'y suis né. On peut savoir quel vent vous amène ?

— Ma collègue et moi enquêtons sur des événements qui ont eu lieu dans ces montagnes au lendemain de l'indépendance.

Son bras s'immobilise par-dessus un assaut de volaille.

— Vous êtes arrivés jusqu'ici par hasard ou est-ce qu'on vous a orientés ?

— Les deux. Nous faisons pratiquement du porte-à-porte. Certains témoins nous intéressent, d'autres moins. Quelqu'un nous a conseillé de nous adresser à vous.

— Il a un nom ?

— On ne l'a pas retenu. Ça vous ennuierait de nous accorder un peu de votre temps ?

Il jette un œil sur Soria qui vient de sortir de la voiture, me dévisage un instant puis, nos mines ne suscitant rien de particulier, il sourit :

— Si vous pouvez patienter que j'aie fini de donner à manger à mes poulets, ce sera avec plaisir. Il y a, sous cet eucalyptus, une table basse avec des dattes dessus et un bol de lait caillé. Servez-vous en attendant.

— C'est trop aimable à vous, monsieur.

Soria m'accompagne au pied de l'eucalyptus. Nous

contemplons la plaine et les vallonnements boisés qui
l'enserrent. Le ciel est d'un bleu sublime. Ça me rappelle mes jeunes années, à Ighider, lorsque, la chéchia
sur la figure et la gandoura décousue, j'échappais à la
surveillance de ma mère pour monter le plus haut possible sur la colline. J'aimais flemmarder sur le Grand
Rocher, le doigt dans le nez et les jambes dans le vide, et
rester là jusqu'à la tombée de la nuit, à contempler le
puzzle magique des champs et à regarder rentrer les
bergers, leurs troupeaux comme des armées repues
devant eux. Lorsque le frêle Arezki Naït Wali* – qui
deviendra plus tard un peintre illustre – me rejoignait
sur *ma* tour, je me surprenais à m'enthousiasmer pour le
moindre bruissement au fond des buissons, le moindre
gazouillis emporté par la brise. Parfois, je me campais
sur mes mollets de grimpeur impénitent, les mains en
entonnoir autour de la bouche, et poussais de longs cris
par-dessus la vallée pour les entendre ricocher au loin
en se singeant dans un ballet surréaliste. Arezki, lui, ne
prêtait pas attention aux échos. Son regard traquait les
ombres et les lumières des bosquets, en faisait des toiles
dans sa tête et rêvait de tableaux plus intenses que la
faim qui lui molestait les entrailles. Nous étions petits et
pauvres, mais nous avions des yeux pour voir et imaginer des royaumes radieux que nous étions les seuls à
connaître ; deux mômes éblouis, l'un poète en herbe et
l'autre artiste naissant, et même si nous ne gardions pas
tous les jours les vaches ensemble, faute d'embauche,
nous portions le même amour pour les mamelons qui
s'encordaient jusqu'au pied de l'horizon, les vergers qui
s'étalaient à perte de vue, les amandiers chenus, les oli-
viers taciturnes, le grelot des clochettes au cou des

---

* Lire *L'Automne des chimères* (Folio).

chèvres, la rivière telle une couleuvre fabuleuse parmi l'échancrure des tertres et la montagne hiératique veillant sur la tribu...

C'est bien joli de croire son pays le plus beau du monde – encore faut-il le mériter.

Le fermier nous rejoint en s'essuyant les mains sur ses cuisses.

— N'est-ce pas somptueux ! s'exclame-t-il. La nature a du génie ; ce sont les hommes qui la défigurent pour ramener les choses à leur image. Visez-moi le village, là-bas. On dirait une grosse souillure sur un tapis volant. Jamais je n'irai habiter un foutoir pareil. Ici, c'est le travail sain, l'air pur et la paix. Je n'ai pas de voisins, donc ni tapage ni litiges. Et le soir, quand je m'allonge dans mon lit, il m'arrive d'entendre la planète tourner.

— Vous êtes un poète, monsieur Labras, lui dit Soria.

— Seulement un homme primitif, madame. J'aime communier avec la nature. Je me sens dans mon élément, et je n'ai pas le sentiment d'attendre quelque chose ou d'en manquer. J'ai eu la chance de ne pas fréquenter l'école, et j'ai rencontré, à un âge avancé, des gens éclairés qui m'ont appris à lire et à écrire. J'en ai profité pour me limiter à l'essentiel.

— Il n'y avait pas d'école dans votre village ?

— Disons que mon père avait besoin d'un berger ; je n'ai pas attendu qu'il me fasse la leçon. J'adore les animaux. Néanmoins, je garde une sainte passion pour les livres. Avec ma condition d'ermite, ils sont devenus mes prophètes.

— Vous vivez seul ?

— J'ai été marié, il y a trente ans. Ma femme est morte très jeune. Ç'a été pénible pour moi. Je n'ai plus osé renouveler l'expérience... Que voulez-vous savoir au juste ?

Soria me contourne pour s'approcher de lui.

— Nous travaillons sur un ouvrage historique, lui confie-t-elle. Particulièrement sur les dérapages qui ont ensanglanté le pays au lendemain du 5 juillet 62.

Labras ramasse ses lèvres autour d'une moue. Son regard s'obscurcit d'évocations douloureuses. Il plonge le menton dans le creux de son cou et, de la pointe de sa botte, déterre une pierre enfouie dans l'herbe.

— C'est un sujet très controversé, vous ne trouvez pas ? Rares sont ceux qui l'abordent sans s'attirer des représailles. J'espère que vous savez où vous mettez les pieds.

— Il est grand temps de faire le deuil de cette guerre, dit Soria. La seule façon d'y parvenir est de la regarder droit dans les yeux. Le mal a été fait. Pour le conjurer, il faut l'admettre d'abord. Mon collègue et moi en sommes persuadés. Nous avons un devoir de mémoire à accomplir ; rien ne nous fera dévier de la voie pour laquelle nous avons opté, ni anathème ni bûcher.

Le fermier relève la tête. Les arguments de Soria font luire ses prunelles.

— Vous avez l'air sincère, madame, avoue-t-il avec tristesse. C'est rare, de nos jours.

— C'est peut-être à cause de ce que nous taisons.

— Possible... Certains silences sont insupportables. À l'usure, on essaie de faire avec. Cela ne suffit pas. À force de se mentir, on cesse d'être soi-même et l'on devient son propre inconnu.

Il s'accroupit, ramasse la pierre qu'il a déterrée et la lance au loin.

— Vous n'avez jamais songé à hisser les voiles ? je lui demande pour dissiper une sorte d'incommodité que sa peine vient d'installer entre nous trois.

— Ça m'arrive, et ça ne dure que l'espace d'une cigarette. Je m'imagine mal loin de ces montagnes. En même temps, je suis incapable de vous dire ce qui m'y

retient. Avant, c'était terrible ; maintenant, c'est malheureux.

— C'est aussi mon sentiment, lui confié-je.

Ça le stimule. Il déterre un deuxième caillou, le roule
dans la paume de sa main et se remet debout.

— Pourtant, il y faisait bon vivre, autrefois, reconnaît-il. Nous étions certes miséreux, mais pas misérables
comme aujourd'hui. Puis, il y a eu la guerre. Elle n'a
épargné ni les uns ni les autres. Lorsque le cessez-le-feu
a été instauré, tout le monde fut soulagé. Hélas ! la fête
fut bien brève. Dès que les militaires français ont commencé à évacuer les lieux, les atrocités ont repris en
redoublant de férocité. Des familles étaient traquées de
jour comme de nuit par ceux qui étaient censés les avoir
délivrées. Les fellagas se déchaînaient ; ils mettaient le
feu aux maisons et aux champs des vaincus ; les exécutions sommaires se prolongeaient dans des purges
inouïes. Dans les ruelles, tous les matins, on faisait défiler les « traîtres » auxquels on avait coupé le nez et les
lèvres avant de leur trancher le cou sur la place du village. Je n'oublierai jamais ces centaines de corps charcu-
tés qui pourrissaient dans les vergers, ces pauvres
bougres livrés à la vindicte populaire que les galopins
lapidaient en leur crachant dessus, ces femmes et ces
mioches terrorisés qui fuyaient vers les montagnes d'où
ils ne reviendraient plus...

— Vous parlez des massacres de harkis ?

Ma question l'ébranle.

Il me toise, horrifié, comme s'il me découvrait à l'instant.

— C'est quoi un harki ? s'indigne-t-il. C'est quoi au
juste ? Vas-y, éclaire-moi. C'est quoi un harki ?...

Ne voyant rien venir de ma part, il frémit et enchaîne :

— C'est quelqu'un qui, manque de pot, a fait le mauvais choix à un moment où rien ne lui réussissait. Voilà

ce que c'est, un harki. Le souffre-douleur, puis le bouc
émissaire de l'Histoire... Qui tire le diable par la queue
n'a aucune chance de tirer la couverture à lui, monsieur
l'historien. Il finit soit par vendre son âme, soit par se
faire broyer sous des sabots. C'était l'échec tous azimuts, la déroute, l'ignorance à l'état brut. Hormis
quelques lettrés et une poignée de citadins initiés, le
nationalisme relevait de l'ésotérisme. Qui étions-nous, à
l'époque ? Des Français musulmans dont l'échine ployait
si bas sous le joug colonial que nous nous surprenions à
brouter l'herbe au même titre que nos ânes. Des indigènes, voilà ce que nous étions ; de pauvres hères recou-
verts de hardes et de meurtrissures, aux mains tailladées
par les tâches ingrates et aux culottes si lourdement
rapiécées qu'on les traînait comme des boulets de forçat ;
des spectres hagards dont les épouses allaient tous les
vendredis allumer des cierges au marabout du coin pour
assagir les sortilèges tandis que leurs rejetons gueusaient
à perdre haleine à l'ombre des damnations. On se tuait
pour ne pas crever de faim, et souvent la mort nous prenait au mot. Certains s'improvisaient palefreniers, serfs,
bergers ou chasseurs de mouches ; d'autres se ruaient
sur les casernes pour être goumiers, spahis ou zouaves,
non dans l'intention de guerroyer mais juste pour aider
la marmite familiale à se gargariser parfois. C'était une
sacrée époque. Les gens se délabraient sur les chemins
de nulle part, les bambins rendaient l'âme comme
d'autres rendent leur tablier. Qui étions-nous, franchement ? Des parents pauvres ou des indigènes, des expro-
priés ou bien des avortons dont aucune légitimité ne
voulait ? La légende, que nous racontaient nos mères
pour nous détourner des crissements de nos ventres,
omettait d'éclairer nos lanternes. Ce qu'on savait de nos
tribus se limitait à nos cimetières. Nos arrière-grands-
pères s'étaient fait broyer en 1870 pour la gloire de la

France ; nos grands-pères gazer dans les tranchées en
14-18 pour le salut de la France ; nos pères déchiqueter
sur tous les fronts durant la Seconde Guerre mondiale
pour l'honneur la France ; quant aux rescapés, en guise
de reconnaissance, ils furent exterminés comme du bétail
contaminé le 8 mai 1945, à l'heure où le monde entier,
débarrassé du nazisme, criait sur les toits et sur les
places publiques : « Plus jamais ça ! » Pour le commun
des éboueurs, pour le petit cireur, pour le paysan
encroûté comme pour le boutiquier des villages nègres,
la France était la *mère patrie.* C'est vrai que les inégali-
tés étaient ahurissantes, que quelque chose clochait au
milieu des slogans et des serments, mais nous étions trop
pauvres et trop abrutis par nos misères pour trouver le
temps de chercher quoi au juste. L'unique repère qu'on
avait était cette photo jaunie qui gauchissait à vue d'œil,
punaisée maladroitement sur le mur en torchis, nous
contant l'épopée de tel ou tel parent sanglé dans son
uniforme français, la moustache grande comme sa fierté
et la poitrine bardée de médailles. Lorsque la révolution
de la Toussaint a éclaté, rares étaient ceux qui la prenaient au sérieux. S'insurger contre *sa mère*, de surcroît
l'une des plus grandes puissances de la terre, il fallait
tout de suite arrêter de déconner. Et plus ça bardait
dans les maquis et moins on savait où donner de la tête.
D'un côté, les fellagas multipliaient les exactions contre
les indécis ; de l'autre, la pacification manipulait les plus
démunis. C'était du n'importe quoi, et ça n'aidait personne à voir clair dans cette saloperie de remue-ménage
qui n'avait de cesse de ruer dans les brancards. Ce fut
une guerre atroce, immonde, absurde, et pas un ne pouvait croire une seule seconde qu'il se trouvait dans le
mauvais camp.

— Et quel était le vôtre ? je lui demande.

Ma question l'interrompt net, l'assomme tel un coup

de massue. C'est comme si la tempête venait de se rétracter tout à coup. Une chape de plomb écrase la crête. Soria est pétrifiée. Elle contemple le fermier, la bouche ouverte. Ce dernier, lessivé par ses propos, halète comme après une course éperdue, le visage blême, la bouche asséchée et le regard vide.

— Pourquoi êtes-vous venus gâcher ma journée ? soupire-t-il.

Il y a un tel chagrin dans son souffle que Soria préfère décrocher. Elle baisse la tête et se hâte vers sa voiture.

Je prends conscience de ma bourde, et des dégâts qu'elle vient de provoquer.

J'essaie de me racheter :

— Le propre d'une guerre est d'être sale, monsieur Labras.

Il ne m'entend pas. Longtemps après avoir fixé un mamelon chauve au bas de la montagne, il hoche la tête puis, sans faire attention à moi, il rejoint ses poulets qui se remettent à s'agiter en le voyant revenir.

17.

— Monsieur Llob, m'apostrophe Soria dans la voiture, je ne vous demande pas d'être diplomate, mais de
faire preuve d'un minimum de courtoisie.

— Ça m'a échappé, reconnais-je.

La colère fulmine dans ses yeux. Nous avons fait chou
blanc à chacune de nos sorties. Pour une fois que nous
tombons sur quelqu'un d'intéressant et de coopératif,
c'est moi qui court-circuite l'aubaine.

Soria pousse sa voiture sur les cailloux. Les nids-de-
poule attisent son mécontentement. Elle gueule :

— Nous pataugeons dans les éclaboussures d'une formidable vomissure historique, monsieur Llob. Personne
n'en sortira rincé. D'accord, vous êtes un ancien maquisard et il vous est difficile de vous retenir face à vos
ennemis d'hier, mais aujourd'hui, nous sommes obligés
de revenir sur des atrocités inimaginables et d'écouter et
ceux qui les ont perpétrées et ceux qui les ont subies. Il
ne s'agit pas de pardonner ou de condamner ; il est
question de reconstituer les faits afin d'en tirer les enseignements qui nous font défaut. Personnellement, avant
de me jeter dans le bain, j'ai laissé mes préjugés au ves-
tiaire afin d'aborder les événements avec cette dose

d'objectivité sans laquelle aucun travail sérieux ne peut être possible.

— Je vous ai dit que ça m'avait échappé, je vitupère, excédé.

— Je ne suis pas sourde ! hurle-t-elle en donnant un violent coup de volant.

La voiture se déporte sauvagement sur le bas-côté, heurte un buisson, nous projetant l'un contre l'autre. Mon pied enjambe le levier de vitesse et va écraser avec hargne celui de Soria et la pédale du frein, immobilisant sec le véhicule.

— Je vous interdis de hausser le ton devant moi ! je lui crie.

Elle me repousse, scandalisée par ma muflerie.

— Je ne suis pas votre subordonnée, commissaire. Je n'ai pas d'interdictions à recevoir de vous.

Nous nous regardons en chiens de faïence dans un silence électrique. Les stridulations alentour pétillent dans nos tempes en ébullition.

Lorsque les derniers filaments de poussière se couchent par terre, Soria se reprend en main. Elle écarte la mèche qui s'est abattue sur son œil droit et se détend.

— Ça va, se rend-elle. Nous sommes tous les deux crevés. Essayons de nous conduire en adultes.

Je grogne mon approbation et laisse tomber à mon tour.

Un brelan de messieurs patibulaires nous guette dans le salon de l'hôtel. Il se lève d'un bloc pour nous intercepter. Le plus trapu, que la mâchoire saillante désigne comme le meneur, vient se dresser devant moi, les lèvres retroussées sur deux rangées de dents en or.

— Monsieur Llob ?

— Oui ?

— Est-ce qu'on peut causer entre hommes ?

L'allusion n'échappe pas à Soria qui s'éclipse, méprisante. Nous attendons qu'elle disparaisse dans la cage d'escalier, puis le trapu m'invite à le suivre au fond du salon, sa garde prétorienne bouclant la marche.

— À qui ai-je l'honneur ?

— Aux notables de la ville, monsieur Llob. Une ville qui commence à se poser des questions quant au sens précis de votre présence parmi sa population. Mon nom est Khaled Frid, président de l'association des anciens moudjahidin et des handicapés de la guerre de libération. Je suis aussi commissaire politique, député et maire de Sidi Ba.

— En somme, vous êtes, à vous seul, une Assemblée nationale. Et qui sont ces messieurs ?

— D'anciens officiers de l'ALN, membres du Parti. Ils ont tenu à m'accompagner pour voir de quoi il retourne au juste. Nos sources d'information avancent que vous et votre assistante êtes en train de remuer les eaux troubles pour remonter un maximum de vase à leur surface. Ça nous embête un peu parce que c'est exactement ce que nous nous tuons à empêcher. Notre région a beaucoup souffert de la guerre coloniale, et nous ne tenons pas à ce que des étrangers viennent soulever nos pierres tombales pour chahuter nos morts. J'ignore qui vous êtes. J'ai téléphoné à Alger hier et ce matin, et personne n'a été foutu de nous dire ce que vous manigancez ni qui est derrière vos petites combines. De prime abord, vos desseins puent la malveillance, et il nous déplairait de devoir nous pincer les narines jusqu'à ce que vous débarrassiez le plancher. En résumé, vous n'êtes pas les bienvenus et vos sordides intentions irritent fortement nos susceptibilités.

Les autres ponctuent les dires de leur chef d'un grave hochement de tête qui confère à leur sérieux théâtral quelque chose de grotesque.

— Je ne vois pas en quoi un travail de mémoire vous indisposerait, je dis.

— Vous pouvez appeler cela comme bon vous semble, pour nous, c'est de la subversion. Je suis certain que vous êtes loin de mesurer la portée de votre démarche et les conséquences qui en résulteraient si vous persistiez. Aussi, au nom des citoyens de Sidi Ba et des membres de l'association que je préside, je vous prie de prendre vos cliques et vos claques et de retourner d'où vous venez.

— Dois-je comprendre que vous me menacez ?

— C'est vous qui voyez.

Il consulte sa montre, s'inspire du silence solennel de ses compagnons et décrète, sur un ton suffisamment clair pour qu'il n'y ait pas de malentendu :

— Il n'est pas dans nos traditions de mettre les étrangers à la porte ; cependant, lorsqu'ils se conduisent avec un sans-gêne semblable au vôtre, nous leur accordons, à tout casser, une heure pour déguerpir. Il est 12 h 52. Quelqu'un repassera à 13 h 53 s'assurer que vous êtes bel et bien partis. Inutile de régler la note d'hôtel. Je m'en suis personnellement chargé.

Je n'ai pas le temps d'en placer une. Le bonhomme pivote sur les talons et s'en va, ses quatre pantins aux trousses.

Je demeure songeur au milieu du salon déserté.

De son comptoir, le réceptionniste m'observe en catimini. Pas une fois il ne lève franchement les yeux sur moi.

Vers 14 heures, on vient frapper à ma porte. C'est un macaque repoussant de brutalité, les naseaux palpitants et les bras jusqu'aux chevilles. À lui seul, il bouche le couloir. Il commence par porter ses pattes poilues à ses hanches et bomber le torse, me toise et, la bouche sur le côté, il s'énerve :

— Tu sais l'heure qu'il est, bonhomme ?

— Pourquoi ?

— Comment ça, pourquoi ? T'es sûr que ça va, dans ton crâne ? Tu vas pas me dire que tu es amnésique.

— Et toi, tu es sûr d'être à la bonne adresse ?

— Tu es bien Llob ?

— Exact.

— Alors, je suis à la bonne adresse, bonhomme. D'ailleurs, je ne me trompe jamais. Il est 2 heures et toi, tu es encore sur ton lit à t'entortiller dans tes draps.

— De quoi je me mêle ?

— De quoi je me mêle ? Sûr que ça tourne pas rond dans ton crâne, bonhomme. J'suis venu te foutre dehors.

Soria se montre sur le pas de la porte. Le gorille la considère avec effroi. Me refaisant face, il reprend ses âneries :

— Ton balluchon est prêt, bonhomme ?

De la tête, je recommande à Soria de retourner dans sa chambre puis, après avoir repoussé du bout du doigt la bedaine envahissante de l'abruti, je lui confie :

— Tu te trompes de chapiteau.

Sur ce, je referme la porte.

Avant que j'aie le dos tourné, un fracas ébranle le palier. Le grand singe vient de défoncer d'une ruade mon intégrité territoriale. Dans la foulée, il me soulève et me plaque contre le mur. Mes jambes s'affolent dans le vide.

— On ne me raccroche pas au nez, bonhomme.

Il me projette à travers la pièce.

— Ton balluchon, et que ça saute !

Il rafle ma trousse de toilette sur le lavabo, me la balance sur la figure, ouvre l'armoire, s'empare de ma valise et se met à entasser dedans mes affaires. C'est alors qu'il sent quelque chose de métallique s'appuyer contre sa nuque ; en pivotant sur lui-même, il tombe nez à nez avec mon Beretta.

J'ai vu des caméléons changer de couleur, mais j'ignorais que les gorilles pouvaient en faire autant. Les naseaux de Kong s'écarquillent si larges qu'on peut entrevoir les asticots de sa cervelle. Vraisemblablement, c'est la première fois, en descendant de son arbre, qu'il tombe sur la civilisation.

— Monsieur le maire ne m'a pas parlé de pistolet.

— Monsieur le maire ignore probablement ce que c'est, lui aussi.

Les bras par-dessus la tête, il recule dans le couloir.

— Ça va, bonhomme. Ces machins partent tout seuls, je te préviens. Tu détournes un peu le canon, d'accord ?

— Ça dépendra de toi. Si tu promets de retourner dans ta forêt et de ne plus en ressortir, je rengaine mon flingue et l'incident est clos. Par contre, si tu reviens encore une fois fausser mon calendrier, monsieur le maire ne pourra plus te gratifier de bananes.

Il opine du chef et dévale les escaliers aussi vite qu'un hercule forain devant une guêpe.

Soria m'applaudit, adossée contre l'embrasure, les cheveux défaits jusqu'au renflement des fesses. Elle est si fière de moi qu'elle omet de boutonner son chemisier. Son nichon rond et beau comme une poire divine me trouble. Sans crier gare, un frémissement épineux naît à hauteur de mon nombril et étale son onde de choc à travers mon être. N'arrivant pas à détourner les yeux de la splendeur pécheresse tapie sous la broderie du corsage, je me dépêche de plonger mon flingue sous le ceinturon pour interdire tout débordement.

Kong manque de tomber dans les pommes quand il m'aperçoit dans la cohue qui se tiraille dans le hall de la mairie. Il croit que je suis là pour lui régler son compte et s'enfuit par une issue de secours. Un autre macaque tente de m'empêcher de monter à l'étage. J'extirpe mon insigne ; heureusement qu'en zone rurale les flics ont encore la cote car il se confond derechef en courbettes appuyées et court me frayer un chemin jusqu'à une porte capitonnée. Une secrétaire peinturlurée cesse de se limer les ongles pour me couver d'un regard coquin. Elle devine que je suis quelqu'un de pressé ; son menton m'oriente sur un couloir au bout duquel je débouche sur une grande salle d'un faste rustre où trois hommes braillent autour d'une table encombrée de téléphones.

Les deux énergumènes, qui me tournent le dos, pivotent sur leurs sièges et se raidissent, estomaqués par mon intrusion. Le plus gros rabat immédiatement le couvercle d'une mallette remplie de liasses de billets de banque ; l'autre se contente de s'embusquer derrière d'épaisses lunettes de soleil. Je n'ai pas besoin de consulter une cartomancienne pour deviner ce qui se passe dans le bureau du maire. Les deux lurons puent la magouille à des lieues à la ronde. Le costume identique, noir avec des rayures fines, la cravate clownesque d'un jaune affreux et les souliers vernis trahissent les nouveaux riches du socialisme scientifique à l'algérienne, c'est-à-dire cette confrérie de canailles visionnaires qui a réussi à convaincre les apparatchiks de la nécessité d'abuser de leurs prérogatives pour élever des empires financiers afin d'entrer dans le nouvel ordre mondial mieux armés et plus avertis.

— Vous auriez pu attendre votre tour, monsieur Llob, maugrée le maire. Vous ne voyez pas que je suis occupé ?

— Je ne le vois que trop clairement, monsieur le maire.

Les deux énergumènes subodorent le danger. Ils ramassent leurs petites affaires et déguerpissent. Le maire, très affecté par mon inconvenance, se prend le menton d'une main et me considère avec animosité.

— J'ai horreur des sans-gêne, déclare-t-il.

— Et moi, j'ai horreur d'être bousculé. Vous n'auriez pas dû m'envoyer votre bête de cirque à l'hôtel. À cause d'elle, je n'ai pas piqué ma sieste et je me sens mal dans ma peau.

— J'ignorais que vous étiez en mission, hasarde-t-il. D'habitude, les missionnaires viennent me voir en premier. Ils ne l'ont jamais regretté. Je mets à leur disposition mes moyens humains et matériels et ne ménage aucun effort pour rendre leur séjour aussi agréable que possible.

Il se lève, contourne la table et vient me prendre le poignet. En Algérie, c'est une approche conciliante. Quand votre adversaire vous prend par le poignet et vous tire dans son sillage, ça veut dire qu'il est prêt à enterrer la hache de guerre, et vous avec.

— Si j'avais su que vous étiez de la *Mouhafada*...

— Je suis de la police.

Il fronce les sourcils.

— La police ? A-t-on commis un meurtre dans ma ville sans que je sois au courant, inspecteur ?

— Commissaire.

Il pousse une chaise dans ma direction et entreprend de me verser un verre de thé.

— Je ne vous suis pas, commissaire.

Sa main tremble.

Le pitbull qui promettait de me dévorer d'une seule bouchée, tout à l'heure, dans le salon de l'hôtel, ravale ses crocs. Il choisit de discuter.

— J'enquête sur les événements de juillet-août 1962.

— Je ne vois pas le rapport avec la police.

— Ce n'est pas nécessaire, monsieur Khaled... Vous opériez dans la région en temps de guerre ?

— Bien sûr. J'ai rejoint le FLN dès le déclenchement de l'insurrection armée. J'ai d'abord travaillé comme agent de liaison. Mon rôle consistait à fournir aide et assistance à nos commandos de passage dans le département. Il m'arrivait de les héberger et d'assurer leurs déplacements aussi. En 56, un mouchard m'a dénoncé. J'ai été arrêté, torturé et condamné à cinq ans de prison ferme. Avec un groupe de détenus, j'ai réussi à m'évader. En 58, j'étais dans les maquis de Chréa, puis j'ai demandé un rapprochement et le commandement zonal m'a muté dans les montagnes de Sidi Ba. J'ai exercé en qualité de secrétaire de compagnie, sous l'autorité du Gaucher. En 59, notre chef de bataillon a été tué au cours d'un accrochage avec des paras français. Le Gaucher l'a remplacé, mais je suis resté dans la compagnie jusqu'à la fin de la guerre.

— Vous avez connu les...

— Talbi ?

Mon étonnement l'amuse.

Il m'explique :

— La ville entière est au courant, commissaire.

— Vous les avez connus ?

— Et comment ! À l'époque, Sidi Ba n'était qu'un lieu-dit. Tout le monde se connaissait. Nous appartenions presque à la même tribu. Les Talbi habitaient une petite maison près du pont romain. C'étaient des gens tranquilles. Le père, Kaddour, était négociant en bétail. Le fils, Ameur, qui avait à peu près mon âge, étudiait dans une école de la ville. Nous n'étions pas amis mais il nous arrivait de prendre une tasse de café au hasard des rencontres. À la mort du père, emporté par une crue, le fils s'est retrouvé avec des dettes jusqu'au cou. Les créanciers de son père l'ont ruiné. Le colon, Xavier Lapaire, qui gérait la plus grande ferme des environs, l'a recruté comme comptable. À ma connaissance, Ameur n'avait pas choisi son camp ; il n'était ni contre la révolution ni pour la pacification. Les purges de juillet 62 ne l'avaient pas touché. Je ne me souviens pas d'avoir entendu un moudjahid lui reprocher quoi que ce soit.

— Ce n'était donc pas un harki ?

— À ma connaissance, non.

— Alors, pourquoi l'a-t-on massacré avec l'ensemble de sa famille ?

— Je vous dis qu'il n'a pas été inquiété. Les massacres des harkis n'ont pas traîné, chez nous. En trois jours et trois nuits, tout a été réglé. Lorsque les soldats français ont levé le camp, sur les hauteurs de Sidi Ba, les harkis ont essayé de les suivre. Mais le Gaucher s'était entendu avec le lieutenant Barrot sur la conduite à tenir. L'officier français ne devait prendre avec lui aucun Arabe. Les véhicules de son unité ont été contrôlés par nos gars qui ont réussi à déloger un traître. Le Gaucher n'a pas apprécié et l'a brûlé vif sur place. Le même jour, la chasse aux félons a été ordonnée. Au bout de la troisième nuit, elle comptabilisait cent cinquante-neuf morts pour la seule commune de Sidi ba. Les Talbi ne figuraient pas parmi les victimes.

— Ils ont été tués début août.

— Qui vous a raconté ces sornettes, commissaire ? Jusqu'à preuve du contraire, les Talbi sont portés disparus. On n'a jamais retrouvé leur trace ; ni cadavres ni coordonnées.

— Nos témoins racontent que des types armés sont venus les chercher dans la nuit pour les conduire quelque part d'où ils ne sont pas revenus.

— C'est possible, mais pas pour les tuer. Les massacres n'ont pas repris. Des dérives ont été observées, et les ordres sont tombés pour cesser les expéditions punitives contre les familles félonnes. D'ailleurs, les harkis arrêtés par la suite ne furent pas exécutés, mais livrés aux geôliers de la république. Cependant, il est arrivé que des familles indésirables aient été forcées de quitter la région. C'est probablement le cas des Talbi. À mon avis, ils sont allés s'établir ailleurs, comme des milliers d'autres familles qui se sentaient menacées là où elles résidaient.

— Que reprochait-on au juste à Ameur Talbi ? Vous dites qu'il ne collaborait pas avec l'armée française.

— Peut-être d'avoir été très ami avec Xavier Lapaire, le colon. Le Gaucher haïssait les Français et doublement les Arabes qui les fréquentaient.

— On raconte que l'un des fils de Talbi, Belkacem, alors âgé d'une douzaine d'années, avait réussi à fausser compagnie à ses ravisseurs cette nuit-là.

— J'en ai entendu parler, mais je ne suis pas sûr que ça soit vrai, car, le gosse, personne ne l'a revu.

— Et pourtant, c'est vrai. Le gosse, j'ai retrouvé sa trace.

Le maire hausse les épaules :

— Qu'est-ce que ça change ?

— Beaucoup de versions.

— Alors, faites-le entrer et n'en parlons plus.

Il ne me croit pas, ou bien il essaie de me faire croire que, n'ayant rien sur la conscience, le chambardement de cette histoire l'indiffère.

— D'après vous, monsieur Khaled, qu'est-ce qui a bien pu pousser ce gosse a s'enfuir s'il s'agissait juste d'un simple déménagement ?

— J'avoue que je n'ai pas de réponse à ça. En effet, si la famille était invitée à seulement quitter Sidi Ba, le gosse n'avait aucune raison de ne pas suivre ses parents. Surtout avec les horreurs qui sévissaient dans les parages. Mais on n'a pas retrouvé le gosse et rien ne prouve que ça ne soient pas là les divagations d'ennemis de la révolution qui cherchent par tous les moyens à jeter le doute dans les esprits et à ternir les pages de notre histoire.

— Je l'ai retrouvé.

— D'autres, avant vous, l'ont crié sur les toits sans succès. Ici, on a tant fantasmé sur cette affaire que ça ne prend plus. Nous sommes persuadés, à Sidi Ba, que l'histoire du petit Belkacem Talbi a été inventée de toutes pièces par des mécontents pour essayer de nuire à la réputation de Haj Thobane.

— Quel rapport avec Haj Thobane ?

— Haj Thobane est le Gaucher.

J'extirpe mon petit calepin et griffonne « Haj Thobane = le Gaucher ». Geste fantaisiste, voire inhabituel pour un flic qui travaille à l'instinct, certes, mais il me permet de cacher ma stupéfaction.

— Qui voudrait porter atteinte à un héros national ?

— La révolution n'enfante pas que des gens valeureux, commissaire. Les luttes intestines qui ont dégarni nos rangs pendant la guerre se poursuivent aujourd'hui encore. Au sein d'un même parti, on se déteste et on complote. On n'aime pas ceux qui ont réussi. Le Gaucher a réussi. Il collectionne les jaloux et les détracteurs. On essaie de le démythifier, de salir son passé, de contester son charisme. Nous en sommes conscients, à Sidi Ba, et nous en souffrons. C'est un peu notre symbole qu'on défigure, vous comprenez ? Haj Thobane est un seigneur. Sa générosité est immense. Tout le monde, à Sidi Ba, lui doit l'essentiel de son bien-être. Grâce à lui, ce patelin est sorti du marasme économique. Notre douar est en passe de devenir une ville, peut-être même un chef-lieu de wilaya. Les mauvaises langues crient au régionalisme et au népotisme. Elles trouvent notre héros trop riche, trop gourmand, trop asphyxiant. Ce n'est pas vrai. Haj Thobane est un homme de bien, émotif et charitable. Personnellement, je le vénère.

Je porte mon verre de thé à mes lèvres, le renifle, puis le repose sans y goûter. Le maire tique, sans crier à l'outrage. Il doit me trouver de plus en plus déplaisant car ses moustaches, au début lissées vers le bas, commencent à se hérisser.

J'allume une cigarette, contemple un filament de fumée en train de regagner le plafond.

— De quelle manière l'histoire d'un garçon pourrait ternir l'image de Haj Thobane, monsieur Khaled ? le brusqué-je. Y a-t-il un lien entre les Talbi et notre héros ?

Mes questions ne le culbutent pas. Il se verse une tasse de café, histoire de gagner du temps, en profite pour réfléchir. Il dit :

— Puisque Haj Thobane le Gaucher a été le responsable militaire de la région pendant la guerre, on cherche à lui coller sur le dos toutes les bavures et toutes les histoires tordues qui s'y sont déroulées, voilà le lien. Un vulgaire tissu de mensonges. La guerre est finie, monsieur Llob. Ce qui a été fait a été fait. Regrettable ou pas, on n'y peut rien. Nous voulons tourner la page et reconstruire le pays. Le reste, les fabulations et les insinuations crétines, ne doit pas nous déconcentrer. Je vous assure qu'il n'a rien à y voir. Si vous tenez à le constater par vous-même, ne vous gênez pas. Seulement attention, les susceptibilités sont à fleur de peau par ici.

En se tamponnant les tempes, le maire s'aperçoit que, malgré ses efforts pour garder son flegme et la modération de ses propos, sa main refuse de surmonter sa tremblote. Il empoche son mouchoir et se lève.

— Pourquoi ne viendriez-vous pas dîner chez moi, ce soir, commissaire ? Nous reparlerons de tout ça à tête reposée. J'ai un tas de dossiers administratifs à traiter en ce moment et ce bureau est en train de me bouffer cru.

— Dommage, j'ai un problème de cholestérol.

Dans le couloir, les deux larrons de tout à l'heure attendent que je m'en aille pour retourner auprès du maire. Le plus gros, dont la chemise béante a du mal à contenir la panse, m'adresse un sourire faux comme sa ceinture Lacoste.

Je me penche sur lui et lui murmure dans l'oreille :

— Tu devrais mettre une culotte sur ta figure.

Un homme m'attend devant la voiture, sur le parking municipal. Il est débraillé, mal rasé et semble en état d'ébriété avancée. Dès qu'il me repère, il se met au garde-à-vous et porte la main à sa tempe dans un salut réglementaire.

— C'est toi qui cherches noise aux gens de Sidi Ba ?

— Ça dépend, dis-je en ouvrant la portière.

L'homme jette un pouce par-dessus son épaule :

— Ce maire est un fils de garce de premier ordre. Il se prend pour le bon Dieu et croit que le bled lui appartient. Je l'ai connu à ses vingt ans. C'était un cul-terreux, une chiffe molle et un raté. Il raconte partout qu'il a été en prison pour activités révolutionnaires. C'est faux. Il n'a jamais milité pour le FLN. Il ignorait ce que c'était, avant l'indépendance. C'était un voleur de bétail, un vulgaire détrousseur de bergers, et rien de plus. Il a été arrêté par un fermier alors qu'il tentait de s'introduire dans un enclos.

Je mets le moteur en marche.

L'homme me bouscule sur le siège et tourne la clef de contact :

— Je ne m'adresse pas au mur et je ne suis pas un demeuré. D'accord, on fait comme ça ? Je parle, tu écoutes. Depuis le temps que j'attendais de tomber sur un mec, un vrai, qui n'a pas froid aux yeux et qui va là où c'est miné sans protège-couilles ni gilet pare-balles, tu vas pas me décevoir, hein ?

Je remets en marche le moteur ; il saute sur le tableau de bord et coupe de nouveau le contact.

— Je ne suis pas un dingo. Est-ce que je t'ai demandé des sous ?

— Qu'est-ce que tu veux ?

— J'ai entendu dire, en ville, que tu cherchais après la vérité. J'en détiens une partie. Faut pas me prendre pour un clodo, non plus. C'est vrai, j'ai l'air d'un chiffonnier, mais j'ai pas été comme ça toute ma vie. J'ai bossé en haut lieu, moi, et j'ai roulé dans des voitures de luxe. Tu sais très bien comment c'est la vie, dans les républiques avortées. Un jour, tu es encensé, un autre tu es enfumé. Si j'ai dégringolé, c'est à cause de mon intégrité. Les gens honnêtes, ça fait pas long feu parmi les prédateurs et les opportunistes. C'est la raison de ma déchéance, mon gars. Parce que j'ai été droit, on m'a cassé. Je ne suis pas le seul, et tu ne me contrediras pas. Alors, cette saloperie de vérité, elle t'intéresse toujours ?

Comme je tergiverse, ne sachant comment le prendre, il enfonce son bras sous son paletot usé, en extirpe une liasse de papiers retenue par un élastique.

— Ça, c'est ma carte d'ancien maquisard. J'étais aspirant dans les rangs de l'ALN. J'ai peut-être changé de gueule, mais j'ai gardé intacts mon nom et ma filiation. Ça, c'est ma carte d'adhérent au parti. J'étais responsable de bureau à l'échelle régionale. Et ça, c'est mon ordre de mission lorsque j'ai été nommé par le Raïs en personne en qualité de sous-préfet, en 1963...

Un attroupement se forme autour de nous ; d'abord quelques gamins, ensuite des badauds rappliquent, les uns après les autres, intrigués par les pantomimes de mon interlocuteur qui, à en juger par les ricanements et les rigolades qui fusent çà et là, ne doit pas avoir bonne presse dans le coin. Kong s'amène à son tour, un gourdin à la main, pour disperser les curieux. Il ne parvient pas à inquiéter tout le monde.

— Monte, je dis à l'inconnu.

L'homme replonge sa paperasse sous son manteau, adresse un bras d'honneur aux badauds avant de s'amonceler sur le siège du mort.

— Les salauds ! Ils entendront parler de moi.

— Nous allons où ?

— Où tu voudras. De toutes les façons, je les emmerde.

— À mon hôtel ?

— Pourquoi pas ?...

La foule refuse de s'écarter sur mon chemin. Des gamins, sans doute excités par des adultes, nous balancent des projectiles. J'enclenche la marche arrière, remonte un sens interdit, trouve une sortie et file à toute vitesse loin des vociférations qui se sont mises à nous pourchasser.

— Faut pas croire que les gens n'aiment pas les étrangers, me dit mon passager. C'est des types qui sont incapables d'apprécier les choses par eux-mêmes. Si quelqu'un leur raconte des trucs moches à ton sujet, ils te vomissent sur-le-champ ; s'il leur annonce que tu es l'envoyé du ciel, ils se jettent à tes pieds, tu comprends ? C'est juste des girouettes qui réagissent en fonction des coups de vent. Quand c'est le calme plat, on a même du mal à croire qu'ils sont de chair et de sang et qu'ils respirent encore.

— Tu penses qu'on les a montés contre moi ?

— Ici, la manipulation bat son plein. Toute la ville sait pourquoi vous êtes là, toi et ta petite dame. On raconte que vous êtes venus jeter l'opprobre sur la cité, que vous êtes des communistes, des athées et des ennemis de la Révolution. Que vous écrivez des insanités et que vous essayez de traîner nos martyrs dans la boue. C'est toujours la même rengaine lorsque des étrangers s'intéressent de près à nos magouilles. Alors on dresse la foule contre les indésirables, et on laisse faire la colère. Si un malheur arrive, on pourra pas sanctionner la foule.

— Et c'est déjà arrivé ?

— Le malheur ? C'est ici, sa patrie.

Soria n'a plus de chemisier. Elle l'a remplacé par une chemise grenat col Mao, sévèrement boutonné. Ses cheveux ramassés en chignon lui dégagent le front qu'elle a volontaire, et ses yeux, soulignés au mascara, brillent comme des joyaux. Elle est encore plus belle dans son pantalon de velours qui dessine ses hanches avec un talent fou. Cette dame m'empêche de me concentrer ; je me rends compte que je n'ai pas pensé à Mina depuis plusieurs nuits d'affilée. La prochaine fois, c'est juré, je ne prendrai plus de femme dans mon équipe.

— Ça te dérangerait qu'elle reste avec nous ? je demande à mon hôte. C'est ma collègue et notre entretien l'intéresse au même titre que moi.

— Pourquoi veux-tu que ça me dérange ? Je suis pas macho, moi.

Je le remercie et l'installe sur mon lit. Soria occupe l'unique chaise de la chambre ; je m'assois sur le coin de la table.

— Ne vous laissez pas intimider par cet enfoiré de maire, nous recommande le bonhomme débraillé. C'est une grande gueule, et il n'a pas plus d'instruction qu'un montreur d'âne. C'est vrai, pour ce qui est de compter les sous, il damerait le pion à une calculatrice électronique. À part ça, il est incapable de rédiger une note de service.

— Il m'a l'air de bien se débrouiller.

— C'est un malin. Les phrases qu'il débite, il les mémorise pour les discours officiels et vous les récite doctement pour se faire passer pour un lettré. Il a jamais mis les pieds dans une école, je vous dis. Analphabète trilingue, le maire, et il signe à tort et à travers des documents qu'il n'est pas fichu de déchiffrer. Je le connais. Nous avons grandi dans le même pertuis. C'était un petit morveux malodorant, qui portait les mêmes hardes hiver comme été et qui écumait les bergeries à cinquante kilomètres à la ronde. C'est tout ce qu'il savait faire : voler le cheptel qu'il revendait dix fois moins cher ailleurs. Fin 1961, il est sorti de prison. Le 19 mars 1962, comme l'indépendance se dessinait à l'horizon, il s'est engagé dans les troupes de l'ALN comme simple bidasse. Le salaud avait senti le vent tourner et il avait pris les devants. Résultat, ça lui a réussi.

— Est-ce qu'il avait pris part aux massacres des harkis ?

— Certainement. C'était la curée, mon vieux. Tout le monde était de la fête.

— Même toi ?

— Je n'opérais pas dans la région. Et j'ai pas attendu le 19 mars pour prendre les armes, moi. J'étais l'un des rares lettrés à rejoindre le maquis. Lycéen, j'avais mis le feu à mon établissement avant d'aller guerroyer. En 1957, s'il vous plaît. J'ai été blessé deux fois (il dégrafe fièrement son veston et remonte son tricot sur une poitrine ornée de deux trous noirâtres). Aspirant en 1960, j'ai été nommé adjoint de commandant de compagnie à Melaab, dans l'Ouarsenis. Je suis revenu à Sidi Ba une semaine après les massacres collectifs. Mais j'ai été présent pour les Talbi.

Soria frémit de la tête aux pieds.

— Mon nom est Zoubir, madame, Tarek Zoubir.

Vous êtes historienne, pas vrai. C'est du moins ce qu'on laisse entendre dans la ville.

— C'est la vérité.

— Je veux vous aider. Il faut absolument leur rentrer dedans, à ces fumiers. Ce sont des prévaricateurs, des êtres immondes, des chiens et des loups affamés. Avec tout le fric qu'ils ont amassé, ils continuent de sévir. Cette région était le grenier du pays, au temps des Français. Elle fournissait quarante pour cent du marché nord-africain en matière de viande rouge. C'est parce que j'ai essayé de la sauver que j'ai été destitué et livré à la meute. J'ai tiré l'alarme dès 1970. Cette région a une vocation pastorale, que j'ai dit. Pas question de la dénaturer avec des usines. J'avais constitué un rapport dûment ficelé par une formidable équipe d'experts. Rien à faire, Haj Thobane tenait à industrialiser son pays natal. Pour lui, c'était ça, l'émancipation. Il voulait abolir le statut de berger qui lui rappelait sa condition d'autrefois. Je me suis opposé à ses projets. D'une chiquenaude, il m'a éjecté de mes fonctions et a chargé sa horde de me rendre la vie difficile. C'est à cause de lui si je touche le fond aujourd'hui.

— Si tu nous parlais un peu des Talbi ?

— J'y arrive. Il n'y avait pas que les Talbi dans cette affaire. Il y avait aussi Kaïd Allal et sa famille. Ils avaient des terres sur toute la plaine ; portés disparus, eux aussi. Et les Bahass, qui produisaient la meilleure huile d'olive des Hauts Plateaux ; portés disparus. Et les Ghanem, dont le bétail s'évaluait à plusieurs milliers de têtes ; portés disparus. En une seule nuit, plus de traces ni signe de vie. Comme volatilisés dans la nature. Les gens, ici, ils devinent ce qui leur est arrivé, mais ils ont peur d'en parler. Ont peur d'y penser. Ont peur de s'en souvenir. Il y a eu des disparitions similaires dans les premières années de l'indépendance. Pas des fortunés, juste des curieux qui ont cherché à comprendre ce qu'il s'était passé, cette nuit du 12 au 13 août 1962. On ne les a plus revus. Moi, j'ai pas peur. D'ailleurs qu'est-ce que j'ai à perdre ? J'ai pas de gosses, et ma femme m'a quitté pour un notable il y a plus de deux décennies. J'ai pas d'existence réelle et j'ai pas envie de la prolonger. J'aurais dû crever au maquis. C'est plus une vie, aujourd'hui. Alors, mourir pour mourir, autant que ça soit pour la bonne cause. Je serais le plus heureux des sacrifiés si je pouvais jeter à terre Haj Thobane. C'est un criminel et un salopard de haut niveau. Son empire financier est la conséquence directe de cette purge nocturne d'août 1962, j'en mettrais ma main au feu.

— C'est très grave, ce que tu avances là.

— C'est rien en comparaison avec ce qu'il a fait.

— Tu l'as connu personnellement ?

— Et comment !

— Tu penses qu'il est lié directement à cette affaire ?

— Aussi étroitement qu'avec le diable.

J'esquisse une moue évasive.

— On ne fait pas disparaître des familles entières uniquement pour s'accaparer leurs biens ? Il doit y avoir autre chose, sinon les langues se seraient déliées depuis le temps.

— C'étaient des familles aisées, et elles ont été liquidées pour ça.

— Parce qu'on les jalousait ?

— Parce qu'on en voulait à leur fortune. La libération acquise, il fallait sortir aussi de la merde. Pour repartir d'un bon pied, il fallait chausser les bottes des autres, monsieur l'historien. Les Thobane étaient des va-nu-pieds. Ils crevaient la dalle avant le déclenchement de la guerre. Le père trimait comme palefrenier chez les Lapaire. On raconte qu'il a été tué par un cheval fou. Le fils, Haj, bossait comme berger chez les

Ghanem. Deux de ses frères sont morts en Indochine, dans les rangs de l'armée française. Haj avait hérité d'une misère incroyable. Je me souviens très bien de lui. Souvent, il allait rôder autour des casernes pour glaner des boîtes de ration. La guerre a commencé de cette façon, pour lui. Il s'était familiarisé avec des soldats musulmans et avait réussi à en sensibiliser quelques-uns avec lesquels il avait monté une embuscade contre un camion militaire de ravitaillement. Succès total. Premier coup d'éclat, avec en prime sept soldats tués et le ravitaillement détourné sur le maquis. Le Gaucher venait d'entrer par la grande porte dans la légende. Il régnera en maître absolu sur l'ensemble de la région. Après la guerre, il en fit son sultanat personnel. Il s'est approprié les terres de Kaïd Allal, les pressoirs des Bahass et le cheptel des Ghanem, et personne n'a trouvé qu'il exagérait. N'était-il pas le Sauveur de Sidi Ba ?

— Et quelle a été la fortune des Talbi ? lui demande Soria.

— C'est le point noir de l'histoire, madame. À ma connaissance, les Talbi étaient ruinés. Ils vivaient sur le seuil de la pauvreté. C'est vrai que le père travaillait comme comptable chez les Lapaire, mais il ne gagnait pas assez. Pourquoi est-on venu les chercher dans la nuit du 12 au 13 août 1962, mystère et boule de gomme. Pas un ancien d'ici n'est en mesure d'avancer la moindre hypothèse. Car le Talbi n'était ni d'un camp ni de l'autre. Il avait une épouse handicapée, des rejetons malades, aussi lui fichait-on la paix. Mais je crois qu'il y a une personne qui pourrait vous éclairer. Un ancien égorgeur de la révolution aujourd'hui soûlard à plein temps, un certain Rachid Debbah. Il vit reclus dans les bois. Comme il est fauché et alcoolique, si vous lui refilez des sous, il peut faire un petit effort pour recouvrer sa lucidité.

— Tu peux nous conduire chez lui ?

— Bien sûr. Faudrait que je lui en parle d'abord. Il est méfiant et têtu lorsqu'il décide de ne pas coopérer.

— Son prix sera le nôtre, dit Soria.

Il se lève pour prendre congé :

— Si vous me promettez d'aller jusqu'au bout de vos investigations, je vais de ce pas le voir. Et demain, vous le trouverez frais et dispo chez moi. J'habite à dix kilomètres de Sidi Ba, sur la route de Médéa. Vous ne pouvez pas vous tromper, ma bicoque est visible de la chaussée. Dès que vous dépassez la station d'essence, à environ un kilomètre sur votre gauche, vous verrez un marabout. Plus haut, une ruine au bord de la piste. Ma bicoque la surplombe. Il n'y a pas d'autres habitations immédiates autour. Je vous y attendrai avec Rachid.

— À 9 heures ? je lui propose.

— Pas si tôt. Rachid ne se lève pas avant midi. Disons 14 heures.

Je lui tends une main reconnaissante.

— À demain, donc, à 14 heures pile.

Il garde la sienne.

— On se serrera la main quand on en aura fini avec ces fumiers, monsieur l'historien. Pas avant. Je veux que ces salopards paient, que le pays soit débarrassé à jamais de leurs charognes. Ne croyez pas que je me venge. Il y a sûrement un peu de ça aussi, sauf que je n'ai pas le sentiment de régler des comptes. J'aime ce pays. Vous n'êtes pas obligés de me croire, et je m'en contrefiche. La seule question qui m'importe est comment vous amener à poursuivre vos recherches jusqu'au bout. Car si vous vous rétractez comme des poules mouillées, ce sera la fin du monde, pour moi et pour ceux qui pensent qu'il y a une justice sur cette terre.

— C'est vrai qu'il m'arrive de me mouiller dans des histoires louches, mais je ne suis pas une poule.

— Je l'ai compris dès que je t'ai vu sortir de chez le maire.

— À demain.

— C'est ça, à demain, l'historien. Sans faute.

Je le raccompagne.

À mon retour, je trouve Soria debout contre la fenêtre, la mine consternée. Elle regarde la place effervescente, les yeux plissés, une ride singulière sur le front. Sans se retourner, elle dit :

— Est-ce que je peux avoir une cigarette, monsieur Llob ?

18.

En effet, on peut voir la bicoque de Tarek Zoubir de la route. Pour la rallier, il suffit d'emprunter la piste qui mène au marabout dont la coupole vert et blanc domine la colline. Nous nous engageons sur un chemin tourmenté, suivons une enfilade d'arbustes. Il est 13 h 50. Le soleil cogne telle une brute sur la campagne. Soria conduit, la mine ratatinée. Elle a passé la nuit à arpenter sa chambre de long en large et à griffonner d'interminables notes sur ses dossiers. Le matin, elle était encore penchée sur ses feuillets, si absorbée qu'elle ne m'a pas entendu frapper ni entrer. Difficile de deviner ce qui se passe dans son esprit. Elle n'a pas dit grand-chose depuis la veille, a perdu énormément de son enthousiasme, comme si, d'un coup, cette histoire commençait à la soûler. Bien sûr, elle essaie de le cacher, mais l'ombre voilant son regard ne trompe personne.

Le patio de Tarek Zoubir est silencieux. Soria klaxonne. Personne ne se montre. Nous patientons deux minutes, ensuite je mets pied à terre et vais cogner sur la porte en bois vermoulu. Rien. Je tends l'oreille, ne perçois aucun bruit de l'autre côté. J'appelle le bonhomme ; ma voix ricoche contre les parois en torchis et s'éteint sans susciter d'intérêt. Je sollicite le loquet ; il cède. Par l'entrebâillement de la porte, je vois un bout de la cour et un chien étalé sur le sol. Ce dernier ne remue pas. Normal, il a la tête éclatée. Soria sursaute lorsqu'elle me voit dégainer mon arme ; je la prie de ne pas quitter la voiture et pénètre sur la pointe des pieds dans la maison. Une petite table est renversée par terre ; une chaussure a été oubliée sur le perron. Le dos contre le mur, je progresse, à l'affût d'un craquement suspect. La fenêtre est grande ouverte ; elle donne sur un salon misérable. Des traces de lutte ont bousculé le rare mobilier. J'avance encore, enjambe un banc, le Beretta en avant, débouche sur une chambre sens dessous dessus. En levant la tête, je le découvre. Tarek Zoubir est suspendu à une poutrelle, le corps nu recouvert de bleus, les bras ballants. Du sang s'est ramifié sur son menton et sur sa poitrine. La nuque tordue par le nœud de la corde, il fixe un coin de la pièce, une partie de langue sur la lèvre. Le bourreau lui a tranché le nez avant de le pendre.

Je me rue sur les autres chambres, reviens dans la cour, inspecte les alentours ; pas âme qui vive.

Intriguée, Soria s'amène.

— Je te déconseille d'aller plus loin, je lui dis.

Elle écarte mon bras, fonce vers le salon. Je la retiens par le poignet.

— Bas les pattes ! hurle-t-elle, méconnaissable.

— C'est pas beau à voir.

— J'ai vu pire.

Elle entre dans la chambre.

Je m'attendais à la voir rebrousser chemin, les jambes à son cou, ou bien à se plier en deux pour dégueuler ; Soria ne panique pas. Solidement campée sur les mollets, elle affronte le cadavre mutilé avec un calme qui me file la chair de poule.

— C'est pas de chance, grogne-t-elle.

— On dirait.

Elle se prend la figure à deux mains, sans quitter des yeux le pendu. La colère lui boursoufle les paupières. Dans le silence de la maison, sa respiration prend l'ampleur d'une rumeur. Je la sens à deux contractions d'imploser. Après avoir médité sur notre déveine, elle me fait face, la figure fripée.

— On lui a coupé le nez, dit-elle.

— J'ai vu.

— Vous savez ce que ça signifie ?

En Algérie, le nez est l'organe de la fierté. Durant la guerre d'indépendance, les maquisards tranchaient le nez de ceux qu'ils considéraient comme félons avant de les faire défiler dans les rues pour que les gens en tirent les enseignements qui s'imposent. La signature et le message étaient clairs, à l'époque. C'est de les voir resurgir vingt-six ans après qui me tarabuste.

— Vous pensez que c'est une plaisanterie, commissaire ?

— En tous les cas, elle est de mauvais goût.

— On essaie de nous faire peur.

— Vous avez peur, madame ?

— Non, et vous ?

— Un peu, mais pas suffisamment pour me décourager.

Le commissaire de Sidi Ba est furieux. Il cherche à m'intimider, sauf qu'il ne fait pas le poids. C'est un gringalet desséché, au visage taillé dans du granit, qui parle avec les mains et les pieds et qui se décomprime tel un ressort quand je tente de placer un mot. Il doit être très méchant car ses hurlements déclenchent la débandade au siège de la police, une bâtisse mal foutue à l'image du boulot que l'on y exerce. Les deux inspecteurs qui l'assistent se tiennent droit. Le plus grand, un escogriffe au regard mauvais, m'en veut de mettre son chef dans tous ses états. L'autre, une grosse tarte dégoulinante, n'arrête pas de se gratter le postérieur. Il paraît méchant, lui aussi, fier de sa moustache de tirailleur et de son ventre de goinfre empiffré. Dans le petit bureau, dont la porte-fenêtre donne sur une cour recouverte de cailloutis, c'est l'alerte. Nous sommes inlassablement interrompus par des coups de fil. C'est la grosse tarte qui répond. Si ce n'est pas le maire, c'est sa secrétaire. La gêne de l'inspecteur trahit le malaise qui s'intensifie en haut lieu. Le commissaire refuse de prendre la communication. « Tu vois pas que je suis occupé », qu'il fulmine à chaque fois que l'inspecteur lui propose le combiné. De mon côté, je baye aux corneilles. J'ai bien fait de laisser Soria à l'hôtel. Avec des énergumènes pareils dans la police, elle perdrait définitivement le peu d'estime qu'elle cultive pour moi.

— Et voilà, se déchaîne le commissaire de Sidi Ba. Tu débarques, et bonjour les macchabées. On était tranquilles, bien et tout, et toi tu arrives sur tes grands chevaux et tu déploies ta fantasia sur un champ d'orties. Tu n'es pas à Alger, camarade. Ici, c'est ma ville. Si tu as des problèmes, tu t'adresses à moi. Tu n'as pas le droit de me marcher sur les pieds. Il y a un règlement et un découpage administratifs.

— Ça t'ennuierait de baisser le son ? je lui dis. On t'entend du bout de la ville.

Il freine net.

Le commissaire a horreur qu'on lui manque de respect devant ses subordonnés ; il frise l'apoplexie.

— J'ai pas très bien compris, grince-t-il, dans l'espoir de m'amener à demander pardon.

— Ça ne m'étonne pas.

Piqué au vif, il vient bouillonner contre ma bedaine. D'un doigt frémissant, il me menace :

— Tu gardes ta morgue pour le menu fretin, bonhomme. Je suis pas tombé de la dernière pluie. Les
marioles de ton espèce, j'en mate tous les jours. À
l'usure, ça me fait chier. Alors, tu te calmes.

— Je t'emmerde.

Il amorce le geste de se jeter sur moi, se retient in
extremis. Il est en ébullition ; ses dents lui mordillent
voracement les lèvres et ses mains vibrent.

Il teste une autre voie :

— Parce que tu es d'Alger, tu crois m'impression-
ner ?

— C'est à peu près ça.

Sa pomme d'Adam claque dans son cou conges-
tionné. Il comprend qu'il est tombé sur un sacré morceau et qu'il n'a pas intérêt à pousser le bouchon plus
loin. Prudent, il ordonne à ses inspecteurs de débarrasser le plancher. Une fois seuls, il dégrafe le haut de sa
chemise et retourne derrière son bureau.

Il se dégonfle, le tocard.

— Je vais saisir le ministère, monsieur Llob.

— Vous pouvez toucher deux mots à la présidence, si
ça vous amuse. Je suis ici pour bosser. Par ailleurs, commissaire, je vous interdis, catégoriquement, de me traiter comme vous venez de le faire à l'instant. Je sais, vous
menez votre barque à votre guise par ici, loin des indiscrétions et donc en toute impunité, mais ça ne vous
autorise pas à taper avec vos rames sur n'importe qui.
Contentez-vous de fignoler vos petites magouilles. C'est
déjà une chance pour vous de ne pas être en train de
moisir derrière les barreaux. Mon petit séjour dans
votre magnifique bordel m'a donné un aperçu de vos
agissements. Vous ne prenez même pas de gants, et c'est
tout à votre honneur. Mais rassurez-vous, je ne suis pas
là pour vous empêcher de danser en rond. Aussi, afin
d'éviter que mon enquête ne sorte des sentiers battus, je

vous recommande de ne pas vous foutre dans mes pattes.

Le bonhomme ne respire plus. Il est pétrifié dans son fauteuil, la main suspendue au-dessus du téléphone. À sa façon de me reluquer, il doit se demander si je ne suis pas en train de le bluffer. Longtemps, nos regards s'affrontent, chacun cherchant la faille de l'autre. Il n'y a pas de doute, le fumier qui se tient en face de moi est malin, mais pas assez téméraire pour retourner mon audace et voir sur quoi elle repose.

— Je suppose que vous êtes bien épaulé, monsieur Llob.

— Là, vous m'étonnez.

— Je peux voir votre ordre de mission ?

— À votre place, je m'abstiendrais.

Il repousse le téléphone.

— Pigé, gémit-il.

— Ce serait trop vous demander... Je peux disposer maintenant ?

Il écarte les bras en signe de reddition.

Avant de m'en aller, je jette un coup d'œil par-dessus mon épaule. Je ne vous raconte pas.

Le lendemain, nous partons dans les bois, Soria et moi, à la recherche de Rachid Debbah, le fameux égorgeur que Tarek Zoubir comptait nous présenter chez lui. Nous finissons par le dénicher, tard dans l'après-midi, grâce à de jeunes bergers. Il habite un taudis, sur l'autre versant de la colline, au milieu de broussailles et d'un tas de décombres. Le sentier de chèvre qui conduit chez lui est trop étroit pour la Lada. Nous abandonnons la voiture à proximité d'un verger et escaladons le talus à pied. Soria grimpe plus vite que moi, comme si elle craignait d'arriver trop tard.

L'endroit a dû héberger quelques familles avant

d'être totalement incendié. Le sinistre remonte à la nuit des temps, au vu des gourbis en ruine envahis par les herbes folles et les rats. Une rigole fétide s'échappe d'un bassin périclitant et va se perdre derrière une muraille de nopal. Là encore, le cadavre d'un chien s'apprête à faisander. Plus loin, le taudis. Son portail gît dans le fossé. Le bourdonnement des mouches ne nous dit rien qui vaille. Soria est découragée ; elle lâche un juron et se laisse choir sur une pierre.

— C'est pas vrai, geint-elle, c'est pas vrai.

Et elle éclate en sanglots.

Je pénètre dans le taudis.

Rachid Debbah est couché en chien de fusil sur une paillasse, au fond de la pièce nue que baigne un flot de lumière tranchante. Pour tout mobilier, un cageot est retourné sur la gueule pour faire table de chevet. Il y a une bougie dessus, noyée dans sa cire, à côté d'une bouteille de vin vide. Le dormeur pue ; il n'a pas pris de bain depuis le déluge de Noé. Ses pieds nus, que la minuscule couverture effrangée ne parvient pas à atteindre, sont revêtus d'une épaisse couche de crasse. Je m'accroupis pour retirer la couverture, dévoile la tête du pauvre diable ; quelqu'un lui a défoncé le crâne si profond que des grumeaux de cervelle ont moucheté le mur.

Soria est exsangue. Elle se tait pour contenir la rage en train de sourdre en elle. *Ne me touchez pas*, qu'elle a lâché quand je me suis proposé de l'aider à descendre le sentier abrupt. Puis, plus un mot. Rien que le roulement spasmodique sur ses mâchoires, broyant férocement les cris qui giclent de sa gorge. Elle renonce à prendre le volant. Je conduis, en regardant droit devant moi tandis que, butée et repliée sur elle-même, elle toise le lointain, les bras croisés sur la poitrine, semblable à une gamine en train de bouder.

Le retour à Sidi Ba s'opère dans un mutisme chargé d'orage ; une étincelle mettrait le feu aux poudres. Quelque chose me dit qu'elle me tient pour responsable de la poisse qui nous poursuit, qu'elle me trouve de mauvais augure.

Je la dépose à l'hôtel et vais ranger la voiture dans la cour de la menuiserie. Il fait nuit. Le lampadaire éborgné accentue l'obscurité des soubassements. J'éteins le moteur et allume une cigarette. Au moment où j'ouvre la portière, une ombre s'abat sur moi en proférant un assourdissant *fils de pute*. Je reçois un coup sur la nuque, un deuxième à la mâchoire, puis le trou noir...

En recouvrant mes esprits, je reconnais le plafond de ma chambre. Je suis allongé sur mon lit, un barbecue contre les tempes. Les murs ondoient lentement autour de moi. Je porte la main à mon visage, rencontre des plaques de feu et des bosses sous l'oreille et sur les joues. Essaie de me relever, n'arrive qu'à relancer ma migraine et décroche aussitôt ; c'est alors que je comprends que j'ai été agressé.

Soria s'amène avec une casserole pleine de glaçons. Elle s'assoit à côté de moi, trempe des compresses dans l'eau froide, les pose avec délicatesse sur mes meurtrissures.

— Que s'est-il passé ?

— Le réceptionniste vous a entendu crier. S'il n'était pas accouru, les deux salopards vous auraient lynché. Ils vous shootaient dans les reins pendant que vous étiez à terre.

— Il saurait les identifier ?

— Il faisait noir. Ils ont détalé dès qu'ils l'ont aperçu.

Ma mâchoire me fait un mal atroce. Soudain, je

cherche mon flingue sous le ceinturon et ne le trouve pas. Soria m'apaise :

— Je l'ai rangé... Vous n'avez pas eu le temps de les voir ?

— Je n'ai rien vu venir.

— Vous vous faites vieux, commissaire.

— C'est aussi mon avis.

Elle porte une robe de chambre vaporeuse, blanche et transparente, à travers laquelle se meut un corps splendide. Ses seins ensorceleurs, joliment contenus dans leur soutien brodé, ressemblent à deux soleils émergeant d'un nuage. En se penchant sur moi pour m'appliquer les compresses, ils frémissent comme de la gélatine et manquent de me couler dessus. C'est vraiment une femme magnifique. Maintenant qu'elle a l'air d'avoir digéré sa colère, son visage est reposant, et ses yeux, joyaux étincelants, me fascinent. Son parfum fait chavirer mon être ; j'ai le vague sentiment d'être emporté à vau-l'eau vers je ne sais quel rivage enchanté. De nouveau, elle se penche, et son sein le plus proche déborde légèrement, le téton telle une cerise sur le gâteau. Brusquement, son regard surprend le mien, le désarçonne. J'essaie de battre en retraite comme un enfant pris en faute ; son sourire m'accule, me désarme, me dénude ; nulle part je ne trouve la force de lutter contre cette étrange onde qui me gagne de toutes parts. Soria perçoit ma détresse, l'investit sans coup férir. Ses doigts délaissent les compresses, s'éparpillent sur mon visage, lissent l'arête de mon nez, glissent sur mes lèvres, réveillant une multitude de frissons à travers mes chairs et autant de flammèches dans mon esprit. Maintenant, son sein est complètement libéré ; il survole ma poitrine, pareil à un fruit sacré. Ma gorge s'assèche et, moineau effarouché, mon cœur s'affole dans sa cage. Elle se penche encore, et encore, m'envoyant ses cheveux sur la figure ; son souffle se mêle au mien dans un ballet feutré ; sa main file lentement sur mon ventre, lucide, souveraine, descend plus bas, sans peur et sans reproche, comme mue par une force que rien ne pourrait surmonter. Je frissonne, frétille, complètement dépassé. Les lèvres de Soria viennent effleurer les miennes, neutraliser leurs tremblements, boire leur frayeur. Je suis entraîné vers un vertige, happé par un tourment délicieux. Au moment où je commence à sombrer, ses mains se ruent brutalement sous ma ceinture, rompant d'un coup le charme. Je lui saute sur le poignet :

— Mina m'en voudrait.

— Elle n'en saurait rien, murmure-t-elle, la bouche contre la mienne.

— Moi, je saurais. Je ne pourrais plus la regarder avec les yeux d'avant. À la longue, elle se douterait de quelque chose et en serait très affectée, et moi, je ne me le pardonnerais jamais.

Elle n'insiste pas.

— Elle a beaucoup de chance, Mina, dit-elle en se relevant.

19.

Kong a quitté le siège de la mairie à 17 h 30. Il a regagné le centre-ville à pied, le dos voûté et la démarche balourde. À l'observer, on comprend tout de suite que c'est une brute. Les gens changent de trottoir lorsqu'ils le croisent ; les galopins ramassent leur ballon et déguerpissent à son approche ; les boutiquiers lui adressent de vastes salamalecs. Bref, il est l'intimidation en marche. Arrivé au souk, il se fait griller des brochettes auprès d'un gargotier, les consomme sur place, debout contre le comptoir, et s'en va sans porter la main à sa poche. C'est ce qu'on appelle se la couler douce aux frais de la république. Il se rend ensuite dans un café interlope, chasse un joueur de dominos, occupe sa place. Au bout de la troisième partie, il s'en prend à son partenaire qui a mal négocié la revanche. Vers le soir, il se ravitaille dans une épicerie et, les bras chargés d'emplettes qu'il n'a pas payées, il remonte une ruelle dégueulasse et pénètre dans un immeuble affreux. Au moment où il ouvre la porte de son galetas, je le bouscule à l'intérieur et lui cogne sur la tronche avec mon flingue. Il s'effondre tel un ours électrocuté ; ses sachets s'écrasent au sol, jonchant le parterre de clémentines et de jaunes d'œufs.

— Salut, Kong. Je m'attendais à te trouver sur un

arbre, et tu choisis de végéter dans une cage. T'es rudement en avance sur ton espèce, dis donc.

Il secoue la tête pour reprendre ses esprits.

Mon 43 fulgure et l'étale de nouveau, le nez contre le
carrelage.

— Couché !

J'allume dans la pièce, referme la porte et reviens
m'accroupir devant lui, le Beretta sur le qui-vive.

— Qu'est-ce que vous me voulez ?

Je lui montre les bosses sur mon visage :

— Avec quoi je vais draguer les filles maintenant que
tu m'as amoché le look ? C'est gentil, ça ?

— Je ne comprends pas ce que vous voulez dire.

— Tu vas me fendre l'âme, Kong.

— Je vous jure que je ne comprends pas.

Je l'attrape par les cheveux et le tire d'un coup sec en
arrière. Sa nuque craque et ses yeux surgissent sous la
douleur.

— Toi et ton copain, vous avez commis une grave
erreur.

— Vous vous trompez, commissaire. J'suis pas fou. La
première fois, j'ignorais à qui je me frottais. Mais dès
que j'ai appris que vous étiez de la police, j'ai pris mes
distances. Je connais mes limites.

Je me relève, inspecte le cagibi ; c'est une piaule déla-
brée où l'on fait rarement le ménage. Un lit métallique,
un banc, une table basse surchargée de verres et d'as-
siettes sales, une télé poussiéreuse sur un coffret et un
frigo constituent l'essentiel du mobilier. Sur les murs
souillés par l'humidité, au milieu d'un tas de photos
représentant des femmes nues, une affiche électorale sur
laquelle le maire de Sidi Ba sourit.

Kong profite de ma distraction pour bondir. Ses bras
cherchent à me désarmer. Je l'esquive, l'accompagne
d'une série de gauches qui ne l'ébranlent pas. Il charge

de nouveau et me fonce dessus en hurlant. Son poing me foudroie sous l'oreille, exactement là où j'ai le plus mal. La souffrance enflamme ma colère. Je frappe avec la crosse de mon flingue, à bras raccourcis, aveuglément. Kong s'affaisse. Je continue de le tabasser. Chaque coup que je lui porte m'insuffle le sentiment de contribuer au salut de l'humanité et, par là même, de rendre un sacré service au bon Dieu.

— Ça va, ça va, je me rends, râle-t-il.

Je lui ordonne de reculer contre le mur ; il obéit, s'entasse dans une encoignure en se mouchant sur son avant-bras. Je lui ai bousillé une arcade et pété les naseaux. Du sang lui barbouille le faciès.

— Les deux types qui vous ont attaqué sont inconnus au bataillon. Ils sont arrivés d'Alger, il y a trois jours, et se font passer pour des gars de la Sécurité militaire. Le maire les a reçus en privé.

— Ils sont comment ?

— Ben, comme tout le monde.

Mon 43 lui enfonce le bide.

— Je les ai vus une fois, je vous jure.

— Décris-les-moi.

— Balèzes, les tempes rasées, le nez cassé. Le profil classique des videurs. L'un a une cicatrice sur la lèvre supérieure, l'autre, court sur pattes, boite un peu. De prime abord, ils donnent froid dans le dos.

— Ils sont arrivés comment ?

— C'est-à-dire ?

— Leur bagnole ?

— Une Peugeot 405 grise, immatriculée à Alger.

— Ce sont eux qui ont buté Tarek et Debbah ?

Kong remue ; je le repousse du bout de ma chaussure.

— Ça, c'est pas une question pour moi, commissaire. Je suis planton à la mairie. C'est vrai, je fais des vacheries, mais jamais de bien graves. J'ignore qui est derrière l'assassinat des deux pauvres bougres. Et même si j'en savais un bout, je le garderais pour moi. Je ne joue pas avec le feu, moi.

— On va faire un marché.

— Non, non, j'veux pas être mêlé à cette histoire. Ne comptez pas sur moi.

— Je veux leurs noms.

— Vous savez très bien que des types de cette nature n'en ont pas. Ils ont juste des surnoms, et ni adresse ni filiation. Vous pouvez me cogner dessus toute la nuit, vous perdrez votre temps. Je ne dirai rien. Déjà, je ne me rappelle pas qui vous êtes et vous n'avez jamais mis les pieds chez moi.

Me tournant le dos, il s'empare d'un torchon, plonge la figure dedans et se recroqueville misérablement au fond de son trou.

Soria a écouté le récit de mon entrevue avec Kong sans m'interrompre. Une ride sur son front indique qu'elle se préoccupe de la suite que j'accorde à l'histoire. Les mains jointes sur la rame de ses feuillets, elle retient sa respiration.

— Je ne vous obligerai pas à courir de risques majeurs, monsieur Llob. Vous êtes libre de prendre la décision qui vous conviendra. Quant à moi, il est hors de question de m'arrêter en si bon chemin. Une armée de barbouzes ne me ferait pas reculer. J'irai jusqu'au bout de mes limites.

— Je ne suis pas une chiffe molle.

— Ça n'a rien à voir. On peut se retirer si on estime que le jeu n'en vaut pas la chandelle. Il n'y a aucune honte à ça.

— Puis-je savoir ce qui vous motive à ce point ?

— Ce qui vous motive lorsque vous exercez vos fonctions, commissaire : la vérité. Jamais une histoire ne m'a autant mobilisée. J'en fais une affaire personnelle.

— Pourquoi ?

— J'ai horreur de l'injustice. Des gens ont été liquidés...

— Portés disparus.

— Allons, commissaire. Ça veut dire quoi au juste, portés disparus ?

Il est 22 heures, et la ville se terre dans un silence impénétrable ; les rues sont désertes et les magasins fermés. Une fois par hasard, une voiture passe et disparaît aussitôt. Soria a les yeux cernés. Son petit magnétophone de poche à proximité de ses dossiers, elle reprend la vérification de ses notes, confirmant certaines informations et imposant d'énormes points d'interrogation par-dessus d'autres.

— Je vais vous laisser tranquille, je lui dis.

— Vous avez raison. Une bonne nuit de sommeil nous portera conseil.

Je la quitte, en lui promettant de ronfler moins fort.

Dans ma chambre, j'enlève le cran de sûreté de mon Beretta avant de le poser sur la table de chevet. Je n'ai pas l'intention de dormir sur mes deux oreilles, cette nuit. La présence des deux types d'Alger à Sidi Ba me travaille. S'ils sont derrière l'assassinat de Tarek et de Debbah, rien ne les dissuadera de me rendre visite à mon hôtel. J'allume l'abat-jour et, la main derrière la nuque, je reste allongé sur mon lit, indéfiniment.

Le matin, j'opte pour une descente en solo dans la ville. Le seul moyen de remettre de l'ordre dans mes idées est de localiser la fameuse Peugeot 405 grise immatriculée à Alger. J'ai cherché partout sans succès. Je suis allé rôder autour de la mairie, ensuite j'ai pris position près du commissariat jusqu'à midi. Aucune trace de mes deux agresseurs. À mi-chemin de mes recherches, je me rends compte que je suis filé. La grosse tarte entrevue chez le commissaire de Sidi Ba me colle au train. Elle essaie d'être discrète, mais la débandade des marchands à la sauvette qu'elle déclenche autour d'elle ne l'aide pas.

À l'angle d'une ruelle, je l'accueille à froid, le saisis par la gorge et le plaque contre un mur.

— C'est pour ton bien, s'étrangle-t-il sans se débattre.

Je le lâche. Il rajuste le col de sa chemise et me fait :

— Si ça ne tenait qu'à moi, je serais en train de tirer mon coup plutôt que te trotter derrière comme un chiot pour t'éviter d'être copieusement lynché par la foule. Seulement, le commissaire insiste pour que nous n'ayons pas à te ramasser à la petite cuillère. Il ne veut pas de problème dans sa circonscription, tu piges ? T'assure que c'est pas par esprit d'équipe ni pour tes beaux yeux.

— Franchement, avec deux macchabées sur les bras et deux fous dangereux dans la ville, tu ne trouves pas qu'il y a plus sérieux que me renifler les fesses ?

— Pour les morts, on les a enterrés et l'enquête continue. Quant aux salopards qui t'ont agressé, ils ont mis les voiles.

— Sans blague.

— Nous n'en avons pas l'air, pourtant nous n'avons rien à voir avec ces voyous. Nous sommes des flics et nous nous acquittons de nos tâches avec le peu de moyens dont nous disposons.

— Comme c'est touchant.

Il me considère avec aversion.

— Je manque rarement de respect à des collègues mais, là, je crève d'envie de te rentrer dedans.

— Alors, crève et finissons-en.

Il ricane, la bouche racornie de dégoût :

— Pauvre andouille !

J'arme mon gauche. Il est sauvé par un groupe de femmes qui vient de sortir d'un patio. Nous nous regardons en chiens de faïence. Il décroche le premier, secoue la tête et recule, le doigt en érection :

— Fais gaffe, commissaire. Tu te pavanes sur un champ de mines.

— La tienne est pire. Je plains ton miroir.

Il récupère son doigt pour tirer sur le fond de sa culotte et s'éloigne en se dandinant.

L'après-midi, Soria insiste pour que nous retournions chez Labras, l'éleveur de poulets. Elle finit par me convaincre. Je lui soumets un itinéraire compliqué dans l'espoir de voir surgir la Peugeot 405 grise dans le rétroviseur. Après avoir parcouru des kilomètres de piste, nous convenons que nous ne sommes pas filés. Nous rebroussons chemin jusqu'au pont romain et prenons par la forêt pour rallier la ferme de Jelloul Labras. Nous découvrons ce dernier assis sur une roche en bordure de la route, comme s'il s'attendait à notre visite. L'accueil est plutôt mitigé. Soria me prie de la laisser faire et descend. De mon siège, je les observe en train de négocier un entretien. Le fermier n'est pas très chaud. Les gestes excédés et les œillades qu'il décoche dans ma direction sont décourageants. Soria ne se laisse pas abattre. Elle sort le grand jeu : son charme et ses arguments. L'autre remue mollement, de moins en moins attentif à ce qu'on lui raconte. Vers la fin, par je ne sais quel miracle, il se lève et se dirige vers l'eucalyptus. Soria me fait signe de la suivre ; c'est dans la poche.

Le fermier déploie trois chaises pliantes autour de la table au pied de l'arbre. Il ne m'adresse pas la parole. Son regard m'évite. Je prends place à côté de Soria ; lui se positionne en retrait. Il dit tout de go :

— J'ai été à l'enterrement de Tarek Zoubir. Sa mort m'a profondément affecté. C'était quelqu'un de bien.

— Vous le connaissiez ?

— Oui... C'est vrai qu'il est tombé bien bas, mais à une époque, il était respecté. C'était une autorité locale, dans les années 1960. Idéaliste et propre. Il croyait au renouveau de l'Algérie. Ses engagements n'ont pas résisté longtemps aux appétits des charognards. En cherchant à s'opposer aux projets mafieux du Gaucher, qui s'était approprié la région, il s'est retrouvé dans le caniveau. Encore une chance qu'on ne l'ait pas descendu plus tôt... C'est à lui que je dois cette ferme. Je crevais la dalle. Personne ne voulait m'embaucher. Personne, en ville ou ailleurs, ne supportait ma vue. J'étais le pestiféré ; je le suis encore même si on ne me jette plus la pierre. Je n'avais pas de boulot, plus de proche ni de soutien, ma maison m'avait été confisquée par les fellagas...

Fellagas ! Ce vocable explose en moi telle une bombe, déchiquetant ma retenue. En une fraction de seconde, mon regard s'embrouille et mes tempes s'enflamment. Je me soulève dans un geyser d'indignation :

— Comment tu les as appelés, les combattants de la liberté ?

— Fellagas...

Cette fois, c'est mon ventre qui prend feu. Une colère incandescente me submerge.

— Retire-moi ça, et vite.

— Ça ne les lavera pas, tu sais ? dit-il, un tantinet intrigué par ma réaction.

— Je t'interdis de les traiter de la sorte.

— Je vais me gêner, tiens. Je n'ai pas besoin de ta permission, et j'appelle comme je l'entends qui je veux. Pour toi, c'étaient des héros ; pour moi, c'étaient des démons.

— Parce que les harkis étaient des anges ?

— Ils étaient ce qu'ils étaient, et dans le pire des cas, ils étaient moins barbares que tes fellagas.

Mon poing fulgure. Labras le reçoit juste sous l'oreille gauche ; il tombe à la renverse. Pour l'empêcher de se reprendre, je lui envoie mon 43 dans le menton. Soria tente de s'interposer ; je la catapulte à travers la nature. Labras se met hors de portée de mes coups, le doigt braqué sur moi :

— Tu oserais lever la main sur moi si tu n'étais pas flic ? Je t'écrabouillerais comme une vieille citrouille. Mais la loi est de ton côté, n'est-ce pas ? Elle est faite à ta mesure, pas vrai, le commissaire ? Tu cognes le premier et tu te caches derrière. Tu ne trouves pas que c'est trop facile, comme épreuve ? Vas-y, range ton insigne et ton flingue, et montre-moi que tu as autre chose que de la merde dans le ventre.

Je me débarrasse de mon veston, pose mon flingue et mon insigne par terre. Il me surprend d'un crochet. Un flash illumine mon cerveau ; un deuxième s'ensuit. Mes jambes se ramollissant sous les coups, mon orgueil m'interdit de fléchir. Dans un sursaut de rage, je me relance. Nous nous enchevêtrons dans une inextricable toile de contorsions et de jurons. Il est très costaud, l'éleveur de poulets. L'air sain de sa campagne l'assiste de près. Bientôt, un halètement débridé appauvrit mon énergie ; mes étreintes se disloquent, s'égarent, s'accrochent n'importe comment. La pollution d'Alger me pèse sur les mollets. Labras comprend qu'il va avoir le dessus, glisse son bras sous ma cuisse pour me soulever ; je lui enfonce un doigt dans l'œil et l'oblige à me reposer. Tout d'un coup, une détonation nous rappelle à l'ordre. C'est Soria. Elle tient mon Beretta à deux mains, le canon pointé sur nous :

— Ça suffit !

Nous nous séparons, Labras et moi, hypnotisés par la gueule du flingue.

— Hé ! je dis à l'historienne, c'est pas un joujou pour dame, ça.

— Vous deux non plus. Vos chamailleries me tapent sur le système. Et vous êtes ridicules. Ce qui est désespérant est de constater que ça ne vous éveille pas à vous-mêmes. Les temps ont changé de cap, messieurs. Les idéaux que vous aviez défendus n'ont plus cours aujourd'hui, et ce qui se passe au pays est aux antipodes de vos utopies. Ayez pitié pour vous-mêmes et épargnez-moi vos conneries. Je mène une enquête sérieuse, moi. Je n'ai que faire du menu fretin dont vous êtes la triste illustration.

— Ce qu'il est advenu des serments d'hier n'est pas de mon ressort. Par contre, je ne permettrai à personne de traiter de fellagas des hommes et des femmes qui sont morts pour leur patrie.

— Et qu'as-tu fait pour honorer leur mémoire, toi, le gardien du temple ? me hurle le fermier. Le pays pour lequel ils sont morts est livré aux vauriens et aux chiens, et, à part traquer les culs-de-jatte et cogner les manchots, qu'as-tu fait pour y remédier, monsieur le combattant pour la liberté ?

— Je n'étais pas un fellaga.

— As-tu seulement été au maquis ?

— Et ça ? je tonitrue en retroussant mon tricot sur la cicatrice d'une balle à deux centimètres du cœur. Tu penses qu'il s'agit d'une brûlure de cigarette ?

— Et ça ? rétorque-t-il en baissant son pantalon sur son bas-ventre. Tu penses que c'est mon badge d'eunuque ?

J'en ai le souffle coupé.

Soria ne se détourne pas. Bien que choquée par la nudité de l'homme, elle paraît médusée par le bas-ventre recouvert d'un dense pubis comme pour occulter son infirmité : le fermier a le pénis et les testicules tranchés.

Un silence tombal écrase la crête.

Labras remonte son pantalon et se rassoit. Pantelant, mais sobre. Il me tourne le dos comme pour m'expulser de l'univers et s'adresse exclusivement à Soria :

— Vous auriez dû le laisser dans son zoo, madame. Les fauves sont très nerveux quand on les promène en forêt...

— Je suis sincèrement navrée, monsieur Labras.

Il lui fait un clin d'œil, tristement.

— Ce n'est pas grave. C'est même très bien ainsi, dans un sens : au moins, je resterai fidèle à ma défunte épouse jusqu'à la fin... Pour Tarek Zoubir, change-t-il brusquement de ton, je ferai une exception. Il ne méritait pas de finir comme ça. Je lui dois beaucoup. Il a été le seul responsable à accepter de me recevoir. Il m'a écouté, et c'est lui qui m'a suggéré de m'installer ici, loin des hommes et de leur rancune. Sans son intervention personnelle, la banque ne m'aurait même pas avancé de quoi acheter une corde pour me pendre. Les salauds qui l'ont tué ne s'en tireront pas. Je suis disposé à prendre tous les risques pour qu'ils paient. Dites-moi ce que vous voulez savoir, madame, je suis prêt.

Soria me tend le flingue. Je le glisse sous ma ceinture et vais prendre l'air un peu plus loin, à une distance raisonnable pour ne rien perdre de la conversation.

— Tarek Zoubir devait nous présenter un témoin clef le jour où il a été assassiné, monsieur Labras. À propos de la famille Talbi, disparue dans la nuit du 12 au 13 août 1962. Il voulait vraiment coopérer à fond. Malheureusement, ils nous ont pris de court. Et Debbah...

— Ne me parlez pas de ce chien. Il a crevé comme il a toujours vécu. C'était un boucher, une canaille de la pire espèce. Beaucoup d'innocents sont passés sous sa lame. Rien que de penser à lui, j'ai envie d'aller chier sur sa tombe.

Soria lève les bras.

— Pardon. J'ignorais que vous le détestiez.

— Le détester ? Ce serait lui accorder trop d'honneur.

— D'accord, monsieur Labras, je retire ce que j'ai dit.

— Inutile de nous attarder là-dessus, madame. Ce qu'il faut retenir une fois pour toutes est que les portés disparus de cette nuit-là ont été exécutés, à l'exception d'un enfant qui a réussi à s'enfuir et que les hommes du Gaucher ont cherché des mois, peut-être des années, sans le retrouver. J'étais là, madame. Je n'oublierai jamais ce qui s'est passé, ce soir-là. Jamais. Je me souviens du moindre détail, de chaque juron proféré par les fel... par les sbires du Gaucher, de chaque larme sur les joues des femmes et des gamins, de chaque supplication des hommes qu'on s'apprêtait à liquider... J'avais été arrêté deux jours auparavant. Dans les bois où je me cachais depuis les premiers massacres collectifs au cours desquels ma femme, mon père et deux de mes frères furent passés à la casserole. Je comptais rejoindre un port et m'embarquer pour la France, mais les troupes du FLN passaient au crible la région, dressaient des barrages sur l'ensemble des axes routiers, contrôlaient sans distinction tous les voyageurs. La chasse aux harkis battait son plein. J'en étais un, et ma tête était mise à prix. J'ignore combien de jours et de nuits je suis resté caché dans la forêt, à me nourrir de plantes et de fruits sauvages. Un matin, je suis descendu me désaltérer à une source, et les sbires du Gaucher me sont tombés dessus. Les uns voulaient m'égorger sur place, les autres insistaient pour que je sois présenté au chef. On m'a emmené dans un poste d'observation désaffecté et on m'a ligoté dans une grotte. Le même jour, trois autres harkis sont venus me tenir compagnie, l'un, bousillé, a succombé à ses blessures avant le coucher du soleil. Le lendemain, après un simulacre d'exécution, on nous a ramenés dans la grotte. Le soir, un tracteur sous bonne escorte est arrivé. J'ai reconnu Kaïd et sa famille, ainsi que les Ghanem. Ils avaient leurs affaires dans des valises et ne saisissaient pas ce qu'on leur reprochait. Quelques heures plus tard, c'était au tour de la famille Bahass de débarquer, à pied. Je me rappelle, l'aîné des enfants portait sa grand-mère sur le dos. Tout de suite après, un camion a déchargé Talbi et sa famille. Aucun d'eux ne comprenaient pourquoi ils étaient là. Il m'a semblé que même les ravisseurs l'ignoraient. Ils attendaient les ordres du Gaucher. Ce n'est que lorsqu'ils ont vu arriver Debbah le Boucher, avec sa sacoche remplie de coutelas, qu'ils ont commencé à y voir clair. Vers le tard, le bruit a circulé que le Gaucher ne pouvait pas venir et qu'il avait ordonné notre mise à mort. Avec les deux harkis, nous avons décidé de vendre cher notre peau. Les tueurs ont commencé par les Kaïd. La scène se déroulait dans la clairière que la pleine lune éclairait comme le jour. Au moment où on a commencé à ligoter les enfants, Kaïd a crié : *Ils vont nous égorger.* C'était la panique. Les trois familles se sont dispersées dans une confusion générale. Les hommes du Gaucher se sont mis à tirer à tort et à travers. Avec mes deux compagnons, nous avons profité de la mêlée pour nous tailler, assommant au passage le gars qui montait la garde devant la grotte. Quelques corps étaient déjà étendus dans la clairière. La marmaille et les femmes rattrapées par leurs poursuivants hurlaient. Les balles sifflaient à mes oreilles. J'ai couru tant que j'ai pu. Mes mains ficelées n'arrangeaient pas les choses pour moi. J'ai buté contre un tronc et dégringolé dans un fossé. Trois hommes armés m'ont rattrapé. *Celui-là est pour moi,* a dit Debbah. Les autres m'ont cloué au sol pendant que le Boucher me retirait mon pantalon. Il m'a émasculé sur place. Comme d'autres cris s'élevaient tout près, il a chargé le plus jeune de me laisser souffrir un peu avant de m'exploser la cervelle. Je n'étais pas tombé dans les pommes. La douleur était si atroce qu'elle me tenait éveillé. Il y avait aussi le hurlement des suppliciés. Le type qui était chargé de m'achever tremblait comme une feuille. Je l'ai supplié d'abréger mon agonie. Il chialait et secouait la tête. Son fusil tressautait dans ses bras. Il a dirigé le canon sur ma tête, puis il l'a détourné et a tiré à côté avant de s'enfuir.

— Pourquoi les Talbi ? le presse Soria.

— Je ne sais pas. Je me suis souvent posé la question. Des suppositions sont avancées, généralement des élucubrations. Certaines sont très graves, souvent invraisemblables. J'ai mes principes : ce pays nous a habitués à tant de manipulation et de désinformation que pour garder la tête sur les épaules, je ne crois qu'à ce que je touche avec mes mains et vois avec mes yeux. Les Talbi, ça m'échappe. Pour les autres, ils étaient riches et on leur en voulait de n'avoir pas soutenu financièrement la lutte armée. Le refus de participer à l'effort de guerre était classé haute trahison.

— Tarek avançait que c'était pour que le Gaucher s'accapare leurs biens.

— C'est ce qu'il a fait par la suite. La version officielle demeure la première.

— Les Talbi n'étaient pas fortunés.

— Exact. C'est le point noir de l'histoire. Plus tard, un bruit a couru à leur sujet, sans faire long feu.

— Comment ça ?

— C'étaient peut-être des ragots.

— Dites toujours.

— Je n'en ai pas le droit. Je connais quelqu'un de mieux placé que moi pour vous répondre.

— Il habite dans le coin ?

— Oui, mais j'ignore s'il est disposé à vous parler. Il était très ami avec Tarek, dans le temps. En plus, c'est quelqu'un d'intègre. À mon avis, il détient une large part de la vérité.

— Vous pouvez nous conduire jusqu'à lui ?

— Je dois le lui demander d'abord.

Jelloul Labras vient nous chercher à l'hôtel vers minuit. Il nous recommande de laisser la Lada où elle est et de nous faufiler à pied à travers un dédale de ruelles qui se perd dans la vieille ville. Plusieurs fois, il nous devance, scrute les alentours ; parfois il nous planque dans une porte cochère avant de rebrousser chemin pour vérifier si nous sommes suivis. Il n'est pas terrorisé ; il est seulement sur ses gardes et ne donne pas l'impression d'en rajouter. Ces mesures excessives ne consistent pas à protéger notre progression ; Labras a dû promettre à notre témoin de ne lui faire prendre aucun risque. Bien qu'impatient d'arriver à destination, je le laisse tâter le terrain comme il l'entend.

Une voiture nous attend. Labras nous invite à grimper sur la banquette arrière, saute derrière le volant et pousse le véhicule sur le bitume, les feux éteints. Il n'allume les phares qu'une fois la vieille cité contournée. Nous quittons la ville et prenons la direction de Médéa. La nuit est noire, le ciel renfrogné. Nous ne croisons aucune automobile sur la route. La campagne est submergée de ténèbres, que quelques chiens sauvages transpercent de leurs jappements. Nous atteignons une bretelle, effectuons une embardée à cause d'un pont endommagé par une crue et débouchons sur une piste. Labras éteint les phares et descend tendre l'oreille. Il revient au bout de trois minutes, certain que personne ne nous file.

Il redémarre avec souplesse, les phares toujours éteints, droit sur un bosquet. Un éclair balafre le lointain, suivi d'un coup de vent qui s'engouffre dans les arbres. Les premières gouttes de pluie, grasses et éparses, étoilent le pare-brise. Les phares se rallument sur une route furonculeuse, serrée de près par les fourrés. Le crissement des amortisseurs recouvre la rumeur des bois. Soria regarde devant elle, la respiration contenue. Ses mains anxieuses vont et viennent sur ses genoux.

— C'est encore loin ? je demande.

Labras ne me répond pas. Il manœuvre avec dextérité au milieu des ornières, un œil sur l'état de la piste, l'autre sur le rétroviseur. Nous roulons une vingtaine de minutes environ avant de déceler de lointains feux follets situant des patios aussi distants les uns des autres que les mentalités qui nous opposent, l'éleveur de poulets et moi. Enfin, des aboiements retentissent au moment où nous franchissons une haie de pins squelettiques. Les yeux du chien scintillent dans le noir. Derrière, une bâtisse où l'ont vient juste d'allumer. Une silhouette sort sous la véranda, somme l'animal de se taire. Je reconnais Rabah Ali, l'homme qui était venu me voir à l'hôtel et qui m'avait suggéré de prendre contact avec l'éleveur de poulets. Il a changé depuis l'autre jour ; on dirait qu'il a repris du poil de la bête. Rien à voir avec le monsieur angoissé et pressé de débarrasser le plancher. Cette fois, il arbore une mine agressive, les sourcils bas et la bouche lourde. Je me demande si son allure gaillarde n'est pas due à sa tenue de chasseur – pantalon de treillis et K-Way bariolé pardessus un chandail en laine – qu'orne une imposante ceinture US cloutée.

Il nous fait entrer dans un salon jonché de tapis

chaoui qu'éclairent des abat-jour sculptés dans du bronze. Nous prenons place sur des bancs matelassés. Jelloul Labras préfère rester debout près de la fenêtre.

— Pour ma petite famille, je suis parti tirer la perdrix, nous explique Rabah d'un ton saccadé qui contraste avec la contenance qu'il arbore. Ce qui n'est pas faux. Dans quelques heures, quelques amis vont se joindre à moi. À 4 heures, nous mettrons les voiles en direction de la forêt. Toute cette mise en scène pour ne pas attirer l'attention. Je vous l'ai déjà dit, monsieur Llob. Je veux me tenir en dehors de cette affaire. Même si je suis persuadé qu'il est grand temps de crever l'abcès. Jelloul n'a pas beaucoup insisté pour me convaincre. Moi-même j'en ai marre, vivement qu'on en finisse ! Mais avant d'aller plus loin, des questions s'imposent.

— Je veux bien, je dis. Seulement, j'en ai une, prioritaire. Après, je vous passe et la parole et les rênes.

Rabah Ali fronce les sourcils. Il consulte Jelloul, qui approuve de la tête.

— Je vous écoute, monsieur Llob.

— La première fois, c'est vous qui nous avez dirigés sur Labras. Ce soir, c'est lui qui nous conduit chez vous. Je peux savoir les liens qui vous unissent ?

Jelloul lève la main pour demander à notre hôte de répondre à sa place. Ce dernier accepte. L'éleveur de poulets s'adresse à Soria :

— L'homme armé que Debbah avait chargé de m'exploser la cervelle, la nuit du 12 au 13 août, c'est lui, Rabah Ali...

Soria est horripilée par mon comportement. Ces détails ne l'intéressent pas. Elle piaffe d'en venir à l'essentiel. Elle se retourne vers Rabah :

— Est-ce que je peux prendre des notes, monsieur Ali ?

— Je n'y vois pas d'inconvénients.

— Merci.

Elle extirpe un bloc-notes et un stylo de son sac, actionnant au passage le magnétophone de poche qui y était dissimulé. Absolument maîtresse de ses gestes et de ses esprits, elle ouvre le débat :

— J'attends vos questions, monsieur Ali.

— Savez-vous à qui vous vous frottez ?

— À Haj Thobane, dit le Gaucher, personnage influent à l'échelle de la nation et membre du Bureau politique.

— Très bien, madame. Jusqu'où êtes-vous capables d'aller ?

— Moi, jusqu'au bout, dit Soria.

— C'est-à-dire ?

— Ce que ça veut dire.

— Êtes-vous sûre de pouvoir vous mesurer à Haj Thobane ? Si oui, comment ?

— Je peux savoir à quoi rime tout ça ? je grommelle.

— S'il vous plaît, commissaire, s'insurge Soria. Je comprends parfaitement où il veut en arriver et il a raison. Deux hommes ont déjà été tués à cause de l'enquête que nous menons. Je fais le serment que leur mort ne restera pas impunie... Vous vous demandez, monsieur Ali, de quelle manière je compte croiser le fer avec une divinité comme Thobane, qui sévit au gré de ses humeurs, sans se soucier des lois ni de ceux qui sont censés les appliquer ? Je ne suis pas seule, rassurez-vous. J'ai des appuis solides, des autorités importantes qui sont au courant de mes recherches et qui n'hésiteraient pas à les soutenir si j'aboutissais à quelque chose d'assez grave pour mettre Thobane au pied du mur. Jamais je ne me serais engagée dans cette histoire si je n'étais pas sûre de mobiliser des gens capables de la porter jusqu'au mot « fin ».

— Pour ne rien vous cacher, je le supposais aussi. Ça

me rassure tout à fait, maintenant que vous le confirmez. Car j'ai des révélations à vous confier, et elles sont capitales.

Sa voix s'enroue soudain. Le moment qu'il redoutait est arrivé. Il vient de prendre conscience des périls qui le guettent et une lueur de doute passe dans son regard. Soria le fixe avec acuité, comme si elle cherchait à lui insuffler un peu de sa détermination. Rabah Ali perd un pan de sa superbe, vacille quelque peu, tente de se ressaisir. Son front perle de sueur ; ses lèvres se sont desséchées.

— Il faut y aller, Sy Ali, l'exhorte l'éleveur de poulets. J'ai confiance en cette dame.

Rabah Ali médite sur les encouragements du fermier, parvient tant bien que mal à surmonter ses tergiversations et va dans une pièce voisine. Il revient avec un petit registre à ressort qu'il claque sur la table basse devant Soria :

— J'ai gardé ça vingt-six ans. Aujourd'hui, je n'en veux plus.

— Qu'est-ce que c'est ? s'enquiert Soria en pâlissant.

— Il appartenait à Ameur Talbi. C'est moi qui ai été chargé de les escorter cette nuit-là, raconte-t-il. J'ai bien dit *escorter*. J'ignorais qu'il allait y avoir de la casse. J'avais à peine vingt ans, et les mains encore propres. On m'a ordonné d'aller trouver les Talbi pour les inviter à faire leurs valises. Un camion a été mis à ma disposition pour cette mission. À l'époque, je ne savais ni discuter les ordres ni me poser de questions. À 21 h 30, j'ai frappé à la porte des Talbi. Mon fusil n'était pas chargé. C'est vous dire que j'étais loin de deviner ce qui se préparait. Ameur Talbi ne s'attendait pas à notre visite. Il m'a dit qu'il y avait un malentendu, que jamais le Gaucher n'enverrait quelqu'un chez lui. J'ai dit que j'avais reçu des instructions strictes et que je devais les conduire, lui et sa famille, au poste 32. Ameur Talbi m'a dit que de toutes les façons, il ne pouvait pas nous suivre car son épouse était à moitié paralysée et son fils cadet avait quarante de fièvre. Je n'avais ni radio ni téléphone pour entrer en contact avec mes supérieurs. Devant mon embarras, Ameur Talbi m'a sorti ce registre-là comme preuve que je me trompais sur la personne. J'ai ouvert le registre pour lire dedans. C'est alors qu'une jeep est arrivée. C'était un sous-officier. Il m'a hurlé sans descendre du véhicule qu'il me fallait me dépêcher. J'ai essayé de lui expliquer que l'on se trompait peut-être sur la personne. Il m'a crié que si je n'étais pas au poste 32 avant 22 heures, il m'arracherait la peau avec une tenaille. Ameur Talbi avait entendu. Les ordres étaient clairs. Je lui ai dit qu'une fois au poste 32, tout allait s'arranger et qu'apparemment, il n'y avait pas le feu. Il a opiné du chef et il est allé chercher ses enfants. Deux de mes hommes l'ont aidé pour transporter la mère. Nous sommes montés au poste 32, et là, tout m'a échappé. Jelloul a dû vous raconter la suite.

Soria veut savoir ce que le Gaucher reprochait à Ameur Talbi. Effrayé par la gravité de son témoignage et comprenant qu'il était allé trop loin pour se rétracter, Rabah Ali claque de nouveau le registre sur la table :

— Comment, vous n'avez pas compris ? Ameur Talbi était le plus proche collaborateur du Gaucher, son homme de confiance le plus important : il était son trésorier.

La foudre s'abat sur nous. La décharge de l'électrochoc est telle que Soria casse en deux le stylo qu'elle étreignait dans ses mains. Son visage n'est plus qu'une effigie de cire.

Anesthésié, le reste des propos d'Ali ne m'atteignent pas. Je me contente de regarder sa bouche mastiquer son fiel. Un chuintement cosmique a rempli mes oreilles, absorbant les coups de gueule du vent contre les arbres et le tambourinement de la pluie sur le toit.

20.

J'ai du mal à reconnaître Soria. Un étrange mélange de colère et de jubilation intense la défigure. Elle n'a pas émis un traître mot pendant que Labras nous reconduisait à l'hôtel. Je ne percevais que les tremblements continus de son corps que me retransmettait le cuir de la banquette arrière. Elle n'a même pas remercié l'éleveur de poulets en le libérant. À peine dans sa chambre, comme prise de frénésie, elle s'est jetée sur ses valises et s'est mise à y fourrer pêle-mêle ses affaires.

— Qu'est-ce qui vous prend ? je lui demande.

— Je plie bagage et je dégage.

— Vous avez idée de l'heure qu'il est ? L'aube va se lever bientôt.

Elle se raidit, la bouche tordue. Son regard exorbité me traverse de part en part.

— Vous n'avez pas encore saisi, monsieur Llob ? Pour la première fois de sa vie, cet ogre de Haj Thobane est dans de beaux draps que j'ai la ferme intention de transformer en suaire. Pour y parvenir, je dois battre le fer tant qu'il est chaud. Une pause-café, un sursis, une distraction, et il pourrait retourner la situation en sa faveur. Je ne lui offrirai pas cette occasion. Plutôt crever. Je veux qu'il tombe, et le plus tôt sera le mieux.

— Nous avons besoin de dormir un peu. La route est difficile, et il fait un temps de chien, dehors.

— Pas de repos avant la fin de la guerre. Je vous rappelle que vous avez un lieutenant à tirer du merdier où il s'amenuise, commissaire. Il aimerait bien rentrer chez lui dans les plus brefs délais. Dans la situation qui est la sienne, le temps vaut plus que de l'or ; il est la survie. De toutes les façons, je suis si excitée que je ne trouverai le sommeil nulle part. Si vous êtes fatigué, c'est moi qui prendrai le volant. Je vous promets de vous ramener chez vous entier.

— Et ma voiture ?

— Donnez-moi les clefs et les papiers. J'enverrai quelqu'un la chercher dès demain.

Inutile de la raisonner. Elle est déjà ailleurs. Je fais contre mauvaise fortune bon cœur et retourne dans ma chambre préparer mon paquetage.

Je n'ai pas tenu le coup longtemps. Une centaine de kilomètres plus tard, je m'assoupis sur mon siège. Soria me réveille à l'entrée d'Alger. Elle a besoin que je l'oriente vers mon chez-moi. Je la dirige dans un état second. Elle me dépose devant mon immeuble et disparaît en oubliant mes bagages dans le coffre de la Lada.

Ma montre indique 5 heures du matin. J'escalade n'importe comment les marches de l'escalier. Sur le palier du troisième étage, je m'escrime vainement à surmonter mon vertige. Cela fait deux nuits d'affilée que je n'ai pas fermé l'œil. Mina m'ouvre, la frimousse bouffie de rêves gâchés. Je m'écroule dans ses bras, m'abandonne à ses soins. J'ai le vague sentiment qu'elle me retire mes chaussures. Ma tête s'enfonce dans un oreiller, m'entraînant aussitôt dans un merveilleux abîme.

J'ai dormi comme un âne. Le soleil commençait à décliner lorsque j'ai repris mes sens. Mina me sourit, assise sur le bord du lit. Elle a retouché à sa toilette et souligné ses cils au khôl.

— Je t'ai préparé un bain, me pépie-t-elle.

— J'en ai bougrement besoin.

Pendant qu'elle me savonne le dos, je lui demande si personne n'a téléphoné.

— À part Monique, personne.

— Qu'est-ce qu'elle voulait ?

— Il y a un mariage, en fin de semaine. J'ai dit que j'y réfléchirai.

Vers le soir, je ne tiens plus en place. Soria n'a pas donné signe de vie. Ce qui me rend dingue, c'est que je n'ai à aucun moment eu la présence d'esprit de prendre ses coordonnées. Je ne sais ni où elle habite ni comment la contacter. Ma mauvaise humeur s'envenime au fur et à mesure que la bouderie du téléphone se prolonge. J'en suis si désappointé que je ne touche pas à mon dîner. Vers minuit, mes tempes se remettent à bourdonner. Mina me supplie de la rejoindre au lit. Je m'entête. Finalement, je m'assoupis sur le banc matelassé, dans le salon.

Le lendemain, même topo. Toute la matinée, je fixe le combiné du téléphone, pareil au chien de La Voix de son maître. Hormis les appels de routine, rien. Soria persiste dans son oubli. J'ai touché deux mots à Baya pour demander si aucune dame n'avait tenté de me joindre à mon bureau ; la réponse attise mon malaise.

Mina évite la confrontation ; elle a appris à ne pas trop se frotter à moi quand mes bajoues rappellent celles d'un dogue constipé.

En fin d'après-midi, Fouroulou, le fils de la voisine, m'informe qu'une femme m'attend dans sa voiture, au bas de l'immeuble. Je crois que si on m'avait chronométré pendant que je me rhabillais, j'aurais mérité de figurer dans le *Guinness des records*. Mina n'a pas eu le temps de se retourner que je suis déjà dans la rue.

Soria est retapée de la tête aux pieds. Sûr qu'elle a tiré la bonne carte. Sanglée dans un tailleur à couper le souffle, les nichons audacieux et la mine resplendissante, elle me plaque un bisou vorace sur la joue.

— Faites gaffe, je la calme. Vous voulez que ma femme me traîne devant les tribunaux ?

Elle rejette la tête en arrière dans un rire qui constitue, à lui seul, un vrai bonheur. Sa main s'abat violemment sur ma cuisse.

— J'ai décroché le gros lot, s'écrie-t-elle. J'ai passé la journée d'hier à frapper aux portes et mes prières ont fait mouche. Nous avons d'ores et déjà trois appuis inflexibles. Deux politiques et le plus grand bâtonnier du pays. Ils ne reculeront pas. Ils sont d'ailleurs réputés pour ça. Et encore, je ne leur ai pas tout dit. Ils savent que je tiens fermement le taureau par les cornes et s'en réjouissent. Je vous garantis qu'ils vont marcher à fond à nos côtés. Mais ce n'est pas la meilleure des bonnes nouvelles. Devinez qui vient de m'appeler, il y a moins de deux heures ?

— Je suis lessivé.

— Le Che !

— Chérif Wadah ?

— En personne.

Ça me dégrise tout à fait.

— Si cet homme est avec nous, la partie est gagnée d'office, je lui dis.

— Il l'est. Il nous attend chez lui.

— Quand ?

— Maintenant.

Et elle démarre sur les chapeaux de roues.

Je ne me souviens pas d'avoir vu quelqu'un d'aussi

euphorique, sauf peut-être l'inspecteur Bliss à l'issue d'une magouille mirobolante.

— On va le foutre en l'air, ce monstre en carton, commissaire, jubile-t-elle. Je vous jure qu'on le ramassera avec des pincettes.

— Faut pas laisser la bagnole dans la rue, nous recommande Joe après avoir regardé à droite et à gauche pour s'assurer que la voie était libre. Je vous ouvre le garage.

Un grand portail en fer forgé s'ébranle en s'écartant sur une cour carrelée. Soria recule un peu et glisse sa voiture sous une voûte de bougainvilliers. Joe nous indique où nous garer et se dépêche de refermer le portail.

Chérif Wadah se tient en haut d'un petit escalier, grave dans sa robe de chambre vert bouteille, les mains dans les poches. Il a pris de l'embonpoint. Rasé de frais, le cheveu peigné en arrière, il a recouvré son aura de naguère. En me voyant me diriger vers lui, il écarte les bras :

— Ce brave commissaire Llob.

Nous nous donnons des accolades dignes des anciens combattants que nous fûmes. Il est très heureux de me revoir. Soria attend son tour sur la dernière marche, un cartable contre la poitrine. Notre hôte l'invite à se blottir contre lui. Elle ne se fait pas prier deux fois.

— Tu es magnifique, ma belle, lui susurre-t-il. Si j'avais eu vingt ans de moins, je t'aurais épousée quatre fois.

— À d'autres, rétorque l'historienne en riant.

— J'ignorais que vous vous connaissiez, dis-je, jaloux.

— Soria est une fée pour moi, raconte le vieux *zaïm*. Je l'aime comme ma propre fille. Notre première rencontre remonte à cinq ou six ans...

— Huit, précise Soria.

— Elle m'a consacré plusieurs études, et elle a même écrit un livre sur moi.

— Deux, corrige l'universitaire. Une biographie et un livre d'entretiens.

— C'est exact...

Il nous conduit dans un immense salon jonché de tapis d'artisans. Sur les murs se coudoient de vastes photos en noir et blanc, très anciennes, où l'on voit notre hôte, tantôt dans sa tenue de maquisard, la mitraillette en bandoulière, tantôt dans un costume prolétaire, sans cravate ni coupe claire, poser aux côtés de grandes figures de la révolution. Sur quelques-unes, on reconnaît le défunt président Houari Boumediene, sur d'autres le président yougoslave Tito, le général vietnamien Giap, Fidel Castro, le roi Fayçal Ibn Séoud, le monarque jordanien Hussein, le leader libyen Muammar al-Kadhafi et le président égyptien Nasser. Chérif Wadah est pris sous tous les angles, en compagnie de ces sommités, parfois riant aux éclats avec certaines d'entre elles. Impressionnant.

— Alors, ma belle princesse, qu'est-ce que tu racontes de bon ? On m'a appelé, cet après-midi. Il paraît que tu es en possession d'une bombe atomique.

Soria répand le contenu de son cartable sur un guéridon.

— Vous n'allez pas en croire vos oreilles, mon cher Che.

Elle commence d'abord par lui soumettre ses feuillets. Le Che les consulte attentivement pendant que l'historienne argumente. Au bout d'une demi-heure, le vieillard n'opine plus du chef. Secoué par les révélations, il se prend la tête à deux mains et écoute sans broncher le rapport de Soria. Son front s'est ramassé autour d'une multitude de rides. De temps à autre, j'interviens pour placer un mot. Je lui narre les différentes étapes et les difficultés qui ont jalonné nos recherches. L'histoire de Tarek Zoubir lui froisse la figure. Il exhale un soupir dépité, relève le menton. Ses yeux brasillent par-dessus ses pommettes tressautant d'abomination.

— Incroyable, incroyable, ânonne-t-il.

Il se lève. Les bras derrière le dos, il arpente le salon, furieux et bouleversé à la fois.

Il dit, sur un ton fiévreux :

— Dieu a donné aux hommes le meilleur de Lui-même. Il leur a conçu le monde comme une aquarelle pour que leur regard s'éveille à la beauté, mis dans le ciel des étoiles pour les guider, élevé autour d'eux des horizons fascinants pour les stimuler. Mais Il a omis de mettre un frein à leur besoin de cruauté, et toute Sa générosité est tombée à l'eau... Dieu n'aurait pas dû placer Ses espoirs sur ceux-là mêmes qui excellent à défigurer Son image. Il n'aurait pas dû croire une seconde que nous étions incapables d'ingratitude. Tout le malheur du monde vient de cette confiance imméritée.

Soria tire maintenant son magnétophone de poche.

— Et voici le clou du spectacle, annonce-t-elle en appuyant sur un bouton.

Le Che revient s'asseoir. La voix d'Ali Rabah se déverse telle une coulée de lave dans la salle. Autour d'elle, l'univers recule, se décompose, se dissipe. Il n'y a plus que la minuscule bobine en train de tourner dans son boîtier, libérant cran par cran l'insoutenable récit de notre témoin clef de Sidi Ba. Il faudra plusieurs minutes au Che pour s'apercevoir que la bobine ne tourne plus. La figure drapée dans une expression insondable, il sonne Joe et lui ordonne d'aller lui chercher ses pilules. L'ancien boxeur s'exécute. Après avoir ingurgité son médicament, le vieillard demande à se retirer dans son bureau pour réfléchir. Nous remettons de l'ordre dans nos documents et attendons son retour une éternité. Par la fenêtre, le soir a réglé leur compte aux dernières lueurs du jour. Une nuit sans lune se prépare à escamoter la ville.

Le Che nous surprend en train de nous morfondre. Il a retrouvé ses couleurs et ses traits se sont décontractés.

— L'Algérie et Dieu nous en voudraient si nous classions cette affaire, décrète-t-il. De telles monstruosités ne demeureront pas impunies.

Soria est soulagée. Le vieillard lui intime l'ordre de ne pas s'emballer trop vite. Il dit :

— Ce ne sera pas du gâteau.

— Nous avons de quoi le bousiller, s'écrie l'historienne.

— Haj Thobane n'est pas un citoyen ordinaire chez qui on débarque avec un mandat et des menottes. Il s'agit d'un membre permanent du Bureau politique.

— Vous êtes, vous aussi, membre du Bureau politique, je lui rappelle. Votre charisme est aussi colossal que son influence.

— Dans les hautes sphères, les choses ne se présentent pas comme vous l'imaginez. C'est plus compliqué que ça. Les intérêts personnels sont étroitement liés, les complicités et les réseaux aussi. Un pilier s'écroule, et c'est la réaction en chaîne comme dans la théorie des dominos. Beaucoup de dinosaures du régime se sentiraient directement visés si l'un d'eux, allié ou dissident, était ciblé. Le Système ne doit sa longévité qu'à l'étanchéité du microcosme qu'il s'est taillé sur mesure. Dans ces centres de décision, on peut ne pas être d'accord et se torpiller de temps à autre – c'est de bonne guerre –, cependant, dès que la menace est extérieure, l'ensemble des antagonistes se serre les coudes et forme un seul bloc, compact et solidaire. Par ailleurs, un poids lourd de l'envergure de Thobane n'a pas que des intérêts ; il dispose d'un contingent de disciples et de pions qui n'aimerait pas que sa manne céleste soit compromise. Il ne nous sera pas facile de le désarçonner.

— Facile, non, mais c'est possible, dit Soria. Ce n'est qu'un fumier aux mains ensanglantées. Il est fort parce qu'on ignore comment il en est arrivé là. Ce que nous détenons va le livrer nu comme un ver à l'opinion publique. Ses meilleurs amis le laisseront tomber. Quand l'estocade est portée, chacun ne songe qu'à mettre sa tête à l'abri. J'en suis persuadée. Ce que vous dites est vrai, Sy Chérif. Mais seulement lorsque la conspiration est dévoilée ou avortée. Quand le mal est fait, on rentre dans sa coquille, et ni vu ni connu. Làhaut, dans les hautes sphères, les volte-face sont terribles. Ne nous laissons pas intimider. Nous sommes à deux doigts de notre but. Progressons. J'ai déjà écrit mon papier pour mon journal. Avec votre soutien, le directeur acceptera sa publication. Vous savez très bien que personne ne blaire ce dragon laid et dégueulasse, y compris au sein de sa propre famille. Cette crapule n'est pas vénérée, mais redoutée comme la peste. Le pays nous sera reconnaissant de l'en débarrasser. Ce serait trop affreux si nous ne donnions pas suite à tant d'efforts.

— Qui te parle de jeter l'éponge ? dit calmement le Che. S'il y a quelqu'un ici pour ne pas lâcher prise, c'est bien moi. Je sais ce que cet individu représente pour l'avenir de la nation : le pire des cataclysmes. Le problème est ailleurs. Quelle est la conduite la plus efficace à tenir ? Voilà la vraie question. Un faux pas, et ça se retournerait contre nous. Il s'en sortirait plus fort que jamais et personne n'oserait se mesurer à lui. Il s'agit d'un quitte ou double.

— Êtes-vous d'accord pour m'aider à publier mon papier ?

— Dans les principaux journaux, martèle-t-il. En arabe, en français et en chinois, si ça te chante. Ce ne serait pas suffisant.

— J'aurais besoin d'une équipe de télévision aussi. Dès demain, je retourne à Sidi Ba couvrir le déblayage du charnier. Labras m'y conduira. Nous filmerons l'exhumation des corps et tout le monde y assistera au journal télévisé.

— Surtout, pas de précipitation, dit le Che.

— N'empêche, il faut agir vite, très vite. Notre succès repose sur le facteur temps. Si ce salopard se doutait de quelque chose de grave, il prendrait les devants et nous bloquerait les issues.

— Vous pensez qu'il n'est pas au courant ? je fais.

— Il ignore l'essentiel. Il croit que nous avons fait chou blanc, que nos gesticulations ont déclenché une tempête dans un verre d'eau. Autrement, il aurait lâché ses chiens à nos trousses.

Le Che nous prie de nous calmer. Notre conciliabule s'étend sur plusieurs heures : Soria aura son équipe de télévision ; son papier sortira dans les quotidiens nationaux les plus importants. Mais, pour ce faire, une épreuve supplémentaire s'impose. Sans laquelle notre entreprise foirerait. *Et c'est précisément là que vous sortez le grand jeu, commissaire,* me confie le Che. Sur ce, nous nous enfermons dans son bureau pour mettre au point les moindres détails de notre complot.

Alger est radieuse. La pureté de son ciel l'inspire. Elle se laisse aller à son bon plaisir, éclaboussée de lumière, la baie comme un immense sourire. Un soleil de grand jour exhibe ses muscles sur la place. Moi, je roule des mécaniques. Je me sens bien dans ma tête et bien dans ma peau ; je m'en vais expulser une divinité de son Olympe et, par là même, entrer dans la mythologie.

Pour ne pas rater le coche, je vérifie régulièrement si mon Beretta est toujours là et le micro bien scotché sous mon tricot.

Haj Thobane m'a fixé rendez-vous à 15 heures pile. À 15 heures pile, je range ma Zastava devant le 7, chemin des Lilas. La grille tintinnabule au moment où je coupe le contact, me confirmant que je suis très attendu. Un gaillard trapu, extralarge, obture l'embrasure puis s'écarte pour me céder le passage. Dès qu'il referme la porte, il procède à ma fouille.

— On n'est pas à l'aéroport de Roissy, je lui signale.

Il ne fait pas cas de mon observation, tâte la chemise cartonnée que je tiens à la main, passe ses pattes expertes autour de mes chevilles, entre mes cuisses et découvre le pot aux roses sous mon aisselle.

— Pas d'arme à feu ici ! aboie-t-il, la main tendue.

— Je suis en fonction.

— S'il vous plaît, remettez-moi votre arme.

— Pas question ! Même lorsqu'il se fait baiser, un flic se doit de garder son flingue sur lui.

Un autre gaillard extralarge, en faction sur la véranda, lui fait signe de laisser tomber. Le gorille grogne. Il part devant, en traînant légèrement la jambe. Comme un flash, les propos de Kong, concernant les deux malabars à la Peugeot 405 grise signalée à Sidi Ba, fulminent dans mon esprit : *l'autre, court sur ses jambes, boite...* Nous traversons la propriété de Haj Thobane qui n'en finit pas de livrer ses merveilles. Toute une patrie. Avec des allées marbrées au milieu d'une forêt tropicale, des murets en pierre taillée qui dansent en rond autour de palmiers nains, des lampadaires sculptés tous les cinq pas, des carrés de jardin magnifiques que délimitent de minces ruisseaux roucoulants, un petit parc zoologique où des paons se pavanent parmi un groupe de quadrupèdes : un couple de gazelles, une biche, deux fennecs en cage, un jeune zèbre et d'autres adorables petites bêtes ramenées de pays lointains.

Haj Thobane trône sur une imposante chaise en osier, face à ses animaux de compagnie. Il est en robe saharienne, le ventre sur les genoux, un gros cigare à la bouche. À ses pieds commence la plus belle piscine que j'aie jamais vue de toute ma chienne de vie.

Du doigt, il congédie mon escorte.

— Vous vouliez me parler, commissaire ? tonne-t-il, expéditif.

Je ne panique pas ; bien au contraire, j'enfonce une main dans ma poche et prends mon temps pour admirer le paysage.

— Il manque juste un drapeau, et adieu la république, je lui suggère.

Son sourcil palpite. Lentement, il tourne la tête vers moi, me dévisage.

— Vous avez consulté un médecin, monsieur Llob ?

— Oui. Il a dit que j'étais complètement taré.

— C'est aussi mon avis.

— Pas le mien, monsieur Thobane.

— Êtes-vous sûr d'en avoir un ?

— Pourquoi pas ?

Il écrase son cigare dans un cendrier en ivoire représentant un coquillage. S'enferme dans un silence inquiétant, comme procède la tempête.

— J'ai été à Sidi Ba, je lui raconte. Dommage qu'une région pastorale ait opté pour l'industrialisation anarchique. Ça a faussé sa poésie et pourri les mentalités. Mais je ne me suis pas ennuyé.

— Je suis au courant. D'autres, avant vous, sont allés là-bas chahuter ma légende. Ils se sont cassé et la voix et les dents.

Je m'approche de lui. Ses traits se convulsent d'indignation. Ou il est hypocondriaque ou il ne peut pas supporter la proximité des moins que rien.

— C'est, toutefois, une région qui a beaucoup souffert de la guerre, poursuis-je avec détachement. Il suffirait de gratter le sol au hasard pour déterrer des ossements humains.

— Vous croyez que la liberté se livre comme des pizzas, monsieur Llob ? Celle de l'Algérie a coûté pas moins d'un million et demi de martyrs.

— Il n'y a pas que les martyrs.

— Je ne compte pas les pertes ennemies. Ce n'est pas notre histoire à nous.

— Il n'y a pas que les pertes ennemies.

Il se tourne d'un bloc vers moi, espérant ainsi me remettre à ma place. Je lui fais un clin d'œil, histoire de lui signifier combien je suis motivé. Son regard me passe aux rayons X. À sa paupière gauche qui s'est mise à tressaillir, je comprends qu'il commence à sentir le roussi. Personne n'oserait lui tenir une conversation sur un ton aussi désinvolte. Sauf un toqué. C'est ce qu'il a pensé de moi au début. Mais la transparence de mon débit écarte d'une chiquenaude cette hypothèse. Haj Thobane sait que je suis venu en découdre ; ce qui le déstabilise est sa méconnaissance de la nature de mes armes, de leurs performances réelles. Qui est derrière moi ? Un misérable braconnier ou bien la forêt ? Un ours mal léché ou un renard près de détaler ? Un sniper ou bien un commando suréquipé ? Mon assurance criarde, voire zélée, est, en elle-même, une monumentale gesticulation. Pourquoi ? se demande-t-il. Est-ce un appât ou est-ce une grossière balourdise ? Habitué à gueuler pour faire le silence autour de lui, n'ayant guère rencontré de résistance ni de contestation depuis des décennies d'abus et de sévices pratiqués dans la plus faste des impunités, il voit clairement l'anguille sous roche derrière ma pugnacité, sauf qu'il ignore la manœuvre à adopter. Alors, il attend que je trébuche. En prenant sur lui. Je suis même très surpris par son stoïcisme. Est-ce l'âge ou l'usure due aux excès ? En tous les cas, il me paraît incroyablement décontenancé, comme si un pressentiment ravageur lui sapait le moral en secret.

— Voulez-vous aller droit au but, monsieur Llob ?

— Beaucoup d'innocents ont été sacrifiés aussi.

— C'était inévitable, voyons. Il n'y a pas de troubles sans dégâts.

Sa philosophie ne me convainc pas. Je ne fais rien pour le cacher. Il devine que ça va être très difficile de m'attendrir ; il me voit venir, décode cinq sur cinq la grille de mes insinuations. Longuement, ses yeux espèrent détourner les miens, en vain. Après un soupir, il consent à justifier l'injustifiable :

— C'était la guerre. Il n'y avait ni coupables ni innocents, ni bourreaux ni victimes, mais seulement ceux qui étaient au mauvais endroit au mauvais moment et ceux qui leur faisaient la peau pour sauver la leur. Bien sûr certains hurlaient plus fort que le reste, et d'autres criaient victoire à tout bout de champ. En réalité, c'était le cauchemar qui se payait leur tête. En fin de compte, il n'y a eu ni vainqueurs ni vaincus, mais juste ceux qui ont tout perdu et ceux qui ont réussi à tirer leur épingle du jeu sans pour autant se tirer complètement d'affaire.

Je m'entête :

— Certains de ces innocents ne passaient pas par là par hasard, monsieur Thobane, ni ne manquaient vraiment de pot.

— C'est arrivé. C'est malheureux, et c'est comme ça.

— Le plus malheureux, c'est que les bourreaux n'ont jamais été inquiétés.

— Cela servirait à quoi ? On ne ressuscite pas les

morts. Ce qui est fait est fait. Aujourd'hui, avec du recul, on se rend compte qu'on aurait pu, avec un minimum de bon sens, éviter pas mal d'excès. Mais à l'époque, il n'y avait pas de place pour le bon sens. La haine et la colère étaient aux commandes, et personne n'y pouvait grand-chose. Nous étions pressés d'en finir, bâclant tout sur notre passage. On n'avait même pas à se poser de questions. Un seul horizon nous éblouissait : l'indépendance de notre pays. Le reste, nos vies, nos faits et gestes, nos erreurs et nos dérives, était emporté par la crue de notre engagement. On ne s'arrêtait pas en route, on fonçait tête baissée droit sur la liberté et lorsqu'il nous arrivait de renverser des choses sur notre passage ou de marcher sur le corps d'un ami, nous ne demandions pas pardon. Nous n'aurions pas attendu d'excuses des autres si c'étaient nous qui avions été piétinés. C'était convenu comme ça. Quand on prend les armes, on prend les choses comme elles viennent ; bonnes ou mauvaises, il faut les assumer. C'est uniquement de cette façon qu'on a des chances de forcer la main au destin... D'ailleurs, je ne vous apprends rien. Vous avez été maquisard et vous savez ce que c'est.

— C'est vrai, j'ai été maquisard, mais mes motivations ne rejoignaient les vôtres à aucun point de vue. Je me battais pour l'indépendance, par pour ce que je comptais en faire après. Survivre à la guerre était, pour moi, le plus beau cadeau que Dieu pouvait m'accorder. J'étais comblé à l'idée de retrouver les miens, ma maison et mes petites manies. D'autres voyaient plus loin. Ils songeaient déjà à se partager les fortunes orphelines, les postes influents et les privilèges qu'ils garantissent. Ce n'est pas la même chose, admettez-le. Un étendard accroché au fronton des nouvelles mairies ne suffisait pas. Certains voulaient se substituer à ce qu'il symbolisait : devenir les maîtres du pays. Comme ils avaient été des bergers avant, ils n'ont pas su devenir gouvernants et ont continué de prendre le peuple pour du cheptel. Mais là n'est pas notre sujet, monsieur Thobane... Je suis venu remuer votre merde, à vous.

Je m'attendais à le voir bondir hors de ses gonds, ou bien à sommer ses hommes de me tabasser avant de me foutre à la porte ; j'ai eu droit à un regard pathétique et las, le regard d'une vieille divinité en train de prendre conscience de sa finitude. Même la grossièreté de mon langage ne l'a pas choqué. On dirait qu'il a compris que je ne puisais pas ma force de mes arguments d'enquêteur, mais de la mobilisation occulte qui s'est opérée derrière moi et dont ma personne propose un échantillon de sa détermination. Haj Thobane est un filou de première. Il a surmonté plus d'épreuves qu'un titan, déjoué des traquenards en quantité industrielle ; s'il a survécu jusqu'ici, dans un pays où les machinations sont d'une précision chirurgicale et les traîtrises mûrement calculées, ce n'est pas seulement grâce à sa bonne étoile.

— Allez-vous-en, commissaire. Je vous jure que vous ne soupçonnez pas le centième des emmerdes que vous êtes en train de vous attirer.

— Vous avez jeté un lieutenant de police au cachot, monsieur Thobane. Vous l'accusez d'avoir attenté à votre vie par jalousie. Il se trouve que ce pauvre flic n'y est pour rien. Que vous avez été victime de votre passé qui a fini par vous rattraper. J'ignore comment il s'est procuré l'arme de mon collègue, mais votre agresseur avait toutes les raisons de vous en vouloir. Il cherchait à se venger, et à venger les siens, exécutés par vos soins, dans la nuit du 12 au 13 août 1962, aux alentours de Sidi Ba où vous sévissiez sous le surnom de Gaucher. Cette nuit-là, trois autres familles ont été liquidées, sauf qu'aucun de leurs membres n'a réussi à s'échapper. Les Kaïd, riches propriétaires terriens ; les Ghanem et les

Bahass, les plus importantes fortunes de la région.
Aucun survivant, aucun héritier. Leurs biens furent ver-
sés au butin de guerre qui fut, à son tour, détourné à des
fins personnelles, les vôtres. L'autre famille, celle des
Talbi, a eu son rescapé : Belkacem, interné depuis 1971
sous les initiales de SNP et ayant bénéficié de la grâce
présidentielle en novembre dernier. Ce garçon, qui avait
une douzaine d'années à l'époque des massacres collectifs, n'a survécu que pour vous retrouver et vous
régler votre compte. S'il vous a raté, moi, je ne vous
raterai pas.

— Les familles que vous avez citées avaient collaboré
avec l'ennemi. Elles ont été jugées et condamnées par la
cour martiale du FLN. Leur fortune ne nous intéressait
pas. Les Talbi étaient aussi pauvres que Job. Tout Sidi
Ba le sait. Alors pourquoi les a-t-on exécutés si l'objectif
de cette opération visait exclusivement les biens des
condamnés ?

Je brandis ma chemise cartonnée avant de la claquer
sur ses genoux.

Avec sang-froid, il en extirpe une liasse de photoco-
pies.

— Qu'est-ce que c'est ?

— Lisez, ça va vous rafraîchir la mémoire.

Il se retourne vers l'intérieur de la villa et ordonne
qu'on lui apporte ses lunettes. Le gorille boiteux rapplique aussitôt. Haj Thobane met ses lunettes dont les
verres lui grossissent démesurément les yeux, feuillette
les documents, ne semble pas s'en préoccuper :

— Je ne vois pas ce que ça signifie, commissaire.

— Il s'agit de la copie du registre des comptes
qu'Ameur Talbi tenait pendant la guerre. Sont portés
l'ensemble des dépôts en espèces qu'il gérait au profit
de votre bataillon ainsi que les décharges signées de
votre main. Nous pouvons évaluer facilement les entrées

et sorties d'argent, la somme des différentes donations, quêtes et contributions financières des citoyens, musulmans et chrétiens – le racket aussi – ramassées dans la région de Sidi Ba de mars 1956 à juin 1962. À savoir quarante-cinq millions d'anciens francs en espèces, mille cent trente-sept louis d'or, douze kilos d'or cassé, cinquante-deux autres bijoux d'une somme globale de trois millions... bref, la totalité du butin de guerre que vous n'avez jamais déclaré au FLN et que vous avez empoché une fois la guerre finie.

— Sortez...

— Ameur Talbi était votre trésorier secret. Vous l'avez exécuté, ainsi que sa famille, pour ne laisser aucune trace...

Le pont se rompt. Haj Thobane est debout, ébranlé, sinistré de la tête aux pieds, un pistolet au poing.

— J'ai un micro sur moi, et pas mal de gens suivent avec intérêt notre entretien à l'heure qu'il est. Désolé, mais il me fallait prendre certaines précautions. Deux hommes ont déjà été éliminés, cette semaine, à Sidi Ba, pour moins que ça. Leur assassin oublie – à l'instar des autres assassins – qu'on peut tuer des témoins par milliers, jamais on ne tue tout à fait la vérité.

Son poing armé blanchit aux jointures en frémissant.

— Vous n'allez pas me tirer dessus, voyons.

— Je m'en voudrais de me souiller les mains avec le sang d'un chien, grommelle-t-il. D'autres sont payés pour s'acquitter de cette corvée.

— Je tâcherai d'être vigilant.

— Trop tard.

— Vous pensez que j'ai gravement fauté en venant vous voir, monsieur Thobane ?

— Foutez le camp. Allez réclamer votre morceau de sucre, avant que vos maîtres ne changent d'avis.

Les deux gorilles m'attrapent par les épaules et me
bousculent *manu militari* vers la sortie.

Je me tords le cou pour narguer la divinité roturière :

— Vous pouvez garder le document comme souvenir.
L'original est en lieu sûr. À très bientôt.

— Casse-toi, me salive le gorille contre la nuque.

Haj Thobane regarde ses hommes me traîner à travers la forêt tropicale, les yeux ténébreux. Il doit se
poser deux questions fondamentales : à quelle sauce me
mettre ; et, surtout, quand passer à table.

Soria m'appelle pour m'annoncer qu'elle est rentrée
de Sidi Ba et que ça s'est très bien déroulé. Son papier
de trois pages sortira demain dans les plus grands quotidiens nationaux. Elle me recommande de me visser à
mon fauteuil et de ne pas perdre de vue le petit écran de
mon téléviseur ; son reportage passera au JT de 20 heures.
À 19 h 55, je décrète le couvre-feu à la maison. Mina et
les gosses me rejoignent au salon, aussi tendus que moi.
Je ne leur ai rien dit, mais ma fébrilité excessive leur a
mis la puce à l'oreille. Seul mon benjamin continue de
pester dans sa chambre, en croisant le fer avec ses
devoirs scolaires. Le journal télévisé s'ouvre sur un seul
et unique grand titre : *Découverte d'un charnier à Sidi
Ba, vingt-sept corps déterrés, dont quinze squelettes d'enfants.* Les images nous montrent une excavatrice en
train de retourner le sol, des hommes exhumant des
crânes humains, plusieurs tas d'ossements, des témoins
raconter leur version des faits, la même, apprise par
cœur ; vue panoramique sur les montagnes de Sidi Ba,
zoom sur la ville accompagné d'un commentaire acca-
blant. Des images d'archives nous renvoient aux années
de la guerre : pelotons de moudjahidin progressant dans
la neige, avions de combat de l'armée française déver-
sant leur napalm sur les villages musulmans, visages

brûlés, paysans fuyant leurs hameaux dévastés, femmes et enfants amoncelés parmi leurs balluchons sur des charrettes de fortune ; puis on retourne sur le charnier, où un vieillard brinquebalant raconte le drame en montrant un sentier et les alentours. Le journaliste revient développer le témoignage des personnes interrogées avant de s'éclipser, cédant la place à une photo récente de Haj Thobane, tout de suite rattrapée par d'autres, plus anciennes, prises dans les maquis, montrant le fameux Gaucher exhiber un poste émetteur-récepteur de campagne récupéré sur l'ennemi lors d'une embuscade, passer en revue son bataillon, viser une cible avec son fusil-mitrailleur, le tout commenté sur un ton caverneux aux accents d'oraison funèbre... Autour de moi, c'est le silence sidéral. Mes deux grands garçons et ma fille sont médusés. Mina se tient les joues à deux mains, les yeux gonflés de larmes. Les bruits de l'appartement voisin se sont estompés ; d'habitude, les engueulades et les cavalcades de mioches se surpassent à l'heure qu'il est. Tout l'immeuble est en train de retenir son souffle. Je pense que ça doit être la même chose dans le reste du pays.

— Papa ! hurle mon benjamin depuis sa chambre, comment veux-tu que je révise mes leçons avec ce boucan ? Le téléphone sonne depuis une heure.

J'ai l'impression d'émerger d'un gouffre, mets du temps pour assimiler les cris de mon fils. La sonnerie du téléphone m'atteint enfin. J'accours, décroche ; c'est Haj Thobane.

— Imbécile, me dit-il d'une voix extraordinairement rassérénée.

Après une petite pause, il ajoute :

— Dites à vos commanditaires qu'il ne faut pas vendre la peau de l'ours avant de l'avoir tué.

Il raccroche.

Mina me trouve patraque dans notre chambre, le combiné à la main, le regard dans le vide.

À 5 h 45 du matin, le téléphone me fait bondir dans mon lit.

C'est Nedjma, la petite amie de Haj Thobane :

— Venez vite, sanglote-t-elle. Un malheur est arrivé.

III

Mourir est le pire service que l'on puisse rendre à une Cause. Car il y aura imman- quablement, par-dessus les décombres et les sacrifices, une race de vautours assez futés pour se faire passer pour des phénix. Ceux- là n'hésiteront pas une seconde à faire des cendres des martyrs de l'engrais pour leurs jardins, des tombes des absents leurs propres monuments, et des larmes des veuves de l'eau pour leurs moulins.

Brahim Llob
L'Automne des chimères

21.

Le jour s'étire précautionneusement sur le chemin des Lilas. La nuit a dû être agitée, dans le coin. Certains se sont shootés aux tranquillisants pour tourner de l'œil. Normal, lorsque le voisin est lynché, c'est que la colère populaire n'est pas bien loin. J'imagine le choc que les nababs d'Alger ont subi, la veille, face à leur télé. Ce n'est pas le scandale de Haj Thobane qui leur a retourné de fond en comble les tripes, mais le fait de s'apercevoir que nul n'est vraiment à l'abri. Si on a osé foutre à poil une mythologie vivante, c'est la preuve qu'on peut déplumer aisément n'importe quel roitelet. Ce qui explique pourquoi on préfère traîner encore dans son lit en ce petit lopin du paradis. On ne quittera pas la maison avant d'avoir donné des coups de fil à droite et à gauche, histoire d'évaluer le tonnage de l'onde de choc qui se prépare à déferler sur la ville. En attendant, on reste au chaud, à humer ses draps ou bien à renifler ses transpirations, les rues n'étant plus fiables désormais.

Dehors, le ciel est livide. Pas un nuage pour se voiler la face. Bientôt, le soleil braquera sa torche sur l'ampleur des dégâts. Ce n'est pas tous les jours que l'on traîne un dinosaure dans la boue ; les gigantesques éclaboussures seront de très longue portée. On est curieux de savoir sur quel bordel on se rue.

Je range ma Zastava devant le numéro 7. Le silence, ici en particulier, a quelque chose d'irréversible. Un peu comme celui qui vous cerne d'un coup lorsque vous vous apercevez que vous êtes au beau milieu d'un champ de mines. Je ne me laisse pas abattre. Après avoir écrasé mon mégot dans le cendrier, je mets pied à terre et claque sèchement la portière de mon tacot pour me donner de l'entrain. Je suis lucide. En possession de l'ensemble de mes facultés. Il va faire beau. Quelques oiseaux ajustent leurs cordes vocales, enfouis dans les feuillages. Il n'y a pas le feu.

Nedjma m'ouvre avant que j'aie fini de chatouiller le carillon. Douchée, maquillée, coiffée, elle n'a pas l'air d'être prête à porter le deuil. Dans son déshabillé, parmi les parfums les plus délicats, elle rappelle une fée émergeant d'une volute de fumée. Ses yeux d'égérie rutilent comme des joyaux, les lèvres de sa bouche ressemblent aux tentations. Maintenant que je m'autorise à la regarder de plus près, je ne me souviens pas d'avoir contemplé une beauté aussi entière. Ses vingt-cinq ans coiffent sa fraîcheur tel un diadème. Tout en elle frise la perfection : la justesse de ses traits, l'emplacement de ses pommettes, la netteté de son regard et l'excellente configuration de sa silhouette. Un sacré morceau.

— Ça va ? je lui demande.

— Je ne me suis pas encore posé la question, commissaire.

Elle me prie de la suivre. Lino l'aurait suivie jusqu'en enfer. Cette femme, lorsqu'elle vous devance, occulte le reste du monde, ses trappes et ses pièges en premier. Elle marcherait sur l'eau que vous vous surprendriez à glisser dessus, vous aussi. Sa grâce est un régal, son allure une épopée.

J'essaie de garder la tête sur les épaules ; impossible de détacher mes yeux de la danse hypnotique de ses hanches.

Je cherche les gorilles, ou bien un laquais à l'affût d'un ordre ou d'un signe ; pas âme qui vive dans les jardins.

— Vous êtes seule ?

— Oui.

— Où sont passés les gardes du corps ?

— Haj les a tous congédiés hier.

Nous pénétrons dans le palais. Je ne pense pas que le roi de Jordanie tiendrait le coup s'il venait à se pavaner par ici. Le faste qui s'y étale rendrait jaloux les dieux sur leur comète. Incroyable, ce que les hommes réunissent autour de leur petite personne pour une vie éphémère. Plus incroyable encore lorsque, après tant d'ostentations et de fortunes blasphématoires, ils consentent à pourrir au fond d'un trou noir toute l'éternité.

Nedjma me conduit directement dans le repaire privé de son amant. Haj Thobane est là, au milieu de ses trésors en acajou, de ses bibelots en cristal et de ses tableaux en devises fortes. Il est assis sur une chaise capitonnée, en robe de chambre, le haut du thorax effondré sur un bureau, la tête sur le bras gauche replié sur un journal, le bras droit ballant par-dessus l'accoudoir, un énorme pistolet dans le poing. La balle lui a fracassé la tempe et a emporté la moitié du crâne dont les fragments étoilent le mur dans un torchis de cervelle et de sang.

Je m'approche.

Le journal est ouvert sur une double page totalement consacrée au charnier de Sidi Ba.

— Je crois que la lecture de ce papier l'a achevé, soupire Nedjma.

— C'est ce qui saute aux yeux d'emblée, reconnais-je. Pouvez-vous me raconter ce qui s'est passé ?

— Je dormais quand j'ai entendu un coup de feu. J'ai accouru et je l'ai trouvé tel que vous le voyez. Je n'ai touché à rien.

— Et les larbins ?

— Je vous l'ai dit. Haj a chassé tout le monde, hier. Il voulait rester seul. Il m'avait demandé de m'en aller. J'ai refusé de l'abandonner dans l'état où il était.

— Il était comment ?

— Étrange.

— C'est-à-dire ?

— Lorsqu'on a commencé à le descendre en flammes, à la télé, il n'a pas bougé. Et n'a rien dit. Il a juste demandé un verre d'eau. Il se tenait dans son fauteuil, tranquille, comme s'il assistait à une banalité. Bien sûr, il n'a pas manqué un traître mot de ce qu'on balançait au cours du journal. Mais c'était comme si l'on s'acharnait sur quelqu'un d'autre, qu'il ne connaissait pas. Après, il a éteint et il a demandé à ses gardes et à la valetaille de rentrer chez eux. Il était calme. Il voulait seulement être seul et méditer sur ce qui lui tombait sur la tête. Il est venu vers moi, m'a embrassée sur le front et m'a priée de plier bagage. J'ai refusé. Il n'a pas insisté. On aurait dit que soudain la vie le fatiguait. Le personnel parti, il vous a téléphoné, puis il a raccroché et s'est enfermé dans son bureau. J'ai pensé que si j'étais restée, ce n'était pas pour me retrancher dans mes quartiers et le laisser s'isoler dans sa peine. Je suis donc allée le réconforter dans son bureau. Il était debout contre la porte-fenêtre, les mains derrière le dos, et il fixait la lune. Je crois qu'il s'attendait à recevoir des coups de fil de la part de ses amis. Souvent, il se retournait vers le téléphone et s'oubliait à le contempler. Comme personne n'appelait, il a soulevé le combiné pour vérifier la tonalité et l'a reposé en m'adressant un sourire. C'était le plus triste sourire que j'aie vu de ma vie. Ça m'a bou-

leversée et j'ai couru vers lui. Il m'a prise dans ses bras.
Il avait plus de chagrin pour ses amis que de colère
contre ceux qui avaient comploté contre lui... Vous
savez comment ça se passe, dans notre pays. Toute divinité est vénérée jusqu'à preuve de sa vulnérabilité.
Aussitôt, ceux qui lui léchaient les bottes se mettent à
lui croquer les orteils avec voracité. Ça l'a beaucoup
peiné.

— Il a passé la nuit dans son bureau ?

— J'ai réussi à l'emmener dans le salon. Nous avons
parlé des jours que nous avons partagés ensemble. Il
voulait savoir si je lui tenais rigueur de quoi que ce soit,
s'il avait été incorrect avec moi, s'il m'avait blessée
d'une manière ou d'une autre. Je lui ai dit que c'était
moi qui n'avais pas su être digne de sa gentillesse et de
sa générosité, qu'il m'avait tant gâtée qu'il avait failli
gâcher notre bonheur. Je ne lui ai pas menti, commissaire. C'était un homme bien, charitable et émotif. Il ne
supportait pas la souffrance des autres et n'importe qui
pouvait le solliciter. Les gens qui l'ont poussé au suicide
sont des chiens ; leurs puces les rongeront plus vite que
leurs remords.

Nous nous rendons dans le salon. Rangé comme pour
une cérémonie. Aucune trace de violence, aucune fausse
note.

— Pourquoi m'avoir appelé, moi ?

Elle écarte les bras :

— J'étais la maîtresse de Haj, pas sa secrétaire. Je
n'ai pas accès à son agenda. Ses amis n'étaient pas les
miens et il m'interdisait de décrocher le téléphone lorsqu'il sonnait. Il était pudique, pas jaloux. Quand je
l'ai trouvé baignant dans son sang, j'ai paniqué. Qui
appeler ? Je ne connais personne de ses proches. Alors
je me suis rappelé le dernier coup de fil qu'il avait

donné. C'était vous. J'ai appuyé sur la touche « bis » et vous étiez au bout du fil.

— Dois-je comprendre que personne n'est au courant du drame ?

— Personne.

— Il va falloir remuer le beau monde.

— Faites ce que vous avez à faire, commissaire.

— Vous êtes restés combien de temps au salon ?

— Je ne sais pas. Jusqu'à minuit, peut-être.

— Puis ?...

— Nous sommes allés dans notre chambre. Je voyais bien que quelque chose d'horrible lui trottait dans la tête.

— Par exemple ?

— Son calme m'intriguait. Ce n'était pas dans ses habitudes. Il tonnait pour un oui ou pour un non. Il était même impulsif. Sa colère le stabilisait. Après une bonne engueulade, il se remettait d'aplomb. Cette nuit, son silence m'effrayait. Je redoutais le pire.

— Vous aviez le sentiment qu'il allait se donner la mort ?

— Qu'il allait réagir avec une extrême violence. Ou se tuer ou nous tuer tous les deux. Je le connais très bien. Je ne l'avais jamais vu comme il a été, hier. C'était angoissant, très angoissant. Il s'est allongé sur le lit. J'ai mis des somnifères dans son eau gazeuse et je l'ai veillé jusqu'à ce qu'il se soit assoupi. La suite, vous la connaissez. Un coup de feu m'a réveillée. Haj venait de se suicider.

— Vous vous étiez donc endormie à votre tour ?

— Et comment, après une telle soirée !

— Personne n'est venu entre-temps ?

— Personne.

— Vous ne l'avez peut-être pas entendu.

— Impossible. Si quelqu'un s'était présenté chez

nous, le carillon m'aurait alertée. L'Interphone se trouve sur ma table de chevet.

— Alors, qui lui a apporté le journal à une heure où les kiosques sont encore fermés ?

Nedjma s'embrouille. Il était temps. Sa sobriété m'a semblé excessive pour une maîtresse qui vient de perdre son saint patron. Elle fronce ses délicieux sourcils, cherche vite dans ses idées, n'arrive pas à s'y frayer une échappatoire. En levant les yeux sur moi, je remarque que ses lèvres se sont défaites, qu'une moue incommodée les déforme.

— C'est vrai, reconnaît-elle. Il est peut-être sorti pendant que je dormais.

— Les kiosques n'ouvrent que dans trente minutes.

— Des fois, quand il s'agit de nouvelles importantes, il téléphone à l'imprimerie. Il savait que la presse écrite allait rallier le journal télévisé...

— Ça ne tient pas la route. S'il avait téléphoné à l'imprimeur, c'est sur lui que vous seriez tombée en appuyant sur la touche « bis ».

— Dans ce cas, quelqu'un le lui a apporté ce matin, concède-t-elle.

Elle est gênée, Nedjma.

Je la prie de me montrer la chambre où ils ont passé la nuit. Elle s'exécute, l'esprit ailleurs. L'histoire du journal l'embarrasse. Elle ne lui avait pas prêté l'attention que ça méritait. Je la suis le long d'un couloir tapissé de fresques révolutionnaires vantant la vaillance de nos maquis ; des tableaux sans réel talent, mais assez cocardiers pour forcer le respect. Nedjma marche devant moi. Son pas a perdu de sa noblesse ; on dirait qu'elle s'enfuit ou qu'elle essaie de se rattraper.

La chambre est immense, avec pas moins de quatre portes-fenêtres submergées de rideaux en velours que ceinturent d'imposantes cordelières dorées. Un grand lit à baldaquin recouvert de soieries trône au milieu de la pièce, entouré de deux tables de chevet et d'un canapé romain. En face, une glace monumentale renvoie les lumières du jour à travers la pièce. Les murs sont peints en blanc cassé. Quant aux deux lustres qui cascadent du haut plafond, ce sont de pures merveilles qui doivent coûter la peau des fesses à un millier de fonctionnaires intègres.

Nedjma demande la permission de s'absenter deux secondes ; je la lui accorde volontiers. Allégé, j'inspecte l'endroit à mon aise. Je décèle les lunettes de vue de Haj Thobane sur une commode, un verre sur la table de chevet – celui-là, je le glisse dans la poche de mon manteau –, un carnet à ressort au pied d'un abat-jour ; je furète dans les tiroirs, remue quelques piles de dossiers, tombe sur des broutilles ; rien de bien intéressant. Le chahut de la chasse d'eau me rappelle à l'ordre. Nedjma me surprend en train d'admirer un tableau à l'huile représentant le défunt dans ses grands jours.

— C'est réalisé par Alessandro Cutti, un célèbre peintre italien, m'informe-t-elle avec une pointe d'agressivité.

— Ça m'aurait étonné si ç'avait été de Denis Martinez.

— Qui est-ce ?

— Un célèbre peintre algérien.

Le carillon tranche le débat. Nedjma fronce les sourcils avant d'aller répondre à l'Interphone.

— Ça doit être l'équipe scientifique du Central, je lui signale. C'est moi qui lui ai demandé de me retrouver chez vous.

— Pourquoi une équipe scientifique, commissaire ? Il s'agit d'un suicide.

— Simple formalité, madame, la rassuré-je.

Haj Thobane a été livré au fossoyeur en moins de vingt-quatre heures. J'ignore si c'est pour se conformer à la tradition musulmane ou pour tourner presto la page sur un épisode odieux de la légende révolutionnaire, toujours est-il qu'on a fait vachement vite. Un certificat d'inhumer délivré par un planton municipal débraillé, quelques pelletées de terre, une paire de dalles grotesques en guise de pierre tombale, et en avant la marche funèbre. Sans fanfare ni peloton d'honneur, pas même l'ombre d'une couronne. Les notables de Sidi Ba manquent à l'appel, le maire en tête. Il n'y a pas foule ; une cinquantaine de péquenots poussiéreux dépêchés in extremis du bled, un groupe d'anciens combattants grelottants de sénilité, la mine décatie, et un imam obscur qui n'arrête pas de se tromper de versets en plastronnant sur ses ergots. Quelques visiteurs passent et repassent devant l'attroupement, le doigt dans le nez. Les ambulanciers attendent impatiemment de récupérer leur brancard pour se tailler. Seul un vieillard sanglote en retrait, soutenu par un jeune garçon. Ce doit être le frère du défunt. De rares compagnons tentent de le consoler, sans conviction ; certains lui en veulent de se donner en spectacle.

Le cérémonial est abrégé, réduit au strict minimum. On est là pour s'assurer que l'ogre est bel et bien crevé, pas pour raconter ses petites horreurs. Les officiels du parti n'ont pas daigné se déplacer, eux non plus. Le mort n'a pas droit aux égards dus à son rang ; le scandale l'en a déchu d'office. J'aperçois deux ou trois journalistes, dont un photographe bigle. Dans la presse du soir, du côté de la rubrique nécrologique, on lui accordera un entrefilet. Juste de quoi confirmer la rumeur et donner à réfléchir aux survivants.

Au moment où l'on place la dépouille dans la fosse, je pivote sur les talons et me dirige vers le parking où

Serdj monte la garde autour de mon tacot. Il n'a pas voulu assister aux funérailles ; les tombes le rendent malade, qu'il a dit.

— Qu'est-ce qu'on fait ? s'enquiert-il.

— C'est toi qui commandes.

Il me propose une tasse de café sur le front de mer. Je hausse les épaules. En cours de route, il se rend compte que je suis déprimé à faire débander un tank et juge sage de me déposer chez moi.

Didou m'attend sur le pas de mon immeuble, la mine déconfite.

— Qu'est-ce qu'il y a encore ?

Didou est chauffeur de taxi de son état. Il n'y a pas une semaine où il n'écope d'une contravention.

— Je te jure que, cette fois, j'y suis pour rien, commence-t-il. Je transportais un passager et, arrivé à une bretelle, je suis pris dans un bouchon. Le type derrière s'est mis à klaxonner et à me mitrailler de coups de phare. Il paraissait pressé, mais je ne pouvais ni avancer ni me serrer sur le côté. Alors, il m'a traité de tous les noms. Moi, j'ai pas réagi, je le jure. J'ai suivi tes conseils.

— Pas tout à fait, à ce que je vois. La preuve : tu persistes à tourner autour du pot.

Didou retire son bonnet pourri, le froisse. Mon impatience l'indispose, et ça l'ennuie de prendre des raccourcis.

— C'était un brigadier, Brahim. Il m'a confisqué mes papiers et il a jeté mon gagne-pain en fourrière. Les gosses, ils n'ont plus rien à manger. Je te jure que j'y suis pour rien. Y avait un embouteillage...

Puis, il pose sur moi ce regard de victime expiatoire que je n'ai jamais réussi à domestiquer. Je me surprends en train de lui promettre d'arranger ça dès la première heure, demain. Didou est tellement soulagé qu'il me prend la tête dans les mains et, sanglotant presque, il me baise le sommet du crâne.

C'est l'Algérie : un tyran de perdu, mille de recrutés dans la foulée. Chez nous, l'abus n'est pas une dérive, c'est une culture, une vocation, une ambition.

Mina m'a préparé un festin : une omelette aux champignons sauvages. Je mange ma ration, la sienne et une partie de celle des enfants, puis je vais dans ma chambre ruminer. Au moment où je touche le fond de mon sommeil, ma fille me secoue.

— Papa, c'est le Central.

Je titube jusque dans le vestibule, m'empare du combiné.

— Ouais ?

— Les gars du labo demandent que vous les contactiez, m'informe Serdj.

— Il est quelle heure, là ?

— 15 h 20.

— Ça t'ennuierait de venir me chercher ? Ma bagnole est chez le mécanicien.

— Je suis au bas de votre porte dans un quart d'heure.

Le laboratoire de la police scientifique se trouve au sous-sol d'un bâtiment administratif mitoyen du Central. Avant, c'était un dépôt où l'on fourrait n'importe quoi, une sorte de vide-greniers où l'on pouvait entasser des archives compromettantes, des machines à écrire bousillées, des vieilleries et même des brodequins neufs. Puis, il y a eu inondation, et il a fallu nettoyer les caves de fond en comble. Comme la police venait d'acquérir un nouveau matériel de recherche, sophistiqué et convoité par les autres directions, la hiérarchie a décidé de créer un laboratoire ici. Depuis, les gars qui y triment chopent toutes sortes de maladies, et nul ne saurait dire si c'est à cause de l'appareillage qu'ils exploitent ou bien à cause de l'humidité.

Bachir, le directeur, nous accueille dans son box, le verre que j'avais dérobé la veille chez Haj Thobane en exergue sur le bureau. À sa façon de papilloter des sourcils, je comprends qu'il a découvert le pot aux roses.

— Alors ? je lui demande.

— Tu avais raison, Brahim. Il y avait, dans le contenu de ce verre, une dose de tranquillisant de quoi endormir une tête de mule deux nuits d'affilée.

— Tu es sûr ?

— L'analyse est catégorique. Il s'agit de Stilnox. Un médicament carabiné. Un comprimé, et on peut traverser une catastrophe sans s'en apercevoir.

— En tous les cas, il ne lui a pas survécu. Et sur l'arme ?

— Rien que les empreintes du défunt.

Je prends Serdj par le coude et file à l'air libre. Ce que je redoutais me rattrape. J'aurais préféré que les choses se tassent pour que je puisse retourner à la vie normale ; c'est pas de chance, l'affaire Thobane va devoir rebondir et je ne suis pas certain d'être assez souple pour la saisir au vol.

— Ça ne va pas, commissaire ? se préoccupe Serdj.

— Et si tu m'emmenais sur le front de mer ? J'ai envie d'une sacrée bonne tasse de café pour me remettre les idées en place.

— Êtes-vous sûr qu'une seule tasse ferait l'affaire ?

— Du moment que c'est pas moi qui paie.

C'est une bonniche d'un certain âge, sortie droit de son papier d'emballage, qui m'ouvre. Je décline mon identité. Elle ne comprend pas mon charabia et me prie de répéter. Je lui recommande d'aller trouver sa maîtresse et de lui signaler que le commissaire Llob désirerait la voir. Elle revient au bout de quelques minutes et me conduit à la piscine. Nedjma est étendue sur une chaise longue, ses lunettes de soleil dans les cheveux. Elle lit un magazine de mode, la robe de chambre béante sur ses jambes parfaites.

— Bonjour, commissaire.

— 'lut, madame.

— N'est-ce pas une journée magnifique ?

— Quand on a les moyens.

Elle repose son magazine et me fait face, le coude sur un coussin. Je ne le répéterai jamais assez ; cette fille est la forme la plus aiguë de la Tentation. Ses grands yeux m'envoûtent. Je sens mes mollets tressaillir sous ma carcasse.

Elle m'invite à occuper la chaise voisine. Pourquoi pas ? me dis-je. Il n'est pas interdit de rêver. Je déboutonne ma veste pour libérer ma bedaine et m'allonge à proximité des influences sulfureuses. Tout de suite, la chaise longue se mue en tapis volant.

La bonniche s'amène avec un plateau chargé de jus de fruits et de biscuits d'importation. Elle le dépose sur une petite table en marbre et se casse.

— C'est une Algérienne ?

— Je crois qu'elle est du Yémen. Elle a travaillé comme cuisinière à l'ambassade d'Algérie à Aden. Un ami, diplomate, me l'a recommandée. Elle sait tout faire. Elle est extraordinaire.

Je regarde s'éloigner la bonniche.

Nedjma se redresse pour nous servir. Sa robe se détache vers le haut, proposant des seins ronds et fermes, pareils à des pommes cueillies dans le jardin d'Éden. J'essaie de m'intéresser à un couple de gazelles, pas moyen de détourner les yeux de la splendeur à portée de mes doigts. Nedjma devine le chamboulement en train de s'accentuer en mon âme et conscience ; d'une main faussement pudique, elle arrange son chemisier.

Elle me tend un verre d'orangeade.

J'en avale une gorgée, claque des lèvres, admiratif.

— Excellent.

— N'est-ce pas qu'elle est extraordinaire ?

— Tout est extraordinaire, ici.

Elle me gratifie d'un sourire à faire se lever un cul-de-jatte.

— Vous le pensez sincèrement, commissaire ?

— Et comment !

Elle reprend sa place, ramène ses lunettes sur son regard et, sans porter son nectar à sa bouche scintillante, elle dit :

— Vous étiez de passage dans les parages ?

— Pour être franc avec vous, madame, je ne suis jamais de passage dans les endroits huppés. Il faut que je sois vraiment obligé pour m'y aventurer. Je hais les gens fortunés. Leur bonheur me fait chier.

— Dommage.

— Pourquoi dommage, madame ?

— Vous ne méritez pas de souffrir à cause des joies des autres.

— Elles sont souvent pipées, vous savez.

— Tant qu'il y a à boire et à manger, généralement on s'en contrefiche.

Elle renonce à son breuvage, le repose sur la table. Elle a soudain du mépris pour moi.

— On peut savoir ce qui vous oblige à déprimer dans les parages, commissaire ?

— Je suis ici pour tirer au clair trois ou quatre trucs flous, dans le cadre de mon enquête.

— Enquête sur quoi ?

— Sur la mort de Haj Thobane, bien entendu.

Elle fronce les sourcils. Je surveille ses mains ; elles

tiennent le coup avec beaucoup de talent. Cette femme, pensé-je, a du caractère ; elle sait ce qu'elle veut et comment l'obtenir.

— Vous êtes sérieux, commissaire ?

— J'ai dit une bêtise ?

— Forcément. Puisqu'il s'agit d'un suicide. La presse l'a annoncé...

— La presse écrit ce qu'on lui demande d'écrire, madame. Nous sommes en Algérie, à l'ère socialiste, ne l'oubliez pas.

— Où voyez-vous le socialisme ? Dans cette demeure paradisiaque ?

— Dans les pratiques courantes, madame.

Elle renverse sa chevelure dans son dos. Son profil de déesse étend sa grâce jusqu'à la poitrine haute et pleine avant de lui creuser majestueusement le ventre qu'orne un nombril si raffiné qu'on le prendrait sans conteste pour la griffe même du Seigneur.

— Qu'est-ce qui vous turlupine, dans ce suicide ?

— Un tas d'angles morts.

— Par exemple ?

— Le pistolet dans la main droite.

— Et alors ?

— Haj Thobane était gaucher. C'est pourquoi on l'appelait ainsi dans les maquis.

— Je l'ai vu se servir de ses deux mains sans problème.

— Possible. Mais l'aviez-vous vu lire un journal sans ses lunettes ?

Elle sursaute.

— Ses lunettes n'étaient pas sur son bureau, à côté du journal, madame. Elles étaient dans votre chambre, sur la table de chevet.

— Il les a peut-être laissées dessus en allant chercher le pistolet.

Elle m'étonnera toujours, Nedjma.

La vivacité de son intelligence est une noce.

— Possible, là encore. Le problème, comment il a fait pour se réveiller avec la dose de somnifère que vous lui avez administrée ? D'après les analyses, un canasson des Aurès ne lui aurait pas survécu. Haj Thobane ne pouvait pas se réveiller ni se traîner jusqu'à son bureau, encore moins disposer d'une quelconque sobriété pour réfléchir une seconde à ce qu'il lui arrivait. Il était pratiquement incapable de remuer le petit doigt pour se gratter.

— Où voulez-vous en venir, commissaire ?

— À ceci : votre histoire ne tient pas la route. Haj Thobane a été assassiné, madame. Avec ou sans votre collaboration.

Nedjma se met sur son séant, les doigts agrippés à ses genoux. Ses lunettes occultant l'expression de son visage n'empêchent pas ses pommettes de tressauter. Sa colère remonte en surface, bouillonnante ; elle n'essaie pas de la contenir.

— Vous rendez-vous compte de ce que vous êtes en train de débiter ?

— Tout à fait.

— J'en doute, commissaire.

Elle se lève et, refusant de s'attarder une seconde de plus sur mon air de rabat-joie endimanché, ramasse sa serviette-éponge et rejoint ses quartiers en coup de vent.

En voyant rappliquer la bonniche, je hisse les mains et me dépêche de descendre de mon tapis volant :

— Inutile de vous déranger pour moi, lui lancé-je, je connais le chemin.

Je n'ai pas eu la force de consulter mon courrier. Trois dossiers traînent sur mon bureau, entre le téléphone et le sous-main. Ils sont là depuis des jours, scellés comme un serment. Baya vient de temps à autre vérifier si je suis toujours en vie. La gueule que j'exhibe la tracasse. Deux fois elle a essayé de me rappeler quelque chose avant de se rétracter. En face de moi, le portrait du Raïs paraît se payer ma tronche. Lorsque nos regards se croisent, mon cœur chope un drôle de hoquet. Je ne sais quoi faire de mon temps. Hier, après avoir quitté Nedjma, je suis allé marcher sur le front de mer. J'ai parcouru des kilomètres sans m'en rendre compte. Il n'y a pas de doute, Alger est un hasard aveugle ; elle file devant les soucis telle une perspective troublante, tandis que derrière le promeneur désabusé s'élargissent les abîmes de son embarras.

Le dirlo n'est pas encore rentré. Sa cour raconte que sa convalescence a encore de beaux lendemains devant elle. Malgré la chute de Haj Thobane, sa tension refuse de baisser d'un cran. J'ai pensé aller lui rendre visite chez lui, mais j'ai craint d'aggraver son cas. Je suis tellement maladroit lorsqu'il s'agit d'être courtois.

En l'absence du patron, Bliss a investi la place. Il gère le poulailler d'une poignée de maître, le cri plus haut que l'étendard sur le fronton de l'établissement. Ce n'est qu'un inspecteur de bas étage, inclassable sur l'échelle hiérarchique, cependant, le personnel ne rouspète ni ne conteste. Chez nous, l'intérim revient souvent aux hommes de confiance – aux lèche-bottes et aux trouillards –, rarement aux plus gradés.

Mon Lino me manque.

Étrangement, à l'instant où mon regard échoue sur le bureau du lieutenant, Ghali Saad m'appelle. De sa voix enjouée, il commence par me féliciter du boulot que j'ai accompli, me parle de l'embellie en train de repousser la grisaille des années de plomb, du soulagement des masses laborieuses débarrassées d'un tyran, de ses convictions de voir le pays recouvrer sa magie d'antan... Voyant que je ne réagis pas, il demande si je suis encore au bout du fil. Je lui assure que je suis toujours là, au bout du rouleau, pareil à un pendu. Il trouve la métaphore excessive, l'écarte d'un rire glucosé. Le combiné pèse dans ma main. J'ai envie de raccrocher et de me tailler loin, là où personne ne pourra me joindre. Ghali Saad passe à l'essentiel. Il commence par me signaler qu'il a dû s'esquinter le poing sur le bureau des grands manitous pour se faire entendre et qu'après des plaidoiries époustouflantes, soutenues par des rapports bien ficelés et des déclarations émouvantes, il a fini par obtenir gain de cause : Lino est libre !

Mon lieutenant a quitté sa fosse septique pour une clinique sur les hauteurs d'Alger.

J'ai traversé la ville en coup de vent, soulevant des injures à chaque manœuvre. J'ai même brûlé deux ou trois feux rouges. Le portier de la clinique a soulevé sa barre dès qu'il a entendu hurler les pneus de ma voiture. Un médecin prévenant m'explique que l'officier est arrivé au petit matin dans un état indescriptible et qu'il se trouve dans la meilleure chambre du centre entre d'excellentes mains. Je demande à voir pour croire. Il sonne un assistant et me confie à une infirmière géante qui a l'air de chercher à toucher le plafond en se soulevant sur la pointe des pieds.

Nous traversons un certain nombre de couloirs étincelants. Quelques malades boitillent çà et là, sous l'œil tutélaire d'un toubib aux allures de maton. Lino n'est pas dans sa chambre. Un infirmier l'a sorti s'oxygéner dans un fauteuil roulant, nous informe-t-on. Nous rebroussons chemin et nous nous rendons dans un jardin. Lino est là, sous un arbre, une couverture sur les jambes, l'air d'un supplicié sur la chaise électrique. Les bras mollement croisés sur les genoux, le dos ployé sous le poids du cauchemar subi dans les geôles de nulle part, il fixe un bout de gazon et ne bouge pas. Sur son visage ascétique, marqué à jamais par l'infamie des hommes, l'expression du malheur se surpasse. Le beau gosse de Bab El Oued n'est plus qu'une loque cacochyme. Je ne l'aurais pas reconnu si j'étais venu seul.

— Nous le remettrons d'aplomb très vite, me promet l'infirmière.

Je pivote sur les talons pour déguerpir au plus vite.

— Vous ne voulez plus le voir, commissaire ?

Je la regarde.

— Pas dans l'état où il est, lui dis-je, la gorge contractée. Il m'en voudrait.

Elle acquiesce de la tête.

— Oui, je comprends, soupire-t-elle.

Déjà j'étais parti.

Pour ne pas m'isoler dans ma colère, je prends Mina et je vais chez Monique. Je n'ai pas intérêt à m'enfermer dans ma chambre et à tourner et retourner, dans mon esprit, le tableau que m'a offert Lino. Un tête-à-tête avec moi-même, dans pareille situation, m'achèverait. Monique nous reçoit avec sa camaraderie habituelle. Elle est très contente de me revoir et n'arrête pas de déconner dans l'espoir de chasser ce voile atrabilaire qui me bouffe la figure. J'ai essayé de mordre à son hameçon et je n'ai pas réussi à le situer dans les eaux troubles de mon chagrin. À partir de son angle, Mohand m'observe. Il devine que je suis amorcé telle une bombe et préfère ne pas trop se frotter à moi. À la longue, les anecdotes de Monique s'espacent, puis se démantibulent contre mon cafard. Le dîner est consommé dans un mutisme déconcertant. Vers 10 heures, Mina demande la permission de me raccompagner chez nous. Elle est déçue par ma prestation. Nous avons trouvé nos hôtes joviaux et nous avons faussé leur quiétude.

Dans la cage d'escalier, alors que je m'apprête à négocier les premières marches, Mohand me lance :

— Tu ne m'as toujours pas raconté l'histoire du fossoyeur qui voulait devenir spéléologue.

Je le guigne une seconde avant de grognasser :

— Tu n'es pas au courant ?

— Non, fait-il.

— Il a changé d'avis.

Sur ce, je dévale l'escalier avec le sentiment de me diluer dans mes peines.

Le lendemain, j'apprends que Nedjma s'est envolée pour Francfort, ne me laissant que les yeux pour pleurer.

Je suis quand même retourné au 7, chemin des Lilas. Je tenais à savoir ce qu'il s'était réellement passé. La bonniche a longtemps hésité avant de me laisser entrer. Sa patronne volatilisée, elle fait un peu celle qui est tout à fait chez elle. Le tablier au placard, les cheveux au vent, elle vit le rêve en plein jour. D'après son teint foncé et ses yeux rougis, elle doit passer son temps à barboter dans la piscine et à se prélasser au soleil en sirotant d'interminables carafes de jus de fruits. Ma visite non annoncée semble gâcher son bon plaisir ; pis, elle la subit comme un cas de conscience : elle se sent coupable d'abuser des privilèges de Madame pendant que cette dernière est ailleurs.

Je profite de son fléchissement intérieur pour la désarçonner :

— Elle est partie quand, exactement ?

— Une petite heure après votre départ.

— Pourtant, elle ne donnait pas l'impression qu'elle s'apprêtait à s'envoler quelque part. Vous étiez au courant, vous ?

— Non, monsieur.

— Vous pensez que c'est à cause de moi ?

— Je ne sais pas, monsieur. Quand vous êtes parti, elle est rentrée dans sa chambre. Probablement pour téléphoner, car elle m'a appelée tout de suite pour me demander de lui préparer ses valises.

— Elle était comment ?

— C'est-à-dire ?

— Elle était nerveuse, surexcitée, calme... ?

— Normale, comme d'habitude. Elle n'était ni pressée ni en colère. Elle a pris une douche pendant que je lui préparais ses bagages. Je l'ai aidée à se coiffer et à se maquiller. Elle était tranquille. Lorsqu'on est venu la chercher, elle était prête.

— C'était un taxi ?

— Non, une grosse voiture noire aux vitres teintées. Un grand monsieur a pris les valises et les a mises dans le coffre. Ensuite, il a ouvert la portière à Madame et ils sont partis immédiatement après.

— Elle vous a dit où elle allait ?

— Non.

— Ou quand est-ce qu'elle rentrerait ?

— Madame ne me dit jamais rien.

— Elle a pris beaucoup de bagages ?

— Suffisamment pour un long séjour.

Je me tiens le menton entre le pouce et l'index pour montrer à la bonniche que la situation me pose un sacré problème. Devant mon embarras, elle déglutit et se met à se triturer les doigts. Je choisis cet instant pour passer à l'essentiel :

— Je peux aller dans sa chambre ?

Elle accuse un soubresaut, comme prise au dépourvu, regarde autour d'elle :

— Je ne sais pas si ça se fait, monsieur.

— Je suis flic, j'ai tous les droits.

Elle n'en disconvient pas, tente seulement de sauver les meubles. Sa voix m'émeut presque quand elle dit petitement :

— Est-ce que je peux vous accompagner ?

— Bien sûr, je veux juste donner un coup de fil.

— Il y a un téléphone dans le vestibule.

— Je suis allergique aux courants d'air.

Elle lève les bras en signe de reddition.

Je file dans la chambre où tout est rangé avec un grand soin, m'empare du téléphone et appuie sur la touche « bis ». Aussitôt après la première sonnerie, une voix de sirène pépie :

— Secrétariat général du bureau Investigation, bonjour.

Je repose le combiné, vivement, comme si, en soulevant une trappe, je tombais nez à nez sur le fantôme de mon aïeul. La bonniche est interloquée par la brutalité de mon geste. Je la rassure de la main :

— C'est rien. Je vais appeler de mon bureau, c'est plus sûr.

22.

Pour comprendre ce qui se passe en Algérie, il faut se référer au tableau qui suit : dans l'Olympe désaffecté en hautes sphères, et en l'absence du bon Dieu, quatre démons essaient d'assurer l'intérim : Belzébuth, Lucifer, Méphisto et Satan. En bas, le peuple, réduit à un vulgaire trafic d'influence, est en train de rendre l'âme, que chacune des entités démoniaques suscitées veut damner.

Le commissaire Dine ne me suit pas. Pour lui, la littérature et la philosophie sont le côté gaga de la bêtise humaine. De son propre aveu, hormis les livres scientifiques et les manuels, il n'a jamais feuilleté un bouquin. Il a horreur de ça et a presque pitié de moi lorsque je peaufine un manuscrit. Bizarrement, cette fois, sa glotte a frémi. Il a tout de suite deviné qu'il s'agissait d'un tir de préparation. C'est vrai que la gueule que j'exhibe hérisserait les moustaches à un chat de gouttière, mais ce sont surtout les brasiers pétillants dans mes prunelles qui le contrarient. Le pauvre, s'il avait su, il serait resté chez lui à bouffer des feuilles de laitue jusqu'à se métamorphoser en lapin. Seulement, il a préféré me convier à un repas copieux, et, là, il découvre que la taxe, qui n'était pas prévue, dépasse l'addition. Il doit certainement s'en mordre les doigts. Avec moi, on en a toujours pour son argent. Alors, je lui déballe ce que j'ai sur le cœur. D'une seule vomissure. Pris de court, il n'a pas le temps de mettre son sourire à l'abri. D'abord, il fronce les sourcils, ensuite, il contracte les narines. Au fur et à mesure que j'exhibe le contenu de mon sac, ses cheveux se dressent, y compris les poils sur ses oreilles.

— Tu me détestes tant que ça, Brahim ?

— Je ne te déteste pas.

— Alors pourquoi tu viens me pourrir les soucis avec ton histoire à la con ? Je voulais juste te revoir et blaguer autour d'un repas d'amis.

— Je pensais que ça t'intéresserait de connaître la vérité.

— La quoi ?... C'est toi qui lui tournes le dos, à cette poufiasse de vérité. À mon avis, tu bouquines trop et ça t'éloigne de la réalité. La vérité vraie, c'est que tu n'es qu'une grosse puce dégueulasse remplie d'air qui adore se frotter aux épines. Il faut absolument que tu joues au petit malin. Là où il n'y a plus d'eau dans la rivière, Brahim Llob cherche l'anguille sous roche. À quoi rime cette saloperie ? Le diable lui-même rendrait son tablier. Je te préviens tout de suite, je ne suis pas venu écouter des sornettes. Celles de mon épouse me suffisent.

— N'empêche, il a été descendu.

Dine s'affole.

— Baisse le ton, me supplie-t-il.

— Pour moi, Haj Thobane a bel et bien été assassiné, je martèle, incorrigible.

— J'ai entendu... pour l'amour du ciel, parle doucement.

J'effleure la table du menton et chuchote :

— Il a été as-sas-si-né.

— Ça va, boucle-la maintenant.

Il surveille les quelques clients attablés non loin. Ils ont l'air dans leur assiette, absorbés par leur dessert. La fille, dans le coin, nous adresse un sourire codé ; elle ne peut pas nous entendre, sauf si son cornet acoustique est sophistiqué. Le serveur nous ignore ; tourné vers les cuisines, il attend le plat commandé.

Dine respire un bon coup.

— Tu délires, Brahim.

— Possible...

— Haj Thobane s'est suicidé.

— Que nenni !

— Il s'est bel et bien suicidé, voyons.

— C'est pas vrai, on l'a liquidé.

Dine passe une serviette sous son col pour essuyer la sueur qui vient de s'y déclarer. Mon entêtement le terrifie. Dans le petit restaurant de Belcourt, où il m'a invité pour fêter la libération de Lino – à laquelle, sous-entend-il, il n'est pas étranger –, chacune de mes paroles déclenche à travers son être une série de frissons urticants.

— Tu n'es pas bien, Brahim. Un fusible a grillé dans ta caboche. Haj Thobane s'est tiré une balle dans la tête. Les dinosaures ne survivent pas aux incendies de leur univers. Il ne s'attendait pas à ce cataclysme, c'est tout. Il ne l'avait jamais cru possible et ne s'y était pas préparé. Il se situait au-dessus de la mêlée, loin des fâcheux impondérables. Et bang ! il est désarçonné. Il ne s'en est pas relevé. Que pouvait-il faire d'autre ? Se défendre ? Il ignorait ce que c'est. Démentir ? C'était peine perdue. Reprendre son train-train quotidien comme si de rien n'était ? Ces gens-là ne savent pas demander pardon. Ou ils raflent tout ou ils renoncent à tout. Thobane ne pouvait pas se contenter d'une vie chahutée. Surtout pas après avoir été loué pendant des décennies. Il n'aurait pas supporté que l'on soutienne son regard, que l'on réfute sa légitimité historique. Il avait compris que les dés étaient jetés, qu'aucune marche arrière n'était envisageable. Tout ou rien. Telle est la loi des hydres qui nous gouvernent. C'est une loi qui ne fait pas dans la dentelle. Ceux qui ont opté pour elle non plus. Thobane est mort à l'instant où son aura lui a faussé compagnie. Son geste de l'extrême n'est que le prolongement naturel d'un processus de désistement. Il a choisi de mourir comme il avait choisi d'exister : sans appel.

— Ça, c'est le synopsis. Le montage du scénario est plus élaboré.

— Seulement dans ton esprit tordu.

— Pourquoi refuses-tu de réfléchir deux secondes, Dine ?

— Je hais ce genre d'exercice cérébral. Ça finit toujours par dégénérer. Personnellement, je m'en contrefiche de savoir ce qui s'est réellement passé au 7, chemin des Lilas. Ça va me rapporter quoi, à part des emmerdes mortels ?

Dine est hors de lui. Il croyait m'offrir un moment de détente ; je le transforme en galère. Ça m'ennuie de le décevoir, mais je n'y peux rien. Il est important, pour moi, de savoir si je peux compter sur mes amis. Seul, je n'irai pas plus loin que le bout de mon nez. Or, je crève d'envie d'en découdre. Dans cette affaire, j'ai été une vulgaire marionnette, et ça me travaille jour et nuit. Pourquoi moi ? Pourquoi Lino ? Je n'arrive pas à me faire à l'idée que l'idylle du lieutenant soit un simple coup de foudre, comme on en contracte à tout bout de champ en ces années de graves frustrations sexuelles. Lino a été mis sur le chemin de Haj Thobane intentionnellement. Son pistolet s'est retrouvé sur le cadavre de SNP conformément à un plan d'attrape-nigaud.

Qui est le roi des nigauds ?

Probablement un vieux flic renfrogné qui en avait marre de se tourner les pouces et qui se tenait prêt à sauter sur n'importe quelle affaire rebondissante pour reprendre du service. Il voulait du grabuge, on l'en a submergé. Sans ménagement. Avec presque de la rigolade aussi. Autrement, que signifie ce chapelet de maladresses qui s'en est suivi ? Ces exécutions sommaires opérées « comme s'il s'agissait de formalités » ne relèvent pas obligatoirement de l'amateurisme. C'est peut-être dû à un excès de confiance, comme si les tueurs et leurs commanditaires n'avaient rien à craindre quant à un éventuel retour de manivelle.

— Brahim, lâche Dine, vanné, la page est tournée.

— C'est-à-dire ?

— Classe l'affaire et retourne auprès de tes gosses.

— On s'est servi de moi.

Un rire bref et las lui secoue le ventre.

— On se sert toujours de quelqu'un, Brahim. C'est ainsi qu'avancent les choses. Tu n'es pas obligé de te sentir floué. Quand on porte l'uniforme, on se défait de son amour-propre. D'ailleurs, ce sont deux attitudes inconciliables. Ça ne sert à rien de se triturer. Tu es flic, et comme tous les flics, tu vas là où l'on t'envoie. Lorsque tu enquêtes, tu obéis à une profession, pas nécessairement à une vocation. N'essaie surtout pas de voir ce qu'il y a derrière. Le vertige t'engloutirait.

— Je ne suis pas un instrument.

— C'est là ton erreur, Brahim. Nous ne sommes que des pions sur un échiquier. Admettons que tu dises vrai, que Haj Thobane ait été liquidé – Dieu ! ce que cette supposition me fout les jetons, grogne-t-il en s'épongeant les tempes –, c'est quoi ton problème ? C'est une affaire de grosses huiles. Le menu fretin n'y est pas convié. Des gens haut placés procèdent à des espèces de réformes dans le sérail. Bordel ! ils font ce qu'ils veulent, ils sont chez eux. Tu as été sollicité pour faire un bout de chemin dans cette purge. La chasse est tirée. Maintenant, tu te torches, tu rentres chez toi et tu tâches de bien fermer ta porte à clef, c'est tout. C'est pas compliqué, bon sang !

— C'est toi qui me tiens ce discours, Dine ?

— Et que suis-je d'autre qu'un clairon, Brahim ? Tu t'attendais à quoi ? À ce que je te félicite pour ta sagacité ? Si tu es venu m'entendre te glorifier et t'encourager à entrer dans la gueule du loup, c'est raté. J'ai des gosses et une bonne femme à la maison. Mon boulot s'arrête là où commence le territoire des dieux. Tant que mes chefs m'ordonnent de poursuivre, j'avance. Si un silence radio est actionné brusquement, une lanterne rouge s'allume dans ma caboche. Je connais mes limites. Moi aussi, j'ai été engagé sur des sentiers tortueux. Quelquefois, il arrive que l'on débouche sur des clairières interdites. Là, on sonne la retraite, et je t'assure que je suis le premier à me replier au plus vite. Je ne suis ni un prophète ni un justicier. Je suis commissaire et j'obéis aux ordres, point à la ligne.

Ses mains m'attrapent par les poignets.

— Tout à fait entre nous, Brahim, serais-tu de taille à te mesurer à eux ? Ils viennent d'éliminer l'homme que l'on croyait indétrônable. Comme ça, d'une chiquenaude. C'était un gourou, ce bonhomme. Il avait des amis à tous les niveaux et des ouailles par contingents. Mieux protégé qu'une forteresse sacrée. Et vise-moi la ruine qu'ils en ont fait. Du jour au lendemain, c'est comme s'il n'avait jamais existé... C'est pas une cour pour nous. C'est trop grand pour des lutins dans notre genre. Les enjeux sont colossaux, et nous sommes microscopiques. Crois-moi, Brahim, laisse tomber. Tu n'es qu'une mouche en train de tourner autour d'un cul de vache ; un simple pet te fractionnerait. Si tu veux un autre avis, ne raconte pas aux autres ce que tu viens de me confier. Dans notre pays, la confiance est le premier pas vers la perdition.

Le serveur nous apporte nos steaks frites et s'éclipse. Dine continue de s'éponger dans sa serviette, les lèvres blanchâtres. De l'autre main, il repousse son assiette.

— Tu m'as coupé l'appétit.

— Désolé, dis-je en enfonçant ma fourchette dans un morceau de patate.

— Franchement, Brahim, qu'est-ce qui t'attire dans les emmerdes ?

— Disons que j'ai un sens de l'honnêteté un peu différent du tien.

— Je suis honnête.

— Ah bon ?

— Envers moi-même, d'abord. Connaître ses limites, c'est déjà ne pas abuser de soi-même.

Il se met debout.

— Tu t'en vas ?

— Je me tire, Brahim. Je vais de ce pas demander deux semaines de congé pour me tailler loin de tes imprudences. J'ai pas envie de bouder mes repas à chaque occasion.

Il lâche sa serviette comme on jette l'éponge, file régler la note et quitte le restaurant sans me regarder.

Je me sens un peu livré à moi-même, pareil à une spore égarée dans la nature. Soria Karadach n'a plus redonné signe de vie ; Chérif Wadah, m'a-t-on dit, est parti à l'étranger ; le dirlo s'offre une sinécure à Hammam Righa ; le Central évoque un enclos ouvert aux quatre vents et Alger se veut camisole de force. Je suis retourné à la clinique voir Lino. Il n'a pas repris ses couleurs, mais il revient petit à petit à la vie. L'entretien n'a pas été long. J'ai pris place sur le bord de son lit et on s'est regardés sans trouver nos mots. Le médecin nous a rejoints. Au bout de quelques gentillesses, il s'est rendu compte que nous n'étions pas d'humeur. Il est parti avec un drôle de regard par-dessus l'épaule en se demandant si nous n'étions venus au monde que pour gâcher les rares joies qui y subsistent encore.

J'ai repris le boulot comme la proverbiale Halima ses bonnes vieilles habitudes. Pas trop tôt le matin ni trop tard le soir. Bien que mon irritabilité demeure vive, je ne vois pas pourquoi en faire un plat. Ce que taisent les jours d'aujourd'hui, l'avenir nous le dira. Cela ne signifie pas que je baisse les bras. Dans la vie, il ne suffit pas de savoir ce que l'on veut ; l'essentiel est de l'obtenir. Pour le moment, je ne trouve pas comment. Donc, je patiente.

Serdj s'est chargé des dossiers qui croupissaient dans mes tiroirs. C'est un chic gars, Serdj. Si je venais à égarer ma prothèse dentaire, il se proposerait pour me servir de mâchoires. J'ai vu des inspecteurs se dépenser sans lésiner, pas un ne lui arrive à la cheville.

Baya s'est un petit peu empâtée. Sa poitrine s'est élargie et l'opulence de sa croupe trouble de plus en plus le personnel. Chaque matin, elle débarque le sac plein de chocolats suisses. J'en déduis que son nouvel étalon a mieux retenu la leçon que les précédents. Ces sacrés rouquins ! Ils sont tellement hard dans la préméditation que leurs cheveux en brûlent.

Bliss, lui, se prend vraiment au sérieux. Il veille sur la boîte avec une rare dévotion. L'intérim lui a ouvert l'appétit. Depuis que le dirlo a manqué d'avaler sa chemise, Bliss se conduit en maître absolu. Il s'est payé un costume trois-pièces lustré, des lunettes Ray-Ban certifiées authentiques et sa cravate austère lui relève considérablement le menton. Je l'ai croisé, une fois, dans le couloir. Il s'est indigné que je passe devant lui sans le saluer. C'est fou comme les sommets montent à la tête, en particulier quand leur règne est aléatoire. Quelques minutes après, il m'a appelé pour me charger d'une petite commission. Là, j'ai compris qu'il fallait le rappeler à l'ordre car, à cette allure, il allait sans doute me tendre sa main à baiser... Heureusement que les choses vont se rationaliser. Aux dernières nouvelles, le dirlo se porte comme un charme : on l'a surpris, la langue dans la chatte d'une infirmière ; la preuve qu'il est en train de recouvrer et sa lucidité et son goût prononcé pour les saveurs pécheresses.

Un matin, vers 9 h 45, quelqu'un me joint au téléphone. Sa voix a des fuites importantes. Au début, je ne pige rien à ses halètements ; il parle si vite que je ne parviens pas à le rattraper. Le bonhomme m'explique qu'il ne peut pas rester longtemps en ligne et me supplie de le retrouver au café Nedroma, pas loin du Central. Je lui demande qui il est. Il raccroche en insistant sur notre rendez-vous. Je pèse le pour et le contre. De toutes les façons, il fait très chaud dans mon bureau et le climatiseur est en panne. Dix minutes plus tard, en forçant sur la cadence, j'atteins le café en question, en face de la gare routière. Une clientèle clairsemée bigarre l'intérieur ; des vieillards impotents, quelques voyageurs guettant l'arrivée de leur autocar, et un ou deux garçons désenchantés. À part le gros caissier qui me surveille derrière son comptoir, aucun ne semble me prêter attention.

Je consulte ma montre ; je suis dans les temps.

Un homme se pointe, un couffin de part et d'autre, cherche un visage familier autour des tables et s'en va en pestant.

Ce n'est pas le bon.

Trois minutes plus tard, le téléphone hurle. Le caissier décroche, écoute d'une oreille distraite et grogne :

— Tu te goures, *kho*. C'est un faux numéro.

À peine repose-t-il le combiné que la sonnerie retentit de nouveau. Cette fois, le caissier se réveille. Sa

figure se congestionne au fur et à mesure que le crachotement dans l'écouteur se poursuit.

— Hey ! s'énerve le caissier. Je t'ai pas raccroché
au nez, O.K. ? J'ai seulement dit que c'était un faux
numéro. Ici, c'est un café et non le standard d'un commissariat. Ton flic, il bosse pas chez moi, O.K. ? Alors,
arrête de brailler parce que j'ai horreur de ça.

Je lui arrache le combiné.

— Hey ! toi...

Je lui montre le flingue sous ma veste, ce qui est
considéré comme le raccourci le plus intelligent pour
décliner son identité professionnelle. Le barman recule
contre sa glace en levant les pattes.

— C'est pas un hold-up, je lui dis. J'ai même pas de
sac pour rafler ta misérable monnaie.

Il acquiesce de la tête sans oser baisser les bras.

Au bout du fil, l'inconnu continue de reprocher au
caissier son inconvenance. Il est en rogne et il crie si fort
que j'ai peur qu'il réveille mon otite.

— Ça va, c'est Llob. Pourquoi tu n'es pas au café ?

L'inconnu se calme.

Après deux reniflements, il glapit :

— J'peux pas venir au café.

— Quoi ? Tu me fixes rendez-vous et tu restes chez
toi ?

— C'est pas ça, commissaire. Je voulais te parler. J'ai
pas confiance dans les téléphones de bureau. Ils sont
tous sur écoute. C'était pas dans mes intentions de me
déplacer jusqu'au café. J'ai préféré m'entretenir avec toi
sur un appareil plus fiable.

— De quoi ?

— Je suis dans la merde, commissaire. On veut me
faire la peau. Ça fait trois semaines que je suis en cavale.
Je suis en train de devenir dingue. Je ne peux ni rentrer

chez moi ni aller dans un hôtel. Si tu voyais dans quel état je suis.

— J'sais même pas qui tu es !

Je l'entends haleter, perçois un vaste bruit de circulation et des gens qui s'interpellent ; il doit téléphoner d'une cabine publique.

— Mon nom ne te dirait rien, déclare-t-il en se raclant la gorge. Je suis fiché nulle part.

— Où est le problème ?

— J'ai descendu un mec.

— ...

— Je veux me constituer prisonnier.

— Tu as besoin de l'adresse du commissariat le plus proche ?

— Ne te moque pas de moi, commissaire, s'énerve-t-il. C'est très sérieux. Je suis traqué par la *High* et il me faut quelqu'un pour me protéger. Je veux me rendre sur-le-champ, mais pas n'importe comment.

— C'est quoi d'abord la *High* ?

— La *high society*, voyons !

— Je vois pas.

— Les hautes sphères, bon sang !

— Je ne te suis toujours pas, bonhomme.

Il couine contre son combiné. Son gémissement est noyé par le barrissement d'un camion.

— Je ne peux pas rester ici longtemps, commissaire. Ils me retrouveront et me buteront. Tu es mon unique chance. Je me livre à toi, et tu m'assures un procès équitable.

À la fièvre de son accent, je suppose qu'il a le feu aux trousses.

— D'accord, je t'attends à mon bureau.

— Arrête de te moquer de moi, commissaire. Je montre le bout du nez et je suis zigouillé.

— Qu'est-ce que tu proposes ?

— Que tu viennes me chercher. Seul. Je veux personne avec toi. Et tu viens tout de suite. Je dis tout de suite, sinon je décampe. N'essaie pas d'imaginer un plan, commissaire. T'en as pas besoin puisque je me livre. À toi, à personne d'autre.

— Qu'est-ce que tu me trouves de plus que les autres ?

— Tu n'es pas un ripou. Tu ne me connais pas, moi je te connais. J'ai confiance en toi.

— T'es où ?

— Du côté des Castors.

— C'est pas un endroit pour pique-niquer.

— Très juste.

— Tu penses que je dois te faire confiance ?

— Je te jure que c'est pas un traquenard.

— C'est grand, les Castors.

— Sur le versant nord, y a un vieux chantier ; deux immeubles inachevés. C'est facile à repérer. Si tu arrives de Bab Ez-Zouar, c'est sur ta gauche. Après le terrain vague, tu tombes dessus sans faute.

— Je vois où c'est.

— Très bien, commissaire. Je t'y attends déjà. Et surtout, pas d'escorte. Pas d'amis. Pas de collègue. J'ai une vue sur l'ensemble des parages. Une approche louche, et je mets les voiles.

Puis, sa voix pantelante crapahute, devient presque larmoyante :

— Est-ce que tu vas venir me chercher, commissaire ? Pour l'amour des tiens, est-ce que je peux compter sur toi ?

— Comme sur une ardoise.

Le chantier s'étend sur la moitié du terrain vague, à l'extrémité d'un quartier périphérique qui semble surgir d'un nuage nucléaire. La piste qui y conduit traverse une décharge publique avant de se casser les dents contre un baraquement aux toitures volatilisées et aux fenêtres désossées. Le coin est d'une laideur qui rappelle ce que le désespoir a de plus navrant. Des monticules de gravats poussent au milieu de la désolation tels de monstrueux furoncles, si pitoyables que pas un chat sauvage n'ose les approcher. Je scrute les parages ; comme coupe-gorge, on ne fait pas mieux. Par instinct, ma main vérifie si mon flingue est dans son étui ; la froideur de la crosse me tranquillise. Je range ma voiture derrière une guérite squelettique et attends, l'oreille dressée. Sur ma gauche, une bétonnière abandonnée finit de se décomposer parmi un tas de ferraille et de madriers pourris. Un grillage lacéré tente tant bien que mal de délimiter l'enceinte, tantôt debout contre des pieux branlants, tantôt couché par terre. Sur ma droite, une cohorte de buissons parcourt le terrain sur une centaine de mètres avant de se livrer à un début de bosquet aux arbres hirsutes. En face, les deux bâtiments inachevés ressemblent à un malheur, grisâtres, décharnés, affligeants.

Une silhouette surgit d'un fatras d'herbes folles.

Je m'attendais à rencontrer un homme, et c'est un spectre qui se présente à moi.

Terrifié, les habits fripés et sales, les chaussures malmenées, le bonhomme ferait déguerpir un conjurateur plus vite qu'une descente de police. Ses longs cheveux crasseux sont plaqués contre ses tempes, cadrant un visage brouillé, pâle comme celui d'un moribond. Ses yeux tuméfiés ne tiennent pas en place.

Il se traîne jusque devant le capot de ma bagnole, le pas méfiant.

J'ouvre la portière ; il bondit en arrière, sur ses gardes.

— Tu ne veux pas monter ?

— Pas tout de suite, grogne-t-il en s'essuyant le nez sur son avant-bras. Tes collègues vont peut-être rappliquer.

— Je suis venu seul.

— J'suis pas obligé de te croire.

— Tu n'as plus confiance ?

Il recule, un rictus minable sur les lèvres :

— Dans mon métier, c'est un péché mortel.

— Et tu fais quoi au juste ?

Il se dresse sur la pointe des pieds pour scruter les environs, se concentre sur le bosquet. Sa frayeur me tarabuste.

Il me dévisage et lâche, sans état d'âme :

— Tueur occasionnel.

— Rien que ça ?

Il se racle la gorge et lance très loin un jet de crachat Son regard, qui paraissait éperdu, se durcit.

Il dit, sur un ton glacial :

— Chacun fait ce qu'il peut pour arrondir les angles.

— C'est quoi un tueur occasionnel ?

Il plonge les poings dans ses poches, les sourcils pesants. Il doit se demander si c'est une bonne idée de poursuivre l'entretien. Maintenant qu'il m'a en face de lui, il n'est plus sûr de quoi que ce soit. Un filament élastique se détache de son nez, il ne lui prête pas attention.

Il recule de cinq mètres en mitraillant les parages de regards traqués.

— Commissaire, insiste-t-il, il faut que tu saches que je veux me rendre. J'ai flingué des gens, maintenant je veux payer. Sans remise de peine.

— C'est ton droit.

— Les types qui m'emploient sont après moi pour m'éliminer. C'était pas prévu dans le contrat et j'ai pas l'intention de me laisser peloter.

— Ménage le peu de cervelle qui me reste. Dis-moi
d'abord qui tu es et pourquoi on veut ta peau ?

— Je suis recruté par des gens de la haute. J'avais tué
un rival du temps où j'écumais Tilimli à la tête d'une
bande de voyous. J'ai été arrêté et je me suis cru bon
pour le peloton. C'est là qu'on m'a proposé de bosser
pour la haute contre l'absolution de mes méfaits. L'offre
était alléchante. Non seulement je pouvais repartir à
zéro, en plus j'avais pris du galon. À vingt ans, on ne
crache pas sur tout. J'ai foncé dedans sans hésiter. Bien
payé, bien sapé, bien logé. Et des missions faciles : maî-
tresses gênantes, gigolos envahissants, larbins indiscrets.
J'allais les trouver et je les descendais. Rien de bien
compliqué. Je rentrais à la maison ramasser l'enveloppe
dans ma boîte à lettres. Le reste du temps, je claquais
mon fric comme un seigneur. Dix ans que je roule sur du
velours. Correct, j'étais. Pas regardant sur la procédure.
Et puis, voilà que mes employeurs cherchent à me liquider. Je n'ai pas l'impression d'avoir dérogé à la règle. Je
suis incapable de t'expliquer ce qui se passe. Il y a trois
semaines, on a enlevé ma petite amie. J'ai pensé qu'elle
m'avait largué. Faux ! Mes employeurs m'ont dit que si
je voulais la revoir vivante, il fallait que je me montre.
Est-ce que je me cachais, moi ? Comme j'avais rien à me
reprocher, j'ai tablé sur le malentendu et je me montre.
Ils m'ont amené dans une maison dans la campagne et
m'ont demandé de rester peinard. Ils disaient que les
choses se gâtaient, que je devais quitter le pays et qu'ils
étaient en train de me préparer un passeport. J'ai dit
O.K. Plus tard, un gorille s'amène. Je lui demande si le
passeport est sur lui. Il dit « oui » en sortant son flingue
et ajoute : « Y a même le visa », en vissant un silencieux
sur le canon. J'avais pas besoin de remplir le formulaire.
J'ai cogné. Avec Warda, ma petite amie, j'ai couru vers
un bois. Le gorille et un autre macaque nous ont cavalé

derrière. Ils tiraient et nous sommaient de nous arrêter. Warda a reçu une balle dans la cuisse. J'ai rien pu faire pour elle. J'ignore ce qu'elle est devenue. Moi, j'ai continué de galoper. Ça fait vingt jours que ça dure. Je ne peux pas rentrer chez moi. Je ne sais pas où aller et je vis comme un chien.

— Et qui as-tu buté en dernier ? C'est peut-être la source de tes problèmes.

— Un chauffeur de nabab. Le révolutionnaire qui vient de se suicider dernièrement.

— Thobane ?

— Quelque chose comme ça. Dans mon contrat, je devais attendre devant sa villa et buter son chauffeur. C'est exactement ce que j'ai fait. Je comprends pas pourquoi on cherche à me bousiller.

— C'était pas toi, voyons, je lui dis pour gagner du terrain, le temps de recouvrer mes esprits, car ce que je viens d'entendre me culbute de fond en comble. Le tueur s'appelait SNP et sortait de prison. Il a été neutralisé.

— Baratin. C'est moi qui ai buté le chauffeur. Et je devais pas le rater.

Je cherche fébrilement dans mes poches mon paquet de cigarettes. La frénésie de mes gestes l'épouvante ; il pense que je cherche à tirer mon arme et s'apprête à détaler.

— Juste une sèche, je lui crie en lui montrant le paquet. T'en veux une ?

— Elle est peut-être droguée.

— Tu choisis.

— Non, je prends pas le risque.

J'allume ma cigarette, la tète avec avidité ; les premières bouffées me réchauffent les idées et atténuent le tremblement de mes mains.

— Pourquoi tu as tiré sur le siège d'à côté, alors, et

pas sur l'homme qui tenait le volant, si tu étais après le chauffeur ?

— On m'avait signalé un contrordre par radio. En cours de route, il y a eu crevaison. Le chauffeur s'est foulé le poignet en changeant la roue. On m'a tout de suite alerté pour me dire que c'était plus lui qui était au volant. Le reste, c'était pas sorcier.

Il vient de passer l'examen avec succès. Une multitude de pensées s'enchevêtrent dans mon crâne en jouant des coudes. Aucune ne parvient à se démarquer. Comme un poivrot qui gagne le jackpot, je perds le nord et me surprends à vouloir plusieurs choses à la fois. Ce type est la pièce qui manquait à mon puzzle. En même temps, je n'imagine pas comment le prendre en charge ni par quel bout le saisir. J'ai la certitude de tenir là une bombe terrible et je me rends compte que je ne suis pas artificier. D'un coup, je réalise à quel point les propos de Dine, dans le restaurant, à Belcourt, étaient lourds de sens. Un fer à repasser incandescent s'installe sur mon estomac. La sueur ruisselle derrière mes oreilles, imbibe mon col et entreprend de me ronger la nuque.

— Je tombe des nues, je m'écrie pour dominer la frousse en train de m'envahir. Tu l'as buté avec ton arme ?

— J'ai jamais eu d'arme sur moi. C' sont mes employeurs qui me la fournissent le temps d'une mission.

— Est-ce que tu sais que l'arme dont tu t'es servi appartenait à un flic ?

— C'est pas mes oignons. Dans mon métier, moins on pose de questions, plus on a des chances de se réveiller après une bonne nuit de sommeil.

— Comment se l'ont-ils procurée ?

— J'ai pas réponse à ça, commissaire. Le gars m'a remis le flingue dans un petit sachet en plastique. Il a

insisté pour que je le garde intact. Y avait des empreintes dessus et c'était pour que je ne sois pas confondu. Je
devais porter des gants en l'utilisant et le remettre tout
de suite après dans son emballage avant de l'abandonner dans une poubelle précise...

Voyant que je manque de souffle, il me soupçonne de
mijoter un coup fourré.

— Qu'est-ce qu'il y a, commissaire ? Mon histoire ne
t'intéresse pas ?

— C'est pas ça.

— C'est quoi, alors ?

— Je réfléchis.

— À quoi ?

— À ce que tu viens de me raconter.

— Si tu me promets de me protéger, j'avouerai tout
devant un tribunal.

De la main, je le supplie de la mettre en veilleuse un
instant. J'ai besoin d'aérer mon cerveau.

— Ben quoi ? s'impatiente-t-il. J'ai pas l'intention de
poireauter ici.

La braise de ma cigarette me brûle les doigts. Je
l'ai sifflée en moins de dix bouffées. Mon gosier est
enflammé et mon palais amer de nicotine.

— Tu serais capable d'identifier tes employeurs ?

— Pas à cent pour cent. Ce sont deux gars rusés qui
sortent seulement la nuit et qui restent dans la
pénombre lorsqu'ils me sollicitent. Depuis des années
que je bosse pour eux, jamais je ne les ai rencontrés
dans la rue, sur une plage, dans un aéroport ou dans un
restaurant. Pourtant, je suis quelqu'un qui est tout le
temps à courir à droite et à gauche. Pas une fois je ne
me suis retrouvé nez à nez avec eux. C'est toujours eux
qui savent où me trouver quand ils ont besoin de moi.

— Si tu n'es pas foutu de reconnaître des types qui
t'utilisent depuis des années, ton histoire n'a aucune

chance d'aboutir. Il s'agit d'une affaire gravissime. Pas question de s'entendre sur de simples fabulations que personne ne peut vérifier.

Soudain, il lève la tête et sort les mains de ses poches.

— C'est quoi, cette saloperie ?

Je me retourne pour suivre son regard.

Un nuage de poussière vient de se soulever derrière un remblai, accompagné d'un vrombissement.

— Espèce de chien, se fâche le spectre, tu m'avais promis.

Une voiture surgit au bout de la piste. Elle arrive sur nous à toute allure.

— J'ignore qui c'est, je lui dis.

— À d'autres ! Tous les mêmes...

La voiture, une grosse carcasse noire endiablée, dévore le sentier dans un roulement féroce. Le bonhomme verdit tout à fait :

— Ce sont eux. Ils m'ont localisé.

Avant que j'aie le temps de descendre de ma charrette, il prend ses jambes à son cou et se taille en direction des bois. J'amorce une poursuite, y renonce illico ; le tueur occasionnel a un réacteur au cul. Il escalade d'une enjambée un monticule de cailloutis, longe le grillage et pique un sprint inouï droit devant, la veste flottant dans le vent de la course. Je me retourne vers la voiture folle, le Beretta en évidence. Le conducteur me découvre au beau milieu de la piste, donne un coup de frein sans réussir à ralentir ; les roues bloquées raclent le sol, patinent et s'entremêlent dans un dérapage monstre. Surpris par la grossièreté de la manœuvre, je reste planté dans la poussière. La grosse carcasse menace de me rentrer dedans, pivote sur elle-même, passe à un mètre de moi et s'en va se démolir la gueule contre la bétonnière dans un craquement de ferraille.

Éberlué, j'attends que la poussière se repose pour réaliser devant quelle catastrophe je suis passé.

Le conducteur ouvre la portière, sonné mais sauf. C'est juste un gosse.

— Je vous ai pas vu, monsieur.

— Qu'est-ce que tu fous dans cette tire ? Tu l'as volée ?

— Oh non ! monsieur. C'est à mon père. Il m'autorise à la prendre parfois pour que j'apprenne à conduire par ici où il y a personne. Je vous jure que je vous ai pas vu, monsieur.

Je cours vers le bosquet dans l'espoir que ma pièce à conviction s'y soit plantée. Malgré mes appels à l'apaisement, mon bonhomme ne réapparaît pas. Il doit être déjà à cavaler de l'autre côté de la ville à l'heure qu'il est.

Je suis retourné à mon bureau et j'ai attendu. Le lendemain je me pointe à l'aube et demande à être seul avec mon téléphone. L'inconnu ne rappellera pas. Les jours d'après non plus. Au bout d'une peine perdue, je me rends à l'évidence ; la chance ne sonne pas deux fois chez un même abruti. J'ai mis une croix sur l'appel en question et choisis de ne pas trop m'angoisser. Le soir, je sors avec Mina me changer les idées ; le jour, j'essaie de trouver un sens aux choses de la vie. Hier, le docteur m'a certifié que Lino se battait pour s'en sortir. Il se méfie encore des infirmières, en revanche, il s'entend à merveille avec les malades. C'est toujours ça de gagné.

Le jeudi, au petit matin, Serdj m'annonce la découverte d'un macchabée dans un dépôt de ferraille. Ensemble, nous nous rendons sur les lieux. L'endroit se trouve au sortir de la ville, sur la route de Tizi Ouzou. Nous l'atteignons au bout d'une heure de slalom et de jurons. C'est derrière une colline, sur un terrain défoncé où quelques arbres désespèrent de leurs oiseaux. Des centaines de tacots s'entassent sur moins d'un hectare, certains presque neufs, d'autres dans un état inimaginable. Un portail grillagé, coiffé d'un liséré de barbelés, donne sur une courette au milieu de laquelle un poste de contrôle décoloré s'amenuise. Je klaxonne pour dire qu'on est là. Le gardien sort nous lorgner puis retourne chercher les clefs. C'est un costaud tassé et morose, la poitrine bombée sous un tricot de peau jauni de traces de transpiration. Il est flanqué d'un chien malingre, trop misérable pour faire le méchant sans se couvrir de ridicule.

Il se dirige vers le portail, défait un gros cadenas chinois et retire la chaîne autour des battants.

— J'allais roupiller, nous reproche-t-il, mécontent d'être dérangé.

— Il est à peine neuf heures du mat', je lui signale.

— Je veille la nuit, moi.

D'une main courroucée, il écarte le portail pour nous laisser passer. Je pousse ma voiture jusqu'au poste et coupe le moteur. Serdj descend le premier ; je lui colle au train. Le gardien chasse son chien et nous rejoint. Il a la mine patibulaire de quelqu'un qui sait ne susciter aucune sympathie et qui n'en a rien à cirer. Il nous devance, sans nous regarder, son odeur de bête hydrophobe telle une aura autour de lui. Il doit peser dans les cent kilos pour un mètre soixante, avec des épaules bétonnées et des hanches à tracter une remorque. Son crâne rasé repose sur sa nuque boudinée tel un boulet de canon médiéval sur un amortisseur ramolli.

— C'est vous qui l'avez découvert ? je lui demande.

— Vous croyez qu'on est légion par ici ? J'ai même pas de remplaçant.

Il nous promène à travers des corridors taillés dans

des carcasses d'automobiles. Le sol vibre sous ses pas. Il
est pressé d'en finir et de retourner pioncer.

— Pourquoi l'ambulance traîne ? maugrée-t-il.

— Elle est en route.

— J'espère que les brancardiers ne vont pas casser la
croûte en chemin. Je veux que l'on enlève cette saloperie de chez moi, et fissa.

— C'est parce que t'as les bras trop musclés que t'es
moche ? je lui dis, exaspéré.

— J'ai pas demandé à t'épouser, réplique-t-il sans
ralentir.

— Mets tes pattes dans de l'eau fraîche, mon gros.
J'aime pas ta façon de nous causer.

— D'habitude, je cause pas, je cogne.

— Sur ton chien ?

Il s'arrête en bloc et revient me toiser de près.

— Dis donc, toi, le condé ? tu me cherches ou quoi ?

— Ça va, intervient Serdj.

Le gardien roule ses yeux globuleux.

— Moi, je cherche rien à personne, me prévient-il.
J'suis bien dans mon trou, O.K. ? Est-ce que j'emmerde
le monde, moi ? Donc, tu te tiens loin de mon direct,
le condé. Que tu sois *houkouma** ou cureteur de cul de
singe, pour moi, c'est kif-kif. On ne me bouscule pas,
vu ? J'suis gardien, pas une porte de service.

Serdj se faufile entre nous pour raisonner le buffle et
ménager la vache. Le gardien ravale son agressivité et
file devant. Il arrive devant un reste de fourgon et porte
les mains à ses hanches.

— Il est là. Vous vous débrouillez pour l'emmener.
Moi, je retourne dans mon lit roupiller.

---

* Fonctionnaire, sbire du régiment.

— Pas si vite, je lui recommande. On a besoin de te poser quelques questions.

— C'est pas moi qui l'ai buté. J'ai pas besoin de couteau pour travailler, mon bonhomme.

— C'est toi qui l'as trouvé, non ?

— C'est mon chien. Adressez-vous à lui. J'ai rien vu, rien entendu. Max a hurlé. J'ai rappliqué. Le mort était là, exactement comme il est. J'ai touché à rien. J'ai appelé la direction. La direction vous a contactés. Ça s'arrête là... En partant, refermez le portail.

Il s'éloigne, la nuque courte et les épaules arc-boutées. Son chien vient à sa rencontre en agitant la queue. Il lui shoote dans le flanc en criant :

— Faut toujours que tu fourres ton nez partout, toi !

Je ne fais pas cas de lui et m'accroupis devant le cadavre.

C'est celui de mon « tueur occasionnel ».

Il a les poings et les pieds liés à l'aide d'un fil de fer, le torse nu et la gorge tranchée jusqu'à l'os d'une oreille à l'autre.

23.

Les empreintes digitales du cadavre ramassé dans le dépôt de ferraille n'ont rien donné. Sa photo, prise avec soin et diffusée à travers les commissariats d'Alger et des banlieues, est restée lettre morte. J'ai envoyé Serdj et d'autres inspecteurs fouiner dans les cabarets et les boîtes huppées où les jeunes malfrats fortunés vont claquer leur fric, sans succès. L'armée de balances mobilisée autour de la question revient bredouille. Mon « tueur occasionnel » est inconnu au bataillon. Je me suis rappelé Tilimli où, petit délinquant, m'avait-il raconté, il se prenait pour un caïd et m'y suis rendu en personne à quatre reprises en l'espace d'une semaine ; les moues des personnes abordées ont dégouliné sur leur menton. Après avoir tourné en rond, je sollicite la presse. Là encore, la publication de la photo de l'inconnu dans les plus importants quotidiens du pays, rubrique « Aidez à identifier », ne trouve pas preneur. Une seule fois, un plaisantin a appelé le standard pour nous lancer sur une fausse piste.

Mes gesticulations finissent par titiller la curiosité de l'inévitable Bliss. Maintenant que le dirlo s'apprête à rejoindre son poste, son délateur assermenté aimerait corser le rapport qu'il envisage de lui soumettre. Bien sûr, il a relevé l'ensemble des absences sans motif de ses collègues, les petites chamailleries et les écarts de conduite, mais cela ne suffit pas. Il a dû remarquer la frénésie qui s'est emparée de mon service et tient absolument à savoir de quoi il retourne. De cette façon, il aurait réponse à tout, prouvant à son maître ses extraordinaires performances de chien de garde.

Il s'amène sur la pointe des pieds, en frottant ses Ray-Ban contre le revers de sa cravate grenat. Après avoir tourné autour du pot, il pique dans le vif du sujet :

— Hier, j'ai demandé la voiture 14, et le chef de parc m'a dit que tu l'avais réquisitionnée.

— Et c'est quoi, ton problème ?

Il remet ses lunettes sur sa face de rat.

— La voiture 14 est intangible, Llob. On ne la sort du garage que sur ordre exclusif du ministère. J'ai pensé qu'il y avait une délégation VIP à conduire quelque part. Seulement voilà, c'était pas le cas. J'ai dit quelle mouche a piqué le commissaire de rouler dans un véhicule blindé, classé intouchable, sans l'autorisation du chef suprême de la police ?

— Et tu es venu chercher la réponse ?

— Exact.

Je le toise un instant. On dirait qu'il débarque droit de chez l'esthéticienne. Tiré à quatre épingles, il est rasé de frais – ce qui creuse davantage ses joues de farfadet –, et sent plus fort que dix poufiasses réunies. Les chaussures qu'il exhibe au bas de son pantalon droit sont de marque étrangère ; je n'en ai jamais vu à l'étalage des magasins que je fréquente.

— C'est le dirlo qui t'a refilé la combinaison de son coffre-fort ?

— Change pas de sujet, Llob. Une voiture relevant du stock spécifique a quitté le parc du Central sans que je sois au courant. C'est une grave infraction au règlement.

— Ma voiture est en panne, et les véhicules de mon service ne vont guère mieux. J'avais une enquête à mener et j'ai pris la 14 pour la matinée. Si tu estimes que c'est une belle pièce pour ton rapport au chef, profites-en.

— Une enquête, que t'as dit ? fait-il en retirant ses lunettes.

Ses yeux jaunes rutilent comme ceux d'un serpent qui découvre une souris grassouillette coincée dans un trou. Il passe une langue reptilienne sur ses babines, les narines évasées et les oreilles droites.

— Tu as très bien entendu, je lui dis.

— Une enquête sur quoi ?

Je repousse mon fauteuil pour soulager mon ventre écrasé contre le bureau, et le nargue.

— Je crois qu'on s'est expliqués, l'autre jour, Bliss. Si le patron t'a confié son trône, ça ne veut pas dire pour autant que t'es le souverain. Ce serait même trop con de te l'imaginer. Il y a une hiérarchie dans notre bordel. Une échelle aussi bafouée que celle des valeurs, sauf qu'elle est toujours en vigueur. Nous figurons tous sur son organigramme, du manitou aux plantons, et nous sommes rémunérés en fonction d'un ordre de bataille clair et précis sans lequel nous serions en train de nous entre-bouffer à tort et à travers. Moi, je suis commissaire. Toi, tu fais le mariole plusieurs marches plus bas. Si ça t'amuse de l'oublier, c'est ton affaire, pas la mienne. Ici, tu es dans *mon* service. Et tu n'y es pas le bienvenu. À ta place, je retournerais faire le toutou au troisième et j'attendrais patiemment que l'on me siffle.

— Il y a une note de service qui stipule qu'en l'absence de M. le directeur, c'est l'inspecteur Nahs Bliss qui assure l'intérim.

— Il y en avait effectivement une sur mes murs. Elle m'a tellement fait chier que je me suis torché avec. Encore une chose, inspecteur. Je connais le règlement, et lorsqu'un directeur crétin le foule aux pieds, je ne suis pas obligé de l'applaudir. Ta nomination à la tête du Central est illégale. Tant que tu t'en flattes les couilles, ça ne me dérange pas. Par contre, si tu pousses l'imprudence jusqu'à venir dans mon bureau pour me rappeler l'anarchie qui règne dans nos administrations, là, tu n'as aucune chance de t'en tirer indemne. Mon conseil est simple : va te faire foutre et ne le dis à personne.

Bliss recule en se dandinant. Il me menace d'un doigt désinvolte et bat en retraite en ricanant.

Arrivé dans l'embrasure, il se retourne :

— J'allais oublier. J'ai une excellente nouvelle pour toi. Tu pars en stage en Bulgarie. Le télex vient de tomber ce matin. Signé Ghali Saad *himself.* Avec des entrées de cette envergure, tu es bien arrimé dans le sérail. Dire que tu les détestais tant, les manitous.

— Je ne leur ai rien demandé.

— Sans blague ?

— Et je ne veux pas de ce stage. Je te cède ma place.

— Malheureusement, je ne suis pas encore commissaire.

— C'est la première chose censée que j'entends de ta bouche depuis la nationalisation des hydrocarbures.

Il me fait un clin d'œil et disparaît de ma vue.

Baya arrive sur ses talons aiguilles. Elle s'est teinte en déesse rubiconde et s'est mis un rouge incendiaire sur les lèvres. Son corsage étriqué fait bondir ses nichons comme deux gros lapins pris dans un filet. Elle commence par écouter s'éloigner les pas de Bliss avant de s'enthousiasmer :

— C'est vrai ce que je viens d'entendre ?

— Ça dépend de combien de temps tu es restée, l'oreille collée à la porte.

— Vous êtes trop injuste, commissaire. Je ne me mêle pas des histoires entre supérieurs.

Elle dépose une grande enveloppe sur mon sous-main.

— Elle est arrivée par la poste, m'explique-t-elle.

— Je vois pas d'expéditeur.

— En tous les cas, c'est pas moi.

Elle ramasse un dossier traité, l'écrase contre sa poitrine avec la ferveur d'une jeune étudiante son illustré.

— C'est loin, la Bulgarie ?

— C'est pas la porte à côté.

— Ça doit être un chic pays.

— Et pourquoi donc ?

— Ben, forcément. Vous allez vous changer les idées, découvrir d'autres visages, d'autres villes, d'autres mentalités. Moi, je suis partante pour n'importe quel horizon. J'ai vraiment besoin de mettre les voiles.

— Ta jupe échancrée te va bien.

Elle rougit de ravissement.

— Vous l'avez remarquée, commissaire ?

— Et comment ! Maintenant, mets-toi à l'abri, mignonne. L'enveloppe est peut-être piégée.

Elle opine du chef et regagne son box.

Je déchire l'enveloppe, en extirpe une vieille photographie fripée sur laquelle cinq maquisards, le fusil en bandoulière, saluent l'objectif. Cela se passe dans une clairière, avec en arrière-plan une sorte de casemate ou une grotte camouflée sous des branchages. Les cinq bonshommes sont assez jeunes et contents de l'être. Le plus grand arbore une petite moustache. Il montre son pouce en signe de satisfaction. Les autres semblent fiers de poser à ses côtés. L'agrandissement de la photo, certainement à partir de l'original et non d'un cliché, aggrave les défauts initiaux. J'essaie d'identifier les personnages, aucun ne me dit quelque chose. Ma loupe ne décèle rien de probant. Il n'y a ni légende ni mot d'accompagnement, pas même les traditionnelles salutations qui situent un peu le contexte. Je demande à Serdj de rappliquer. Il tourne la photo dans tous les sens avant de me la remettre.

— C'est peut-être un ancien compagnon d'armes qui croit t'avoir reconnu là-dedans, me suggère-t-il.

— Il aurait pu écrire un mot dessus.

— C'est vrai, c'est bête.

— Regarde bien. Aucune physionomie ne te rappelle quelqu'un ?

Il reprend la photo, s'attarde sur les cinq combattants.

— Je vois pas.

— Tu penses que c'est un message codé ?

— C'est-à-dire ?

— Que ça puisse avoir affaire avec les derniers événements.

Pour la troisième fois, Serdj se penche sur la photo.

— Ça peut être n'importe quoi, commissaire. Une simple erreur, une étourderie. L'expéditeur a probablement oublié de joindre la lettre qui va avec. Y a pas de quoi s'alarmer, à mon avis.

— J'ai l'air de péter les plombs, inspecteur ? hurlé-je.

— C'est pas ce que je voulais dire.

— Alors, tu écrases. J'ai demandé ton avis sur la photo, pas sur mes états d'âme.

Serdj mesure l'ampleur de sa bourde et déguerpit au plus vite.

Je jette un dernier coup d'œil sur la photo, la balance dans un tiroir et sonne Baya pour qu'elle aille me chercher une tasse de café bien dosé.

Deux jours plus tard, un appel téléphonique me rattrape à la maison. C'est dire combien, chez nous, la mort, la vie, le sort d'une carrière, le limogeage, les déclarations de guerre, les ruptures d'amour, bref, tout ne tient qu'à un coup de fil. Une voix avec un fort accent de l'Est me prie de ne pas lui raccrocher au nez.

— Il faudrait d'abord que je le voie, je lui dis, en finissant d'ingurgiter mon quartier de volaille.

La voix s'enhardit :

— Merci de m'écouter jusqu'au bout.

— Ça, je ne peux pas vous le garantir. Je viens juste de me mettre à table.

— Navré d'interrompre votre repas. Vous voulez que je vous rappelle ?

— C'est pas nécessaire. Soyez bref, et on pourra s'arranger.

La voix se racle le gosier et passe aux choses sérieuses :

— Vous avez reçu la photo ?

— Laquelle, monsieur... ?

— Mon nom ne vous dirait rien. Je vous ai envoyé une lettre par la poste, il y a une semaine. Avec une photo dedans.

— Vous avez omis le texte d'accompagnement.

— Y en avait pas.

— C'est quoi au juste, son histoire ?

— C'est trop long à raconter, commissaire. Peut-on se voir ? J'ai des révélations intéressantes à vous communiquer.

— À quel sujet ?

— Pas au téléphone, Sy Brahim. C'est très, très important.

— Je suis tous les matins à mon bureau.

— Le matin, j'ai des empêchements. Je vous propose de nous retrouver demain, à 20 heures, au restaurant Les Pyramides.

— Je sais pas quoi mettre comme costume pour me rendre dans un endroit aussi sélect.

— Ce n'est pas une obligation. Dois-je nous réserver une table, monsieur Llob ?

— Si ça vous amuse de vous faire pigeonner par un poulet...

— C'est un honneur, pour moi, de vous offrir un dîner.

— C'est très bien. Demain, à 20 heures, aux Pyramides.

— Je vous remercie de tout mon cœur, Sy Brahim. Au revoir.

Mina, qui a suspendu ses gestes pour me surveiller, cherche sur ma figure une quelconque trace susceptible de la préoccuper. Je lui décoche un sourire rassurant :

— C'est juste une âme charitable qui m'invite dans un resto gastronomique demain. Je m'en vais t'en bouffer de ces plats prestigieux jusqu'à dégueuler.

— Tu trouves que je ne te gave pas assez ?

— Disons que ça va me changer de l'ordinaire de l'unité.

Mina soulève un sourcil désapprobateur :

— Ce n'est pas avec les sous qui tu me fournis au compte-gouttes et après d'interminables négociations que tu vas être servi comme un roi.

— Dois-je comprendre que je suis un avare ?

— Pis, tu es pauvre.

— C'est pas vrai, proteste mon benjamin. Mon père n'est pas pauvre, il est honnête.

— C'est du pareil au même, lui signale son aîné.

Mina relève le menton pour rappeler la marmaille à l'ordre. Je reprends ma place et me remets à mordiller dans ma cuisse de volaille en réfléchissant aux tenants et aux aboutissants de cet étrange coup de fil.

Le lendemain, dans la soirée, j'enfile ma chemise la moins abîmée, mon unique costume – que je ne sors qu'en cas de force majeure –, ma cravate frappée du sceau d'un club british, achetée chez un marchand de friperie à Bab El Oued, et je me pointe à 20 heures pile dans l'un des restaurants les plus aseptisés d'Alger. Le réceptionniste ne voit pas le rapport entre mes mocassins pelés et mon pantalon en flanelle, s'y reprend à deux fois pour me repérer sur son registre et manque de me demander mes papiers. Lorsqu'il se rend compte qu'il s'agit bien de moi, il me livre en vrac à un pingouin arrogant chargé d'installer la clientèle. Ce dernier accepte de me prendre en charge comme accepte le compromis quelqu'un qui a épuisé tous ses atouts. Sa main obséquieuse m'invite à le suivre. Ma table se situe au fond de la salle, dans une alcôve protégée de rideaux satinés, avec un grand tableau derrière et une vue imprenable sur les entrées et sorties de l'établissement. Le larbin me demande, dans un français académique, si je veux bien me donner la peine de me débarrasser de ma veste ; ensuite, après un regard confus en direction de mes voisins – comme pour s'excuser d'être contraint de placer un plouc à proximité de leur quiétude –, il s'éloigne sans me tirer la chaise. Mes voisins immédiats, deux nababs taciturnes flanqués d'une grosse truie enrobée de soie et de pierres précieuses, me dévisagent, éberlués par les incohérences criardes qui sanctionne mon accoutrement. Je leur adresse un sourire de bête fauve et m'assois en les ignorant superbement.

Une serveuse peinturlurée, le tour de poitrine égal à celui du croupion, me présente une carte où sont recensées des succulences époustouflantes suggérées dans un éventail de tournures de phrases d'une délicatesse hautement exquise pour stimuler les envies et désopiler les esprits : pavé d'agneau en chemise, jus au thym ; marbré de foie gras de canard au magret fumé, et autres saloperies raffinées qui me rappellent à quel point je suis à la traîne en matière d'émancipation. Ne parvenant pas à déchiffrer le menu, je propose que l'on attende mon hôte.

— Et comme apéritif ? me harcèle-t-elle.

— C'est-à-dire ?

— Une petite coupe de champagne ?

— Ah non ! j'suis pratiquant.

— Un peu d'eau ?

— Volontiers.

— Plate ou gazeuse ?

Pourquoi me persécute-t-elle ainsi ?

— Euh, gazeuse, choisis-je au hasard.

— Mouzaïa ou Perrier ?

— Mademoiselle, la supplié-je, de plus en plus horri-pilé par l'indiscrétion ostensible des voisins, mon palais est tellement abruti par la mauvaise bouffe des cantines qu'il ne saurait reconnaître une pâte d'amandes d'une pâte à modeler. Pas la peine de la ramener, d'ac' ?

Son sourire s'estompe si vite qu'il la laisse sans voix. Elle me confisque la carte et m'abandonne à mon sort.

Une quinzaine de minutes passe dans le cliquetis des fourchettes et le friselis des tentures. L'ambiance est bercée par un brouhaha feutré, ponctué de rires de jeunes sirènes en quête d'Ulysses à dévoyer. Le beau monde m'isolant dans mes frustrations et mon mysté-rieux hôte tardant à se manifester, je commence à trou-ver le temps long. J'ai grignoté les petits biscuits salés, les tranches de pain beurrées de je ne sais quoi qui fon-dent sur la langue avant de livrer leur secret ; rien en vue. Et, d'un coup, le pingouin accourt accueillir un couple de rêve, visiblement habitué des lieux. Ma pomme d'Adam bute contre le nœud de ma cravate et je manque d'avaler une mie de travers. L'homme, excessi-vement fringant, fait tourner quelques têtes révéren-cieuses. Il est grand, séduisant et semble imposer un immense respect. Quant à sa compagne, sanglée dans un tailleur magnifique, elle resplendit de mille feux. Bien sûr, ce n'est pas sa grande beauté qui me désarçonne, mais sa façon de coller à son jules comme si elle tentait de se confondre avec lui. Ce qui m'intrigue au plus haut degré est la question de savoir comment une dame remarquable comme Soria Karadach, universitaire de renom incarnant à mes yeux la probité morale et intellectuelle, peut, au su et au vu de tout le monde, serrer de si près un individu aussi peu recommandable que Ghali Saad.

Le pingouin les dirige à l'autre bout de la salle, derrière un muret en acajou, afin de préserver leur intimité du mauvais œil. Avant de disparaître, Ghali passe son bras autour de la taille de l'historienne qui, flattée par cette preuve d'attachement, laisse tomber doucement sa tête contre l'épaule de celui qui fait la pluie et le beau temps au bureau Investigation et, par extension, dans les secteurs névralgiques de la république.

Je sursaute quand la serveuse, que je n'ai pas vue rappliquer, me tend le téléphone.

— C'est pour vous, monsieur.

Encore estomaqué, je peine à reconnaître la voix au bout du fil.

— Sy Brahim ?

— Oui.

— Ça vous en bouche un coin ?

— Et comment ! fais-je en recouvrant mes sens. C'est vous, mon hôte ?

— Désolé d'être en retard, commissaire. D'ailleurs, je ne pense pas être à l'heure. Aussi ne m'attendez pas. Ce soir, vous dînerez seul. Rassurez-vous, le repas est offert. Vous n'avez rien à débourser.

— C'est quoi, cette plaisanterie ?

— C'est à vous de la déchiffrer, commissaire. C'est

dans vos cordes. Avouez que vous ne vous y attendiez aucunement. L'illustre historienne Soria Karadach au bras d'un fumier comme Ghali Saad. Inconcevable, n'est-ce pas ?... Je ne cherche pas à vous manipuler, Sy Brahim. Vous l'avez suffisamment été depuis le début de la supercherie et je ne compte pas abuser de votre naïveté à mon tour. J'ai même pitié de vous. C'est vrai que je vous en ai voulu à mort, sauf que, dans les situations inextricables, le sage privilégie la voie de la raison aux emportements du cœur. Nous savons que vous n'êtes pas de mèche avec les chiens qui ont poussé au suicide un vaillant fils de la révolution comme Haj Thobane. Vous avez pris part à ce complot à votre corps défendant. Il vous fallait sauver votre lieutenant. D'ailleurs, votre coéquipier ne s'est pas trouvé là par accident. Il a été piégé pour vous piéger à votre tour. Les tireurs de ficelles savaient que le seul moyen de vous entraîner dans cette histoire était de vous poser, en guise de chèvre, l'un de vos hommes. Le sort de votre lieutenant dépendant de votre engagement, vous étiez obligé d'aller au fond des choses. La preuve, il est libéré sans procès ni poursuite, comme si de rien n'était. Vous trouvez ça sensé, vous... ? Allô ? Vous êtes toujours là ?

— Continuez, ça m'intéresse.

— Nous sommes nombreux à soupçonner le complot et à le condamner. C'est une très vilaine initiative. Certes, des dissidences se déclarent fréquemment dans les hautes sphères, c'est compréhensible ; de là à provoquer la mort d'un antagoniste, c'est transgresser les règles du jeu.

— C'est donc un jeu, selon vous.

— Façon de parler.

— Vous dites complot ?

— Ça crève les yeux, voyons. Une historienne qui se découvre la témérité suicidaire de profaner le secret des

dieux, attendez, c'est du jamais vu. Elle ne pouvait pas
agir seule. Elle n'avait aucune chance de soulever une
trappe sans être gobée par le gouffre. Elle était surpro-
tégée, et je ne parle pas de vous... Avez-vous lu ses
livres ?

— Aucun.

— Je vous recommande d'y jeter un coup d'œil. Elle
ne tarit pas d'éloges sur l'ensemble de nos gouvernants,
leur brossant des portraits fabuleux, leur érigeant des
stèles et leur traçant des itinéraires révolutionnaires
dignes d'un Mao ou d'un Gandhi. Et pourtant, un *zaïm*
n'a jamais trouvé grâce à ses yeux. Elle ne le cite ni dans
ses thèses ni dans ses articles de presse.

— Haj Thobane ?

— Dans le mille, commissaire. Alors, pourquoi lui en
voulait-elle tant ? Pourquoi le détestait-elle au point de
lui dénier le droit de figurer parmi nos héros, lui qui est
indissociable de l'épopée de novembre 54 ? Et par quel
sordide hasard se retrouvait-elle artisane de sa perte ?

— Vous pensez qu'elle est l'instigatrice de...

— Je ne pense rien, je me pose des questions.

— Ça revient au même.

— Je ne vous cache pas que j'ai, pour cette dame, de
la haine, monsieur Llob. Elle a contribué à un malheur
qui se prépare à bouleverser notre vie.

— C'est une question ou une certitude ?

— Je n'ai rien sur la conscience, monsieur Llob. Moi,
je n'ai souhaité ni soutenu la perte de personne. C'est
vous qui devriez avoir du remords. À votre insu, vous
avez ouvert la boîte de Pandore. Les ténèbres vont bientôt obscurcir nos lendemains et transformer nos squares
en arènes.

— Dommage que je ne puisse pas vous regarder en
face. Vous me bottez bougrement.

— Mon nom ne vous dirait pas grand-chose. Je ne

représente ni un clan ni une tendance. Je suis seulement un Algérien qui s'inquiète du devenir de sa patrie. Je sais qu'une guerre s'est déclarée en haut lieu et que ses répercussions vont s'avérer néfastes pour nous tous.

— Y a-t-il un lien entre vos angoisses et la photo que vous m'avez envoyée ?

— Cette photo n'a aucune sorte de valeur. C'était juste pour susciter votre curiosité et vous amener dans ce restaurant. Je tenais à ce que vous voyiez, de vos propres yeux, l'historienne et le salaud dans les bras l'un de l'autre. Ils sont amants depuis plusieurs mois et viennent tous les lundis dîner ensemble aux Pyramides. Or, ce sont deux personnes viscéralement matérialistes. Les sentiments n'ont pas cours dans leurs calculs. Cette espèce ne connaît pas l'amour, seule la complicité la rapproche, seul l'intérêt la soude. Quel est le rôle de chacun ? Pour Soria Karadach, c'est vague. Pour Ghali Saad, ses ambitions professionnelles sont illimitées. Regardez de quelle manière il brûle les étapes. Sa présence n'est pas fortuite. Nous sommes persuadés qu'il n'est pas étranger à cette situation...

— *Nous ?* J'ai cru comprendre que vous ne rouliez pour personne.

— Façon de parler.

— Sur quoi reposent vos soupçons ?

— Il vous suffit de reprendre cette histoire depuis le début pour les relever, monsieur Brahim Llob.

Il raccroche.

Je siffle le pingouin et lui demande si mon souper est offert. Il va vérifier et revient me le confirmer. Je le charge alors de me décliner la filiation et les coordonnées de mon bienfaiteur. Il m'informe qu'il n'est pas dans ses prérogatives de me livrer ce genre de renseignements. Comme j'ai menacé d'occasionner un scandale, il court chercher le gérant. Ce dernier, un chauve efféminé perché sur des pattes d'échassier, m'explique que la personne qui m'a invité ne souhaitait pas se faire connaître et que l'un des principes fondamentaux des Pyramides était d'observer scrupuleusement les recommandations de la clientèle. Son sourire est affable, mais l'intensité de son regard, tranchant net avec la fragilité de son lifting, m'avertit que j'aurais plus de chances de survivre à la morsure d'un cobra qu'à son baiser.

— Bon, j'ai compris, renoncé-je.

— Vous feriez montre d'une plus grande compréhension si vous alliez dîner ailleurs, monsieur.

— Je suis commissaire de police, je lui signale.

— Il y a deux ministres et trois hauts dignitaires du régime dans ce restaurant, monsieur. Ils souhaiteraient passer une excellente soirée, et nous sommes là pour cela, monsieur.

— Vous pensez que je n'ai plus droit à mon repas offert ?

— Je le crains fort, monsieur.

Les deux nababs et leur compagne nous observent avec intérêt, ravis d'entendre le gérant me river à mon clou. La truie étincelante est sur le point de se lever pour le décorer.

— O.K., dis-je en feignant de repousser la table.

Satisfait, le gérant redresse le nez et attend, hiératique et ferme, que je débarrasse le plancher. La grossière erreur ! Ma main plonge sous la nappe, glisse promptement entre ses cuisses et l'attrape par les testicules. Le pauvre imbécile tressaillit ; son corps bascule en arrière, tout de suite la douleur qui fulgure dans son bas-ventre le pétrifie et son visage, un moment flamboyant, s'embrase tout à fait. Ne pouvant ni crier ni se débattre, il se fige dans une grotesque posture à mi-chemin entre la génuflexion et la culbute du fakir. La truie d'à côté pousse un gloussement d'indignation ; ses compagnons ne l'entendent pas, choqués, eux aussi, par l'obscénité de mon geste.

J'accentue mon étreinte pour obliger le gérant à se pencher davantage. Lorsque son oreille arrive à hauteur de mes lèvres, je lui susurre :

— Tes ministres, je m'en balance. Tes couilles, comme ton destin, sont désormais entre mes mains. Qu'est-ce que tu choisis ? T'excuser auprès de moi et me servir avec la plus grande diligence ou bien rentrer chez toi avec une omelette baveuse au fond du slip ?

— Monsieur, geint-il, la gorge écorchée, je vous en prie, un peu de tenue...

— Ce n'est pas la chanson que j'ai commandée.

Il déglutit en grelottant de souffrance, tente de résister puis finit par mettre un genou à terre :

— Je vous présente mes excuses, monsieur, lâche-t-il.

— Monsieur le commissaire, je lui souffle.

— Monsieur le commissaire.

— Monsieur le commissaire quoi ?

— Je vous présente mes excuses, monsieur le commissaire.

— Voilà, tu as tout pigé.

Je le relâche, me lève et quitte la salle d'un pas seigneurial.

En traversant la cour extérieure, je passe devant une baie vitrée derrière laquelle nos deux tourtereaux sont en train de trinquer. En portant son verre à la bouche, Soria me découvre en face d'elle. Son visage s'assombrit. Je lui fais un clin d'œil et m'éclipse avant que Ghali Saad ne se retourne.

J'ai épluché de long en large le dossier Soria Karadach. Trois jours durant. Rien de compromettant. Bien au contraire, le parcours de l'universitaire est tapissé de lauriers. Scolarité brillante dans un orphelinat – elle était fille de *chahid*. Major de sa promotion à Ben Aknoun. Ressortissante des plus prestigieuses universités européennes. Chapeaute une association militante baptisée « La Relève ». Parraine de petits mouvements au sein de la jeunesse révolutionnaire. Réputation exemplaire tant dans la vie civile que professionnelle. Son rédacteur en chef la vénère. Le recteur s'incline devant ses mérites. Bref, de la crème !

Une sainte coucherait-elle avec un incube sans perdre son âme ?

J'ai cherché les raisons qui pouvaient amener une éminence grise à s'amouracher d'une éminence obscure dans le genre de Ghali Saad, en vain.

Ghali Saad n'est pas connu pour son érudition. Il a quitté le lycée avec juste un brevet d'études générales et s'est inscrit comme simple agent administratif à l'école de Staoueli, relevant de l'Observatoire des bureaux de sécurité. Après sa formation, il est sous-fifre dans une direction auxiliaire. Son patron a le béguin pour lui – les mauvaises langues parlent de coup de foudre ; il le couvre, au sens propre et au figuré, et l'envoie à l'étranger suivre un stage de cadre de gestion. À son retour, Ghali est désigné secrétaire quelque part au ministère de l'Intérieur. Là, il épouse la fille d'un haut fonctionnaire et monte en flèche l'échelle hiérarchique. Charmant, rusé, ses détracteurs lui reprochent son côté inculte et contestent son autorité. Ils peuvent le faire puisqu'il les a tous foutus à la porte. Derrière sa courtoisie de façade, on le dit machiavélique. Ses proches collaborateurs ne durent que le temps d'une magouille ; il les congédie au moindre soupçon. Les femmes ne lui résistant pas, il est à l'origine des plus malodorantes histoires de cul du Grand-Alger. Sa réputation de coureur de jupons est telle qu'une dame aussi raffinée que Soria

Karadach ne pouvait que s'en préserver. C'est vrai que les sentiments ne reposent pas sur des critères rationnels ; toutefois, ayant fréquenté de très près l'historienne et connaissant sa sainte horreur des fumiers, je n'arrive pas à déterminer avec exactitude la configuration du couple qu'ils proposent.

Le quatrième jour, prenant mon entêtement à deux mains, je décide de secouer l'arbre pour décrocher le fruit pourri. Après les heures de travail, je vais sonner à la porte de Soria Karadach. Sa bonniche m'informe qu'elle ne rentrera pas avant 20 heures. Je la prie de lui dire que je suis passé et que je vais revenir dans la soirée.

Soria m'a attendu.

Vers 21 heures, elle me reçoit dans son salon qui – soit dit en passant – n'a rien à envier à celui d'un nabab. Connaissant la misère des universitaires de mon pays et la clochardisation de nos journalistes contraints de porter des slips ignifuges tant le feu leur colle aux trousses, je suis sidéré de découvrir le faste dans lequel notre dame se la coule douce. Mais, les voies du Seigneur étant impénétrables, le bon Dieu donne et reprend aux mortels ce qu'Il veut sans avoir à Se justifier.

Soria a mis une robe d'intérieur sobre. Elle s'est démaquillée et a lâché ses cheveux dans son dos comme si elle envisageait de se mettre au lit. Son accueil est simple. Tout porte à croire qu'elle cherche à se débarrasser de moi presto. J'ai l'impression qu'elle m'attend au tournant depuis que nos yeux se sont accrochés aux Pyramides.

Elle paraît décontractée, maîtresse de ses moyens, et ma visite ne lui pose pas de souci majeur. Ce n'est plus l'audacieuse historienne qui partageait mes risques et mes sautes d'humeur à Sidi Ba. Son regard est froid, son attitude inexpressive.

— Vous vouliez me voir, commissaire ?

Sa voix me glace la nuque.

— Je vous dérange ?

— On me dérange toujours lorsqu'on ne vient pas chez moi en ami.

— Où voyez-vous la hache de guerre ? je lui demande en écartant les bras pour lui montrer que je n'étais pas armé.

— Dans vos yeux, commissaire.

Elle ne m'invite pas à prendre place sur le canapé. Nous restons debout l'un en face de l'autre, elle à côté de la grande table, moi au centre d'un tapis persan.

— J'ai été très contente de travailler avec vous. Seulement voilà, c'est fini. Chacun reprend sa vie.

— Vous vous êtes servie de moi, je riposte à bout portant.

Raté !

Pas une fibre ne frémit en elle.

Elle esquisse un sourire lointain.

— On avait conclu un marché, commissaire.

— Votre projet était double.

— Peut-être, en tous les cas, mon objectif n'avait pas changé. Nous avons réussi notre mission. Maintenant, à chacun de la rentabiliser comme il l'entend.

Son assurance m'irrite, émiette mon sang-froid. On dirait qu'elle me nargue, qu'elle m'envoie valdinguer.

— Complice ou manipulée ? lui dis-je.

— Pardon ?

Son sourcil s'arc-boute contre l'arcade pour rendre son regard perçant. Je le soutiens sans broncher. Ma vigilance l'empêche de tenter une diversion ; elle sait que je ne suis pas venu filer de la laine en sa compagnie, que j'en ai gros sur le cœur.

Sa bouche rouge sang s'étire légèrement, soudain indécise, voire incertaine. La voilà cherchant à redevenir l'historienne de Sidi Ba, énergique et fascinante. Peine perdue. Mes yeux l'acculent, l'écrasent, la ceinturent. Une expression bizarre traverse son visage. Elle devine qu'elle est en train de perdre pied, tente de se reprendre en main. Je ne l'aide pas, me contente de croiser les bras sur la poitrine.

— On dirait que vous m'en voulez, flanche-t-elle. Ai-je fait quelque chose de mal ?

Je refuse de lui lâcher du lest :

— Ils t'ont payée combien ?

— Ah ! nous y voilà, fait-elle en secouant la tête.

— J'en ai mis du temps, mais je suis arrivé.

Ma brutalité ne la trouble pas outre mesure. Curieusement, elle la stimule. Elle passe du chaud au froid avec une aisance qui me laisse pantois. Sûr qu'elle s'y était préparée. Cette dame, c'est de l'intelligence pure, sans un fragment d'os ni une once de graisse. Quelle classe, quel talent, quelle force de la nature !

Elle s'approche d'un pas, décidée à crever l'abcès.

— Qu'est-ce que vous voulez savoir ?

— Combien ils ont casqué pour vous appâter.

— Ils n'avaient pas à le faire. J'aurais vendu mon âme pour être de la partie. Ils croient m'avoir manipulée, et c'est tant mieux. En vérité, j'ai joué le jeu parce que le scénario me seyait comme un maillot de bain.

— Vous ne pouvez pas me tendre la perche ? Je sens que je commence à couler.

— L'eau n'est pas assez profonde, Brahim. Vous n'avez qu'à tenir sur vos jambes pour vous en apercevoir.

— Hélas ! j'ai les quatre fers en l'air.

— Je ne le crois pas. C'est vous qui vous compliquez l'existence. Nous avons réussi un coup du tonnerre et nous avons toutes les raisons d'en être fiers.

— La fierté est une autoconsolation qui ne règle

pas grand-chose ; elle a juste le mérite de flatter notre propre défaveur en travestissant nos aspirations, faute de les investir.

— Probable. En ce qui me concerne, mes objectifs ont été atteints, et je m'en félicite. J'ai contribué à mettre hors d'état de nuire la pire canaille qui puisse sévir au pays.

— Les canailles dans son genre sont légion. Une d'écartée, cent de recrutées. Je crains fort que son élimination ne favorise la prolifération de l'espèce.

Elle sourit.

Un diadème, que ce sourire. Pourquoi m'afflige-t-il ? Pourquoi l'immensité de ses yeux, la somptuosité de ses traits, la volupté de sa silhouette installent-elles en moi une peine si accablante et si insaisissable à la fois ? Qu'est-ce qui rend vénéneux le fruit de tant de grâce, mortelle l'opacité de ce qu'elle me cache ?

Je remarque que mon poing s'est refermé, que mes mâchoires se sont crispées, que j'ai envie d'être désagréable. J'ai peur de ce qui me trotte dans la tête, me méfie de ce qui me gagne sournoisement en viciant mon intérieur et en appauvrissant mon souffle. J'ai l'air d'un cocu qui commence à soupçonner l'inexorable intrusion de son malheur au point que chaque palpitation de son cœur lui arrache un morceau de son âme.

Soria est une femme avisée. Elle connaît son sujet mieux que personne et n'a pas besoin de schéma pour remonter jusqu'à cette chose qui malmène ma voix et obscurcit mon regard. Avec sang-froid, elle pêche une cigarette dans un boîtier en acajou, l'allume et contemple la fumée en train de s'entortiller doucement en regagnant le plafond. Au bout de quelques bouffées appuyées, elle s'écroule sur le canapé, dévoilant le galbe de ses jambes longues et musclées.

Elle ne prête pas attention à cette part de nudité, continue de fumer, les yeux rivés aux miens.

— Pourquoi ? je lui demande tout de go.

— Je suis historienne. Certains faits historiques n'étaient pas bien situés. Je les ai remis à leur place.

— Quelle est la vôtre, dans *notre* histoire ?

— Celle que j'ai décidé de lui attribuer.

Sans crier gare, sa voix s'affaisse tandis que le chagrin, cran par cran, s'empare de ses lèvres, de ses yeux, de ses joues, de son être entier.

Elle raconte :

— Toute ma vie, j'ai attendu cette heure. Je n'ai survécu que pour elle, d'ailleurs. J'ai choisi la branche la moins revigorante à l'université. On voulait que je fasse médecine, ou économie. J'ai dit histoire. Je tenais à savoir d'où je venais, qui j'étais et où j'allais. J'avais un compte à régler avec le passé de mon pays, qui faussait mon présent et compromettait mon avenir. Historienne, j'avais la possibilité d'accéder aux pièces qui manquaient à mon puzzle et que je subissais comme des fractures ouvertes. C'est ainsi que j'ai poussé les portes interdites et occupé la cour des dieux. Ceux qui règnent au pays ont leurs petites faiblesses : la glorification. Je suis allée les trouver pour magnifier leurs faits d'armes, et ils m'ont adorée pour ça. Je leur ai consacré des papiers mirobolants, des séminaires aussi fracassants que les joutes oratoires, et j'ai raconté leurs histoires dans des livres pharaoniques. D'un coup, j'étais devenue leur éternité ; leur bonheur tenait au moindre de mes cheveux. C'est comme ça que j'ai conquis le Che, le Raïs, les *zaïm* et leurs eunuques. Cependant, il y avait une divinité qui ne trouvait jamais grâce à mes yeux. Si je ne le cachais pas, c'était pour que tout le monde le sache. Car je savais qu'un jour ma bouderie l'amènerait à sa perte.

— Haj Thobane ?

— Feu Haj Thobane, pourvu qu'il pourrisse en enfer...

— C'est vous qui l'avez tué ?

— J'ai causé sa perte, et ça me comble. Je m'attendais à ce qu'il disparaisse, il a fait mieux : il s'est suicidé. Comme le lâche qu'il a toujours été.

— Vous croyez à la thèse du suicide ?

— Vous n'allez pas me dire qu'il s'est tué par accident ? Vous gâcheriez mon bonheur.

Sa sincérité ne souffre aucune équivoque : Soria croit à la thèse du suicide.

— Vous saviez que ses jours étaient comptés ?

— Je l'espérais. De toutes mes forces. Et son jour est arrivé. Ses ennemis avaient besoin de gants pour le dégommer. J'en étais un, sur mesure. Vous étiez l'autre, commissaire. L'Histoire et la Loi. Deux marionnettes éblouissantes. Vous, pour sauver votre lieutenant. Moi, pour assainir la révolution... Un charisme a choisi d'élever son piédestal sur un charnier. Était-ce le meilleur sol ? Qu'y avait-il dans le charnier, quel secret, quelle gloire ? Des gens avaient été exécutés. Sans procès. Pareils au bétail contaminé. J'ai voulu savoir si l'endroit leur convenait ou s'ils y étaient à l'étroit. Méritaient-ils de se décomposer dans une fosse commune, sans pierre tombale ni épitaphe ? Ou d'être transférés dans un vrai cimetière, avec des sépultures décentes ; un cimetière où l'on puisse se recueillir sur leurs tombes sans avoir à raser les murs ? Ces interrogations me harcelaient de jour comme de nuit. Je n'avais aucune certitude. Il me fallait trancher une fois pour toutes. J'espérais leur rendre justice. J'aurais été malheureuse dans le cas contraire. Les révélations de Rabah, l'autre soir, à Sidi Ba, ont dépassé mes espérances. Je ne regrette pas d'avoir triché. Un peu, avec vous. Pas assez pour que ça me travaille. Avec les autres, on est quittes. Ils m'ont appâtée. J'ai mordu à l'hameçon avec délectation. Ils ont tracé mes recherches comme une ligne de mire. Les adresses qu'ils m'avaient confiées menaient droit à leur triomphe. Sauf qu'ils ignoraient que c'était le mien aussi. Aujourd'hui, ils sont persuadés de s'être servis de moi. Je voudrais qu'ils continuent de le croire pour toujours.

— Vous pensez qu'ils savaient tout sur cette histoire de tuerie ?

— Certains y avaient même participé.

— Pourquoi exhumer les morts, aujourd'hui, après des décennies de silence complice ?

— Parce que Haj Thobane était devenu trop encombrant et menaçait leurs projets.

— Quels projets ?

— Le diable seul le sait.

— Si Thobane était si dérangeant, pourquoi ne pas le tuer simplement ? Ils avaient l'embarras du choix : un accident, un empoisonnement, n'importe quelle vacherie aurait fait l'affaire. Pourquoi toute cette mascarade, ce remue-merde historique, et ce scandale insoutenable ?

— Les révolutionnaires ont leur propre façon de régler leurs comptes. Une mort accidentelle ou un assassinat attribué à un déséquilibré mental seraient venus à bout de l'homme, pas de sa légende ni de ses disciples. Il fallait qu'il meure et dans sa chair et dans l'estime des autres. Aujourd'hui, qui pourrait se réclamer de l'école de Haj Thobane, qui oserait se targuer d'avoir été son proche ou son confident ? Le scandale a tout détruit autour de lui. Tel un nuage radioactif. Même ceux qui vivaient à ses crochets vont devoir aller ailleurs aiguiser leurs crocs. Haj Thobane portera l'opprobre partout où son nom sera cité. L'Histoire vient de le renier, la mémoire de la nation ne veut plus entendre parler de lui. Il n'est plus seulement un grave parjure, il est déjà l'oubli. Son empire n'aura pas de ruines, il n'a jamais existé. Ainsi pourra reprendre sa marche martiale notre glorieuse révolution, la conscience retapée à neuf, superbe comme une jeune mariée.

— Ce que je ne comprends pas, c'est votre acharnement. Pourquoi tant de haine pour un homme qui n'est pas plus effroyable que la plupart des gens dont vous vantez la bravoure dans vos écrits ?

Elle écrase sa cigarette dans un cendrier en verre et se lève. Son souffle me submerge. Son nez heurte le mien ; ses lèvres donnent l'impression de s'apprêter à me dévorer cru.

Elle dit :

— Dans la nuit du 12 au 13 août 1962, effectivement, l'un des membres de la famille Talbi a réussi à échapper à la tuerie. Les assassins l'ont traqué durant des mois, peut-être des années. Des fois, ils sont passés à côté de lui sans le reconnaître. Ils cherchaient un gamin. Or, le rescapé n'était pas un petit garçon, mais une fille...

La marteau de Thor ne m'aurait pas secoué aussi fort.

Je ne reconnais pas ma voix lorsque je m'écrie :

— Vous ?

24.

J'ai tourné dans mon lit tel un ver dans son fruit. Dans ma tête, le stylo qui cassa entre les mains de Soria, dans cette cabane embusquée au fond de la forêt, quelque part autour de Sidi Ba ; et sa voix qui, une poignée d'heures auparavant, semblait émaner d'outre-tombe. *Les cris de mon frère résonnent encore dans mes tempes. J'ai couru dans les bois, couru, couru. Les branches me griffaient au visage, me tailladaient les jambes, m'arrachaient les cheveux sans ralentir ma fuite éperdue. La lune était pleine comme une urne, cette nuit-là. Elle braquait sa torche sur moi pour orienter mes poursuivants. J'avais beau courir, elle était toujours par-dessus ma tête, pareille à un mauvais présage. Si j'avais eu des ailes, je n'aurais pas couru aussi vite, la tête tournée vers la clairière où l'on finissait de massacrer ce que je comptais de plus cher au monde. Je n'ai jamais réussi à regarder devant moi, depuis cette nuit. Où que j'aille, quoi que je fasse, impossible de me détourner. À l'orphelinat, à l'université, à Alger, à Barcelone, en étudiant, en enseignant, ma tête était obstinément tournée vers cette clairière, coincée dans un torticolis qui me cisaillait le cou tel un carcan... Il fallait remonter le temps, revenir à cette case d'où sont partis mes malheurs, éventrer le charnier, arracher les miens de son*

étreinte, les libérer de leur peine, les laisser enfin se repo-
ser et, par là même, apaiser mon âme...

— Pourquoi tu ne dors pas ? gémit Mina.

— Peut-être parce que je n'ai fait que ça toute ma vie.

Je repousse les couvertures, enfile mes pantoufles et vais dans la cuisine chercher un verre de lait. Je trouve le frigo, un tas de verres sur l'égouttoir, mais pas une goutte de lait. L'un de mes rejetons est allé jusqu'à manger l'orange que j'avais mise de côté. Je retourne dans ma chambre. Mina s'entortille dans ses draps, la figure torturée. Je décide de ne pas gâcher son sommeil et me rabats sur le salon. J'ai fumé cigarette sur cigarette, étendu sur le banc matelassé. Il est 2 heures du matin. Dehors, un malappris klaxonne après on ne sait quoi, ne se souciant ni des gosses qui roupillent à poings fermés ni des convalescents. Je m'approche de la fenêtre. Le malappris continue son boucan pendant deux minutes avant de lancer son tacot à tombeau ouvert à travers le quartier. C'est probablement un soûlard qui n'arrive pas à retrouver le chemin pour rentrer chez lui. Le silence revient de loin, hébété. Sur le trottoir, une mendiante tente de ramener quelques chiffons sur ses gamins pour les garder au chaud. Un chien passe à côté d'elle en feignant de regarder ailleurs, le dénuement humain dépassant l'entendement... Mon Dieu ! c'est triste à crever.

Et toi, Alger ? pourquoi tu es si triste à vivre ?

Je reviens sur le banc, écrase ma cigarette dans une sous-tasse. La tête dans les mains, j'essaie de mettre de l'ordre dans mes idées.

Si Soria était le rescapé Belkacem Talbi, et le vrai Belkacem Talbi mort et fini, qui était SNP ? Un illustre anonyme, bien sûr ! un passé vierge, une page blanche sur laquelle on s'autorisait à écrire n'importe quelle histoire. C'est alors qu'on lui a prêté celle des suppliciés. Et tout s'est mis en place. Exactement comme *ils* l'entendaient. Il ne restait plus qu'à y croire. Et j'y ai cru. Jusqu'au bout. Quel abruti ! Moi qui me targuais d'avoir été rodé par les innombrables engrenages qui ont failli me broyer, qui pensais en avoir vu de toutes les couleurs pour ne jamais finir daltonien, me revoilà sur le cul.

— Tu veux que je te prépare du café ?

Ma pauvre Mina ! Toujours à se compliquer l'existence à cause de mes tourments.

— Je t'ai encore réveillée ?

— Ce n'est pas grave. De toutes les façons, je n'ai pas sommeil.

— Viens à côté de moi.

Elle obéit. Mon bras s'enroule autour de son cou. Je la serre contre ma poitrine. Ses mains hésitantes, pudiques se cherchent avant de me ceinturer. J'enfonce mon museau sous son menton, me laisse me dissoudre dans son souffle. Dehors, le malappris revient klaxonner dans la rue. Il peut toujours ameuter la ville ; déjà je ne suis plus là pour personne.

Mina s'assoupit dans mes bras. Avec infiniment de précautions, je l'allonge sur le banc matelassé, la couvre d'un drap et vais dans la chambre me changer. Il me faut coûte que coûte crever l'abcès, moi aussi.

J'ai roulé dans la ville endormie sans m'arrêter aux feux. Les rues désertes me donnent des ailes. Le pied à fond sur l'accélérateur, je fonce droit devant moi.

Vers 4 heures du matin, j'atteins l'asile. Je range ma voiture sur le parking et saute à terre. Un vent épileptoïde descend de la montagne, chargé de poussière et de feuilles mortes, et se rue sur les arbres tel un drogué sur ses hallucinations. Dans le ciel, où une horde de nuages boursouflés commence à se disperser, la lune se veut plus grande que son effroi. On dirait que la nuit ne lui inspire rien qui vaille. Très loin, à l'horizon, un orage tente une diversion ; son boucan ne réussit même pas à couvrir la rumeur des vergers.

Courbé sous les rafales, je titube au milieu des chambrées obscures. J'ai l'impression de traverser les limbes de ma folie.

J'arrive devant le bureau-dortoir du professeur Allouche. Aucune lumière ne veille derrière les volets. Je cogne sur la porte à écorcher les jointures de mon poing.

— Ça va ! s'écrie enfin une voix crachotante, je ne suis pas sourd.

Une clef tourne dans la serrure.

Le professeur chavire en me découvrant sur son perron :

— Brahim ? Qu'est-ce que tu fais là ?

— Je ne fais que passer. Est-ce que je te dérange ?

Il regarde par-dessus mon épaule.

— Tu es seul ?

— Comme un grand, professeur.

— Tu sais l'heure qu'il est ?

— Je croyais que les amis n'avaient pas besoin de rendez-vous.

— Oui, sauf qu'il ne faut pas exagérer. Je présume que tu as une bonne raison pour me tirer de mon lit si tôt.

— Je n'arrivais pas à fermer l'œil, chez moi.

Il me considère avec curiosité, puis s'écarte pour me laisser passer.

— Qu'est-ce qui se passe, Brahim ? dit-il en allumant le plafonnier.

Il est en pyjama, le pantalon dévoilant une importante partie de ses fesses. Le tricot de peau, usé aux bretelles, flotte sur son torse blafard aux côtes proéminentes, trahissant le travail de sape de son âge avancé. Mon ami le professeur est déjà une vieille histoire ; j'ai presque honte de devoir la remettre sur le tapis.

Il me regarde avec ses yeux de chien mourant.

— Tu as l'air désorienté, commissaire. Qu'est-ce qui ne va pas ?

Je lui montre une chaise.

— Assieds-toi, professeur. Debout, tu ne tiendrais pas le coup.

— C'est aussi grave que ça ?

— S'il te plaît, assieds-toi.

Il tergiverse, puis s'exécute.

— Oui ?

Du doigt, je le prie de patienter. Il lève les mains en signe de consentement. Mon souffle cafouille. Je marque une petite pause pour le discipliner. Une fois concentré sur mon sujet, j'ouvre les hostilités :

— Arrête-moi quand tu veux, prof. Tu es prêt ?

— ...

— Nous prenons un détenu sans mémoire, que nous appellerons SNP. Nous lui greffons le passé qui convient à nos amis et nous nous arrangeons ensemble pour le faire bénéficier de la grâce présidentielle. Parallèlement, nous ameutons la ville pour faire croire que cette libération est une grave initiative, le concerné étant un danger potentiel pour la société. Résultat : tout le monde est averti. À commencer par un certain commissaire de police. Puis, la machine se met en branle. Une fois à l'air libre, notre SNP recouvre soudain la mémoire. Il se rappelle l'homme qui a causé sa perte et celle de sa famille et va attenter à sa vie. Manque de pot, il se trompe de cible et abat le chauffeur de sa victime. Seulement, il ne s'agit pas de n'importe quelle victime. Haj Thobane est dans tous ses états, et l'État s'en retrouve sens dessus dessous. Les fins limiers, par pelotons, sont chargés de retrouver le tueur. Ils font mieux : ils le liquident. Sauf que, dans la foulée, c'est un lieutenant de police qui prend dans la gueule. Comme on ignore comment son flingue s'est retrouvé sur le corps du tueur, on privilégie la piste de la complicité. Le vieux commissaire Llob est contraint de tirer son second du guêpier dans lequel il s'est fourré. Il va tenter d'établir le lien entre la cible et le tueur pour disculper son coéquipier. Et là intervient le passé greffé au détenu sans mémoire que nous avons appelé SNP. Il n'y a pas mieux qu'un amnésique pour lui tailler une histoire sur mesure, n'est-ce pas ? Et si, en plus, il n'a pas de parents ni de connaissances, on peut se débarrasser de lui sans laisser de traces. Du gâteau ! Le crime parfait. D'autant plus que le commissaire a d'autres soucis : son pote croupit dans les geôles du non-retour. Plus le temps passe, plus le pauvre bougre se décompose. L'urgence s'impose. Il faut brûler les étapes, aller directement à l'essentiel. Le terrain est préparé depuis belle lurette et le vieux flic n'a qu'à suivre les orientations. Jusqu'au charnier de Sidi Ba. Une horreur, ce charnier ; et quel scandale ! La découverte macabre est relatée avec moult détails au journal télé, et la presse écrite se charge de la corser à sa guise. Haj Thobane, qui avait massacré la famille de SNP, incapable d'assumer un passé monstrueux, se suicide. Normal. Que pouvait-il faire d'autre ? Il est fichu, irrécupérable ; la nation le vomit. Ainsi le Bien prend sa revanche sur le Mal. Exactement comme dans les feuilletons instructifs. Le fumier est enterré comme un chien. Justice est rendue. Le lieutenant de police est réhabilité. Tombe le rideau, le spectacle est fini, chacun rentre à la maison... Tu le trouves comment, mon synopsis ?

— Je ne vois pas où tu veux en venir, Brahim.

— Vraiment ?

— Quand je t'ai vu débarquer à une heure impossible, j'ai dit que ça ne devait pas tourner rond dans ta tête. Je ne me suis pas trompé.

Il tient le coup, le prof.

À croire qu'on l'a briefé.

Il passe les doigts dans sa tignasse chenue, les lèvres retroussées. Il est quand même embarrassé.

— On se connaît depuis combien de temps, Allouche ?

— Ça remonte à très loin, soupire-t-il.

— Tu as connu des hauts et des bas, pas vrai ?

— Ça n'a pas été rose.

— Mon attitude vis-à-vis de toi a-t-elle changé d'un iota une seule fois ?

— Tu es quelqu'un de bien, Brahim. Tu as gardé pour moi la même prévenance, dans le meilleur et dans le pire.

— Tu crois que c'est dû à un crétinisme congénital ?

— Pourquoi dis-tu une horreur pareille ?

— Parce que c'est exactement la question que je me pose, professeur. Je me demande si ma droiture n'est pas la preuve de mon idiotie. Car il faut être un sacré taré pour continuer d'aimer et de faire confiance dans un pays où chacun s'évertue à abuser de l'autre pour survivre.

— Oh ! là, là ! tu es en train de déprimer...

— Tu ranges ton blouson et tu restes sur ton canapé, professeur. Je ne suis pas venu pour une séance d'hypnose.

— Alors, tu es venu pour quoi ? explose une voix derrière moi.

Je me retourne.

Chérif Wadah est debout dans l'embrasure de la pièce voisine, en robe de chambre, qu'il n'a pas tout à fait fini d'ajuster. Sa figure, encore bouffie de sommeil, frémit spasmodiquement.

— Monsieur Wadah ? je fais. Je vous croyais à l'étranger.

— Mes ennemis le croient aussi, et c'est tant mieux.

— C'est donc ici votre planque ?

— Occupez-vous de vos oignons, commissaire. Qu'est-ce que vous êtes en train de raconter au professeur ? C'est quoi, ces élucubrations ? Vous rendez-vous compte de l'incongruité de vos propos ?

Il cherche à m'intimider.

Je ne marche pas dans ses combines :

— L'incongruité est dans les faits tels qu'ils se sont produits récemment, monsieur Wadah. C'est d'une gaucherie !

Chérif Wadah noue la ceinture de son peignoir et avance sur moi. Il est furieux, tente de garder son sang-froid. Sa main retourne un réveil sur la table.

— Bordel ! il est 4 heures du matin. Il faut être malade pour venir à cette heure raconter des salades à des gens qui ne demandent qu'à dormir.

Il me dévisage, les margoulettes saillantes.

— Vous êtes en train de perdre le fil de l'histoire, monsieur Llob. Je sais, vous avez traversé des zones de turbulence particulièrement déstabilisantes, mais c'est fini. À votre place, je penserais à autre chose. Une nouvelle vie commence au pays. Vous devriez vous en réjouir. Vous avez accompli un boulot magistral. Vous avez été fantastique. Pourquoi faut-il douter de ce que vous avez entrepris avec abnégation et intelligence ?

— Attention, vous êtes en train de m'encenser fort. Je vais tomber dans les pommes.

— Vous méritez tous les égards du monde, commissaire. Et vous les obtiendrez, les uns après les autres. Pas un ne manquera à l'appel. J'y veillerai personnellement. Grâce à vous, une ère nouvelle va éclore... Ne cherchez pas de réponse là où la question ne se pose même pas. Ça vous éloigne de l'essentiel, et de l'estime des gens. Oubliez cette histoire et allez en Bulgarie...

— Tiens, vous êtes au courant !

— C'est moi qui ai sollicité monsieur Ghali Saad pour vous.

— Vous auriez pu me demander mon avis.

— Je voulais vous faire la surprise.

— Ce qui me surprend, c'est de ne pas parvenir à semer Ghali Saad. Il est sur tous les chemins que j'emprunte. À la longue, ça use.

— Vous faites fausse route, commissaire, je vous assure. Il n'y a pas de complot. Haj Thobane a été rattrapé par son passé. Nous avons décidé de ne pas l'aider, c'est tout. Ce n'était qu'un être immonde. Il a causé d'énormes soucis à la patrie, l'empêchait d'avancer, s'opposait aux réformes, à l'ensemble des initiatives susceptibles d'améliorer les conditions de travail et la vie de nos citoyens, et retenait le peuple en otage. Il considérait toute proposition politique ou économique comme une atteinte à son empire financier et s'appliquait à maintenir la société dans le marasme et dans la décomposition mentale. Je vous assure que votre boulot est béni des dieux. Vous le connaissiez, voyons ! Vous n'allez pas me dire que vous le regrettez. Cet homme devait disparaître d'une manière ou d'une autre. C'était ou lui ou l'Algérie. L'Histoire a tranché. Le lâche s'est tiré une balle dans la tête, et la vie continue.

— Il s'est donc tiré une balle dans la tête ?

— Pourquoi, vous en doutez ?

— On l'a peut-être aidé.

Chérif Wadah fulmine. Ses joues se mettent à tressauter. Soudain, il s'empare du réveil sur la table et le fracasse contre le mur.

— Là, vous déconnez ferme, commissaire. C'est très, très grave, attention ! Le rapport du médecin légiste est catégorique : Haj Thobane s'est suicidé. C'est officiel et sans appel. Et c'est la vérité. C'est dangereux d'avancer des hypothèses fantaisistes dont on ne mesure pas la portée.

Ses yeux sont injectés de sang. Une bave battue en neige fermente aux commissures de sa bouche.

Quelque chose cède en moi. Une serre invisible se referme sur mes entrailles pendant que mes mollets ramollissent. Je ne me souviens pas d'avoir connu une frayeur aussi renversante que celle qui est en train de me gagner en ce moment.

Le professeur Allouche est navré pour moi. Je le déçois. Il se lève, fait le tour de la table, et s'effondre de nouveau sur sa chaise, sans doute lessivé par mes « élucubrations ».

— Je t'en prie, Brahim, chevrote-t-il, un doigt contre la tempe. Sy Chérif dit vrai. Tu devrais être content. C'est formidable ce que tu as entrepris.

— Toi, un professeur, un érudit, je lui dis. Comment un homme avec ton savoir s'est-il laissé embarquer dans cette histoire ?

Il sourit, tristement, hisse un regard malmené vers moi.

— Un érudit, Brahim, un professeur ?... Est-ce que tu sais ce que ça signifie, dans un pays dominé par des mégalomanes et des rentiers boulimiques ? Le savoir est le pire malheur qui puisse arriver à un homme dans une république gérée par des charlatans. Tu les as vus à l'œuvre, commissaire, tu les as vus me démolir, et démolir ceux qui ne leur ressemblent pas. Mes hauts et mes bas, Brahim ? De rares ovations ; beaucoup de hurlements. S'il y a quelqu'un qui se doit de plonger la tête la première dans « cette histoire », c'est bien moi. C'est plus qu'un devoir, c'est une obligation, une question de survie. Est-ce que tu as déjà été tiré de ton lit à des heures impossibles par une poignée de sbires surexcités qui entrent chez toi comme dans un moulin, jetant ta femme et tes enfants dans l'émoi, puis dans l'effroi ? Toutes les nuits, des années durant ? Est-ce que tu imagines un peu l'enfer que c'est ? On te bouscule dans l'escalier, en pyjama, les pieds nus, pendant que tes enfants sanglotent en se cachant derrière leurs poignets. Et toi, tu tentes de les rassurer et tu n'y arrives pas parce qu'un pauvre imbécile te cogne dessus en te traitant de chien. Combien de fois le même cirque s'est déroulé ainsi, au beau milieu de la nuit, jetant les voisins sur leurs balcons pour regarder mes barbouzes m'entasser dans le coffre de la voiture avant de me conduire à tombeau ouvert à travers mon délire ? J'ai été torturé, enchaîné, humilié, arrosé d'urine et traîné dans mes excréments. On me forçait à m'asseoir sur des bouteilles. J'étais si défiguré, si misérable que ma femme a pété les plombs. Elle ne supportait plus de me voir réduit à une crotte, Brahim, elle n'en pouvait plus de partager mes hantises. Un matin, elle a pris mes gosses et elle a disparu. Elle n'est jamais revenue, n'a plus donné signe de vie. Depuis plus de dix ans, j'ignore où elle se trouve, ce qu'elle a fait de mes enfants. Et tu me demandes ce que fout un érudit dans cette histoire ? Cette histoire n'aurait aucun sens sans lui... Je ne veux plus que les meilleurs d'entre nous soient persécutés par ce que nous avons de pire. Je ne veux plus que mes ouvrages remplacent le papier hygiénique dans les latrines. Parce que c'est arrivé, Brahim. On m'a obligé à me torcher avec mes livres. À demander pardon à mon tortionnaire, et à appeler « maîtres » de minables geôliers. Tout cela, parce que j'étais un homme instruit, honnête, consciencieux, qui proposait ses services à des gourous qui ne savaient qu'en faire. Eh bien ! c'est fini, le règne des incultes. Je ne veux pas que les abus se poursuivent, que les braves fassent dans leur froc dès qu'un fumier les regarde de trop près.

Comme je reste sans voix, il baisse les yeux en s'arc-boutant contre la table. Il n'arrive pas à se soulever, laisse tomber et se contente de conclure :

— Tu as tort de t'esquinter le moral, Brahim. Je t'as-

sure que tu as toutes les raisons de te réjouir. Sy Wadah
ne t'encense pas. Ce que tu as fait est inestimable. Grâce
à toi, un métabolisme salutaire est en train de s'opérer
chez nous. Le Bien prend enfin le pas sur le Mal.

— Le Bien ?

— Oui, le Bien.

— Alors dis-moi pourquoi, à chaque fois que je pense
à ceux qui se proposent de nous le dispenser, j'ai envie de
dégueuler ? Dis-moi pourquoi leur bonté m'épouvante,
pourquoi j'ai peur de les voir tenter de nous sauver ?

Au loin, un orage éclate, relançant les assauts du vent
contre le baraquement de l'asile.

Chérif Wadah dodeline de la tête :

— Ainsi, vous ne percevez pas le changement que la
nation attendait...

— Personne ne croit à vos boniments, monsieur
Wadah, je l'interromps. À force d'avoir été copieusement
baisé par vos démagogies, l'espoir n'a plus la force de se
prêter à vos jeux. Et surtout, ne me parlez pas de nation,
vous ignorez ce que c'est. L'unique chance qui reste au
pays est que vous partiez. Le plus tôt sera le mieux. Vous
nous soûlez avec vos discours à la con. Le monde change,
c'est vrai, mais là où vous n'êtes pas. C'est dans votre
mentalité que ça bloque. Si vous pensez que la mort de
Thobane est ce qui pouvait arriver de mieux, prenez
exemple sur lui et laissez les jeunes générations prendre
leur destin en main. On ne peut pas réussir un festin à
partir des restes de la veille, monsieur Wadah.

— C'est notre Algérie, fulmine-t-il en se ruant sur
moi.

— Laquelle ? hurlé-je pour le repousser. Celle qui ins-
pirait les poètes ou bien celle qui fait froid dans le dos ?
Celle où les délégations étrangères étaient reçues par des
peintres et des écrivains ou bien celle où les geôles cade-
nassent les chantres ? Celle où les géants venaient s'incli-

ner devant ses monuments ou bien celle des colosses aux pieds d'argile ? Celle que vénéraient Tito, Giap, Myriam Makeba et Che Guevara, le vrai, ou bien celle qui hébergeait Carlos et les organisations terroristes ?

Il est consterné.

Un moment, sa main s'est portée à son cœur ; il se ressaisit pour m'affronter jusqu'au bout.

— J'ai du chagrin pour vous, Sy Brahim. Je crois que nous n'avons plus rien à nous dire. Allez-vous-en, maintenant.

— C'est ce que je comptais faire, monsieur. Je suis juste venu pour vous rappeler qu'aucun crime n'est parfait. Vous pouvez brouiller les pistes et les cartes, permuter les indices et les traces, aveugler les esprits et les yeux, tôt ou tard, inévitablement, comme Haj Thobane, la vérité vous rattrapera.

— De quelle vérité parlez-vous, Sy Brahim ? Il n'y en a jamais eu.

Cela lui a échappé.

Ses narines dilatées battent de l'aile. Son front luit de sueur et ses mâchoires roulent sourdement, pareilles à celles d'un concasseur.

Il ignore s'il doit argumenter ou bien laisser tomber.

Au grand dam du professeur, il opte pour la moins avantageuse des initiatives : disserter. Il vient étaler son rictus carnassier sous mon nez. Son souffle m'assiège, ses yeux cherchent à me diluer dans la fournaise de leur regard.

— Nous ne sommes qu'un tissu de mensonges, monsieur Llob. Nous croyons savoir où nous allons, pourtant nul ne devine ce qui nous attend au tournant. Nous avançons à tâtons en pleine lumière, éblouis par le chatoiement de nos vanités, si ce n'est pas fascinés par les mirages de notre perdition, ne nous fiant qu'à notre instinct d'hallucinés, pareils aux gnous galopant ventre à

terre vers des pâturages improbables jalonnés de traquenards, de morts violentes et de folie. Nous sommes
aussi à plaindre que les gnous, commissaire. Les pièges
du passé ne nous ont pas instruits. Notre mémoire ne
retient rien de ce qui nous a détruits. Nous n'avons
jamais cessé de nous mentir. C'est peut-être là que
réside le secret de notre survivance, dans le refus de
nous corriger.

Sa main se lève à hauteur de ma figure, remue ses
doigts, rappelant une araignée sur le dos, puis se referme
en un poing ravageur :

— Qui a changé depuis le meurtre originel, qui s'est
assagi depuis le déluge de Noé ? Nous continuons de
courir à notre perte en nous foutant royalement de ce
qu'il pourrait advenir de nous... Des guerres qui s'encor-
dent, des misères à perte de vue, des drames et des acci-
dents à ne savoir qu'en faire. Pourquoi ? Pourquoi tant
de malheur, de souffrances terribles et inutiles ? Là est
la question. Celui qui détient la réponse ne saurait malheureusement apporter la solution.

Son poing se détend, tourne sur lui-même en libérant
ses doigts :

— Alors, où est-elle, cette foutue sainte Vérité, commissaire ? Dans la leçon que les hommes n'ont jamais su
assimiler ? Dans la banalisation des tragédies au point
que les générations miraculées s'estiment lésées et réclament leur part de damnation ? Dans la piété qui attend
des étoiles ce que la terre lui propose en vain tous les
jours ? Si la Vérité venait à se joindre à nous un matin,
nous en crèverions d'ennui avant la tombée de la nuit.
C'est le mensonge qui nous aide à tenir le coup. Il n'y a
que lui qui nous comprend, qui a pitié de nous... Le
Mensonge est notre salut. Qu'est-ce que l'espoir, la tolé-
rance, le rêve ; qu'est-ce que la fraternité, l'équité, la
fidélité ; qu'est-ce que le pardon, la justice, le repentir

sinon ce mensonge exquis qui nous fait passer plusieurs fois devant la même déconfiture sans que ça fasse *tilt !* dans notre esprit ?

Sa péroraison l'a essoufflé. Il recule le buste pour reprendre haleine. Je ne le lâche pas. En le fixant droit dans les yeux, je lui dis à bout portant :

— Vous fréquentez trop cet asile, monsieur Wadah.

À cet instant, comme poussé hors de ses gonds par ma muflerie, Joe surgit je ne sais d'où, un fusil de chasse pointé sur ma tempe.

— Je lui fais exploser la cervelle ?

Il est fou furieux, Joe. Son visage grouille de tics frénétiques et son doigt a du mal à se tenir tranquille sur la détente.

— Pose ton arme, fiston, lui recommande son protecteur.

— Il t'a manqué de respect. Je ne permettrai à personne de te manquer de respect. Pas même à ma mère. C'est qu'un fumier de flic. Il n'a pas le droit de hausser le ton devant toi.

— Pose ton fusil, je te dis !

Joe frémit sous la sommation de son parrain. Ses yeux me fouaillent les entrailles. J'ai le sentiment de partir en fumée. Une sueur froide dégouline dans mon dos. Au bout d'un long frémissement, le doigt se stabilise, s'éloigne cran par cran de la détente et se replie sur lui-même. J'attends néanmoins que le canon s'écarte complètement de ma tempe pour me remettre de mes émotions.

Joe recule à contrecœur et disparaît derrière une porte, aussi furtif qu'un spectre.

— Je vois que tout le monde est prêt à en découdre, monsieur Wadah.

— Je vous avais dit qu'il n'avait pas toute sa tête.

— Il n'est pas le seul, hélas !

— Laisse les choses poursuivre leur cours, commissaire, me lance le professeur. Un train s'apprête à s'élancer vers un nouveau paysage ; se mettre en travers de son chemin c'est accepter de se faire ramasser à la petite cuillère. Il est des choses qui échappent au commun des contribuables. Souvent, il ne se rend pas compte que c'est pour son bien, et pour le bien des générations à venir. La mort d'un homme ne doit pas tuer les chances d'une nation entière. Vivant, Haj Thobane les empêchait toutes. Désormais, l'espace de manœuvre ne demande qu'à être investi. C'est ce que nous allons entreprendre sur-le-champ.

— À votre place, enchaîne Chérif Wadah (pour m'avoir pour lui seul), je rentrerais chez moi préparer mes valises. La Bulgarie est un beau pays.

— Je n'ai pas besoin de ce stage.

— Nous vous trouverons d'autres destinations. La France, l'Italie, la Russie, les États-Unis...

— Je ne mange pas de ce pain-là, monsieur.

— Dommage.

Au moment où j'atteins la porte, la voix de Wadah me retient par l'oreille.

Il me tutoie :

— Tu n'as aucune raison de douter de notre programme, Brahim. Il s'inspire de nos erreurs et promet de rattraper le temps perdu. Le pays va renaître, beau et sain. Les compétences retrouveront leur champ d'action, et les mérites seront consacrés. Une nouvelle politique promet de nous élever dans le concert des nations. Les cerveaux, contraints de s'exiler à cause de l'égoïsme et de la fatuité de certains dirigeants, reviendront parmi nous. Nos écoles et nos universités recouvreront la noblesse de leur vocation. Nos artistes vont s'éclater et tous les talents auront les moyens de s'exprimer pleinement. Chacun aura sa chance. Les meilleurs seront portés aux nues. Finis le despotisme et la langue de bois, le népotisme et les passe-droits, le favoritisme et l'exclusion. Des partis vont éclore partout – ce n'est pas une utopie ; certains sont déjà en train de se constituer dans le secret, je t'assure – et le pouvoir aura en face de lui une opposition effective qui lui demandera des comptes et le surveillera de près. La démocratie est la maturité des républiques, elle est la vraie solution. Tu as tort de demeurer sceptique, commissaire. Le salut est là, à portée de main ; il suffit de s'en emparer.

— Vous conviendrez que, là encore, c'est le mensonge qui séduit le mieux, monsieur Wadah.

Son sourire se rétrécit.

J'ouvre la porte. Dehors, une lune radieuse conte fleurette aux vergers brûlés par la sécheresse. Il fait un temps splendide pour les somnambules et les insomniaques ; quant au paysan aux mains décousues, la récolte s'annonce d'ores et déjà désastreuse.

Avant de rejoindre ma voiture, je trouve encore la force de me retourner vers le gourou des lendemains qui déjantent et lui dis :

— Tout ce qui brille n'est pas or, c'est la loi. J'aime mon pays et les gens qui vont avec. Je suis malheureux quand les choses tournent mal, et il m'arrive souvent de prier pour que l'on sorte des mauvaises passes sans trop de casse. Comme vous, je rêve d'une patrie belle et saine ; je suis prêt à me défoncer comme un dingue pour un soupçon d'embellie dans la grisaille de nos jours mais, quelle que soit la ferveur de ma foi, je m'interdis de faire allégeance aux prophéties qui légitiment le meurtre.

J'ignore ce que j'ai fait du reste de ma journée. Je me souviens seulement d'avoir marché comme un forcené quelque part, les mains derrière le dos, le regard voilé. J'avais mal à la tête, et mal au ventre surtout. Les bruits de la ville tourbillonnaient autour de moi. Je ne savais où aller et pourtant je continuais d'errer, persuadé que c'était le seul moyen de prendre mes distances vis-à-vis de mes incertitudes. Peut-être avais-je espéré ainsi prendre un certain recul par rapport à mes propres *convictions*, histoire de vérifier si elles étaient capables de me rattraper. La nuit m'a surpris penché par-dessus une rampe, sur le front de mer. Il m'a fallu une éternité pour me rappeler où j'avais laissé ma voiture. Je suis rentré chez moi pareil à quelqu'un qui revient de loin et qui n'est pas près de voir le bout du tunnel.

Il est 23 heures passées, et Alger suffoque. On croirait l'enfer aux portes de la ville. Entassé dans mon fauteuil, la bedaine sur les genoux et les pieds sur un pouf crevé, je n'en finis pas de chercher à me soûler la gueule avec une Hammoud Boualem, un soda du bled qui fait notre fierté sans pour autant parvenir à nous griser.

Par la fenêtre, je peux voir les lumières de la Casbah. La nuit, en ce quartier séculaire, ressemble à un renoncement. Terrassés par la fournaise, les gens ont l'esprit chauffé à blanc ; les soucis chahutent leurs mémoires, leurs soupirs sont des fuites en avant. Ils ont passé leur journée à surcharger leur ardoise auprès des cafetiers, pestant contre la rinçure qu'on leur sert en guise de breuvage et contre les lendemains qui regardent ailleurs. Les ruelles sont vides, et *tristes à mourir* ; si elles se dépêchent de se terrer au fond des soubassements, c'est pour cacher aux étoiles leurs horribles reptations. Les boutiquiers ont baissé rideau, les papotages ont mis les voiles ; le silence a investi la place, c'est lui que l'on entend bruire sottement contre les volets.

Plus bas, Bab El Oued s'abreuve de sa bile. Il se planque derrière ses pénombres et attend, avec la patience d'une araignée, de piéger les débats. Si les lampadaires sont éteints, ce n'est pas par pudeur ; le noir est la couleur préférée des complots. Bab El Oued a un vieux compte à régler. Ce que l'on pense de la teneur de sa susceptibilité ou de l'hygiène de son amour-propre, il n'en a rien à branler. Il consolide ses aigreurs sans s'occuper du reste. Avec les moyens du bord : quelques principes de fortune, des fiertés rudimentaires et une pathétique ténacité. Pas assez pour élever une stèle, mais suffisamment pour dresser un tas de gibets. En face, la Méditerranée s'étire au large des rêves éconduits, obscure comme un présage qui se ronge les sangs. Quelques paquebots se font passer pour des chefs de gare agitant leurs lanternes pour se donner de l'entrain, tandis qu'un phare promène son mauvais œil sur les ténèbres en quête de sortilèges à féconder.

D'habitude, lorsque je me penchais sur la rampe de mon balcon, Alger m'attendrissait. J'observais les choses avec attachement, et les bruits du quartier me tenaient en haleine. Il m'était difficile de regarder une rue sans entrevoir le sens qu'elle donnait à ma vie. J'avais l'impression de connaître tous les immeubles, de soupeser un à un l'ensemble des pavés. Je n'avais même pas besoin de sortir de chez moi pour voyager. Alger était une balade dont on ne se lassait jamais. L'odeur des merguez et le tapage des gargotes remplissaient mes pensées d'une faim de loup ; je n'avais qu'à plonger mon regard dans celui des mioches pour me désaltérer.

Elle était belle, Alger, au temps des saisons bleues. Un rien nous gonflait à bloc ; le moindre chant nous glorifiait. Nous étions jeunes comme nos vocations et nous prenions pour argent comptant les promesses farfelues. Nous avions la main verte, le cœur à l'ouvrage et la naïveté franche ; nos ambitions étaient humbles et nos espoirs confiants ; nous voulions seulement vivre et aimer être là, parmi la prière des mosquées et les coups de gueule des ivrognes, chercher notre image dans la sympathie des autres, toucher du bout des doigts nos songes d'enfants, cueillir d'une main la fleur à offrir et tenir, de l'autre, l'ensemble de nos paroles. Nous étions si heureux des jours qui naissaient devant nous, émerveillés de les reconnaître malgré tant de nuits chaotiques ; nous étions si émus lorsqu'on nous disait merci car rien ne cicatrisait mieux nos blessures qu'un simple sourire. Pourquoi tout a changé aujourd'hui ? Quelle est cette amertume qui nous gâche la vie ? Qu'est-ce qui interdit à Mina de remuer le passé, qu'est-ce qui fait tourner en bourriques les juments dans les prés ? Que d'interrogations assassines au soir des bilans, que de chagrins immenses au bout des peines perdues...

Il n'est pire tranchée qu'une bouche qui veut mordre, il n'est pire imprudence que de lui prêter l'oreille.

Cette nuit, c'est promis, lorsque Mina me rejoindra au lit, je lui tiendrai la main jusqu'au matin.

Quelques mois plus tard, le 5 octobre de la même année (1988), suite à un étrange discours présidentiel incitant la nation au soulèvement, de vastes mouvements de protestation se déclareront à travers les grandes villes du pays. Le bilan des confrontations fera état de cinq cents civils tués. À la colère populaire qui réclamait du travail et un minimum de décence, le gouvernement offrira le multipartisme et une démocratie sulfureuse qui favoriseront l'avènement de l'intégrisme islamiste, créant ainsi les conditions idéales pour le déclenchement de l'une des plus effroyables guerres civiles que le bassin méditerranéen ait connues...

Mexico-Aix-en-Provence

Impression réalisée sur CAMERON par

BUSSIÈRE CAMEDAN IMPRIMERIES

GROUPE CPI

à Saint-Amand-Montrond (Cher)
pour le compte des Éditions Julliard
en février 2004

La photocomposition de cet ouvrage
a été réalisée par
GRAPHIC HAINAUT
59163 Condé-sur-l'Escaut

N° d'édition : 44583/01. — N° d'impression : 040416/4
Dépôt légal : mars 2004.

Imprimé en France